古代文字の解読

高津春繁
関根正雄

講談社学術文庫

まえがき

文字は、いわば、第二の言葉とも言うべき大切な人間の持物であって、今日では文字なしの状態などは想像することさえむずかしいが、文字の歴史は言語のそれにくらべると遥かに浅い。それは紀元前三〇〇〇年代に始まり、紀元の前に既にほぼその発達の最終段階に到達している。

周知のように漢字以外の現行のすべての文字は、セム族の使用していた文字に源をもっている。エジプトの文字も或いはこの発達に関係し貢献しているかも知れない。セム族の一民族が創り出した、一音一文字主義の文字からギリシア・アルファベットが考案され、それの一変形からローマ字が、またキリル文字が生まれた。インドやアラビアの文字も、セム族の異なる系統の文字に発源している。

こうして便利な使い易い文字の出現と共に、それ以前の古い文字の知識が次第に失われ、エジプトやアッシリアの言葉と文字も忘れられていった。それが再び長い忘却の淵から回復されたのは十九世紀になって、これらの地の調査発掘が大規模に行われ、夥《おびただ》しい資料が集まって以後のことである。かくてエジプトとスメル・アッカド系の古い文字による文書の解読が次々に成功し、二十世紀に入ってからも、ヒッタイト、ウガリットとミュケーナイの文書の解読が行われた。

これらの幾千年もの間の眠りを呼び起こす鍵の発見には、幾多の先人の血のにじむような努力がその背後にあることは言うまでもない。われわれ二人の著者は、かれらの解読への道を出来るだけ平易に正確に、劇化したりロマンス化したりすることなく、伝えようと努力した。そんなことをせずとも、事実そのものが既に人の心を躍らせるものを蔵している。

本書において扱ったのは、二人の著者が実際にその知識を持っている言語の文字に限られている。従ってそれは、スメル・アッカド系の楔形《くさびがた》文字とエジプト文字の系統のもの、及びミュケーナイとヒッタイトの特殊な文字の解読の歴史だけであるが、先にも言ったように、漢字以外の重要な文字はこれで十分に論じられることとなる。

二人の著者の中、印欧語族を専門とする高津が序論、ヒッタイト文書、ミュケーナイ文書の解読の、セム語族を専門とする関根がスメル・アッカドその他の楔形文字文書とエジプト文字の解読の歴史を受け持った。専門などと口はばたいことを言ったが、何分にも数多い言語の数多い文書を問題とすることでもあり、解読への道は多くの場合に解読者自身が物語っているわけでもない。出来るだけ正確を期したとはいえ、誤りがあるかも知れない。識者の批判をまつ次第である。

昭和三十九年五月二十九日

高津春繁
関根正雄

目次

古代文字の解読

第一章　言語と文字

わたしたちは言葉を常に話し、文字をいつも使っているので、それは余りにも普通のこととして、少しも不思議と思わないけれども、言葉と文字とは人間のもっている二つの最も大きな特権である。

言語を単に通信とか伝達の方法と定義すれば、人間以外の動物でも、色々な方法でこれを行う能力があるから、動物も言語をもっていると言えるが、それは叫び声とか身振りと同じ種類の方法で、われわれが言語と呼んでいるものとは根本的に違う。人間の言語は、言うまでもなく、幾つかの予《あらかじ》め定められた一定の音が一定の順序に並べられて、一定の意味を表わすことによって成立する。ある言語の使う音は数十で、それを、日本語でinuのようにならべると、英語のdogなどと同じものを表わす。この順序が違うと、uni, godのように、全く別の物を指すから、音の並べ方が大切なことが直ぐにわかるだろう。

日本語のinu、英語のdog、フランス語のchien、ドイツ語のHundと、色々な言語の「犬」にあたる語を並べると、それぞれ違っている。また先に挙げたように、音の並べ方を逆にすると別の意味をもつこともある。こういうことは、このような語が元来それが指す物そのものと何ら必然的な関係がないことを示している。これは世界中に千をもって数える多くの違った言語が行われていることによっても知られるのであって、言語はそれを使っている社会の長い伝統によって定められた約束なのである。だからこそ、外国語は理屈なしにならわねばならない。言葉はただ音の一定の順序の並べ方とその指す物との関係を覚える以外には学びようがないのである。

言葉は物と直接のつながり——極《ご》く僅かな、例えば擬音語などの例外的なもののほかはつながりがないから、身振りや叫び声と違って、物そのものが眼の前にない場合にも、物を指すことが出来る。「犬」と言えば、犬が実際にそこにいなくともよい。何を指しているか聞き手にはわかる。言語は、更に、このように物と直結していないから、物の名をもって、個々のものではなくて、全体に名を与える。「犬」は、ある特定の個々の犬も指示し得るが、その本来の意味は「犬」という物全体で、大きいのも小さいのも、どんな色や種類の犬も、「犬」という一語の中に含まれている。言語は一つの抽象化、概念規定なのである。会話の場においては、直接に個々の物と結びつき得るが、しかし元来はもっともっと広い抽象的なものである。だからこそ現実と全く関係のない物語や小説や詩や学問の世界を創り出すことが出来るのである。

音による言葉は、それが発音されるとすぐに消えてしまうが、文字によって誌《しる》されると、それは一つには聴覚的であった言葉が視覚の領域に一応移されると共に、瞬間的に消え去ることがなくなる。こうして言語は、文字によって一つの新しい段階に入った。

書く言葉は話す言葉と違って、眼の前に聞き手が普通はいない。書けば同一の文書が何人もの人に別々の時間に伝達の役目を果たすことが出来る。何百何千年以前の文書でも、その書かれている言語さえ知っていれば、理解出来る。しかし書かれた言葉は話された言葉そのままではない。

これは、一つには、話された言葉の大まかな指示にすぎない。話す時には、音の外に身振りや表情があり、また会話の場があって、これらのものが思いの外に大きく働いている。ところが書かれた言葉は、全くの言葉だけで、上にあげた言葉以外の要素の外に、言葉そのものとしても、抑揚や調子やその外の言葉そのものに存在する表情的なまた個人的なものがかなり除外される。書かれた言葉のこのような性質、話された場合との相違は、劇のせりふを読めば、よく理解出来る。舞台装置や舞台監督が必要になったり、俳優に演技が求められるのも、一部分はこのためである。せりふだけで実際の場面を想像するのには相当な想像力による補いが入り用である。

書く言葉は、また、話すのとは違って、ゆっくりとつくり上げることが出来るし、読む方も自分の好きな速度で、しかも、一度読んでからも、また見直すために、読むことが出来る。要するに書く言葉は話す言葉と条件が違っている。書く者はこの条件を考慮に容れ、この条件を利用する。だから書く言葉は最初から話す言葉とは同じではない。話す通りに書くなどというのは全く滑稽千万なことで、どの言語でも話すのと書く言葉とは決して同じではない。

人間が文字を使用しはじめたのは僅かに紀元前三〇〇〇年代の中頃以来のことで、それ以前の何万年にも及ぶ長い間、言葉は文字なしであった。人類は既に何万年も前に洞窟に様々な動物の見事な姿を残しているから、古くから絵をかく能力があったことがわかっているが、これは文字にはならなかった。このマグダレニアン期の絵は、今日では狩の獲物を確保するための呪術であると解釈されている。言葉でも、未開人の間では、例えば「熊」という言葉を使えば熊が現われるとか、ある人の名を知ることによって、その人を自由に支配し得ると考えている者があり、これは魔法の呪文と同じ性質のもので、言葉そのものに力が内在するという考えである。呪術だけではなく、宗教儀式でも、ラテン語やアラビア語が千何百年も以前の姿そのまま使用されるのも同じ考え方によるとしか解しようがない。

マス・ダジルMas d'Azil出土の彩色された小石

更に人間は絵やその外のしるしを用いて記憶の助けにする。用件を忘れぬように小指にこ

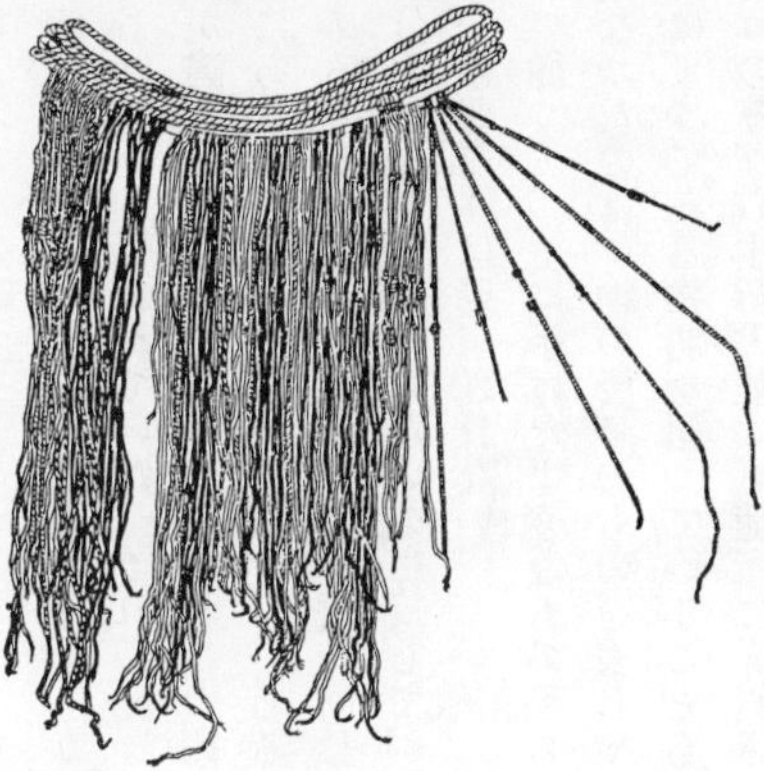

ペルーのインカの古都パチァマックのクイプ

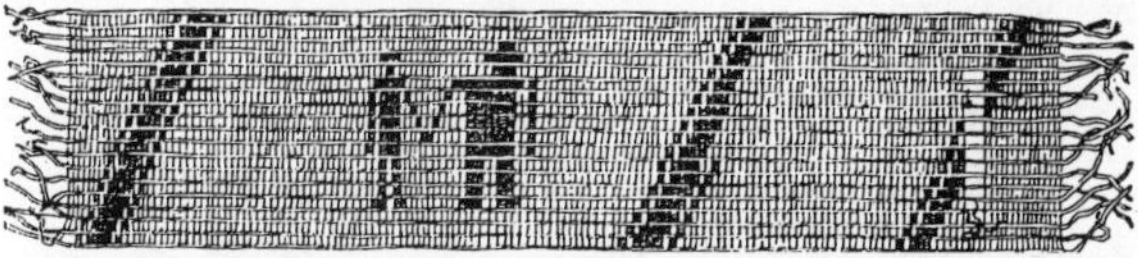

北アメリカ・インディアンのイロコイ族のワンプム
(ペンシルヴァニア建設者ペンPennとイロコイ族との条約締結を示す)

よりを巻いたり、ハンケチに結び目をつけたりするのもこのためである。オーストラリアの土人が木の棒に色々な刻みをつけ、ペルーの土人がクイプ quipu という色々な糸の色々な個所に結び目をつけたものを用い、北アメリカ東岸のインディアンが白やモーヴ色の貝がらでワンプム wampum と呼ぶ帯を作り、その中に模様や絵をつけるのも、共に一種の記憶保持のためである。また所有者を明らかにするために、物品や動物にしるしをつけることも文字以前から行われていた。これが発達したのが印章であって、印章と文字とは、本来は性質が違うものなのである。われわれの印章は普通文字によっているので、両者は不可分の関係にあるように思い易いけれども、ある人間をその人として認めさせるためには、何も文字である必要はない。文字は、言語と同じように、ある社会全般に共通で、何人《なにびと》にもその意味が分明でなくてはならないのに反して、印章はその個人だけを指せばよいので、文字のように一般普遍性は要求されない。

従って、上に挙げたようなものからは、文字は発達してこないのであって、文字の起源となったのは、物の姿そのものを表わす絵なのである。これらの絵は物を思い出させ、更に絵によってある物語を語っていることもある。このような絵は欧洲、近東、シベリア、アフリカのみならず新大陸にも随所に発見されており、殊に岩上に残っているものは、最古の絵は中期石器時代に遡るものもあり、これらは各々全く独立に関係なしに発達し、多くの場合に絵は様式化されている。北米のカリフォルニア、ネヴァダ、ユタ、アリゾナなどに残ってい

ミナテダの岩上発見の様式化された絵

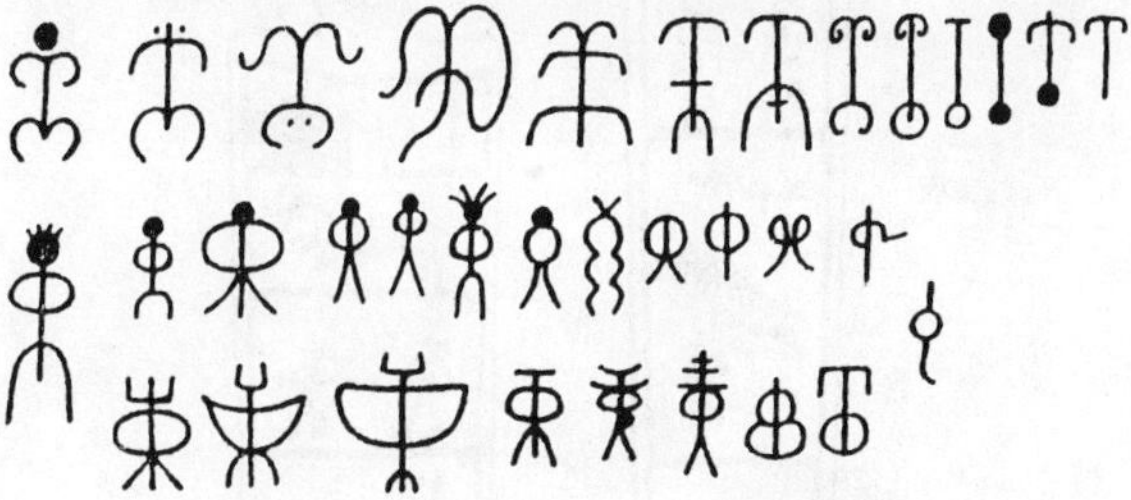

アンダルーシア出土の人の絵（様式化に注意）

る岩絵は人間のシルエット、四足獣、鳥類、日輪などの様式化されたものの外に、幾何学的な点、円、螺旋、蛇行的な線などを含み、エジプトやバビロニアの文字を髣髴《ほうふつ》せしめる。様式化が進んで一定した時に、ここに文字が生まれる。

しかし真の意味の文字は、単に様式化だけでは出来上がらない。エスキモーやアメリカ・インディアンは、様式化した絵でもって話や呪文を書いているが、それは未だ文字とは言えない。文字が生まれた最初の段階は、このような絵の一つ一つが一定の一つ一つの物の名と対応するところから始まっ

エスキモーの文字以前の象徴的な絵

エスキモーの文字以前の象徴的な絵

エスキモーの病気平癒のための祈願を示す絵

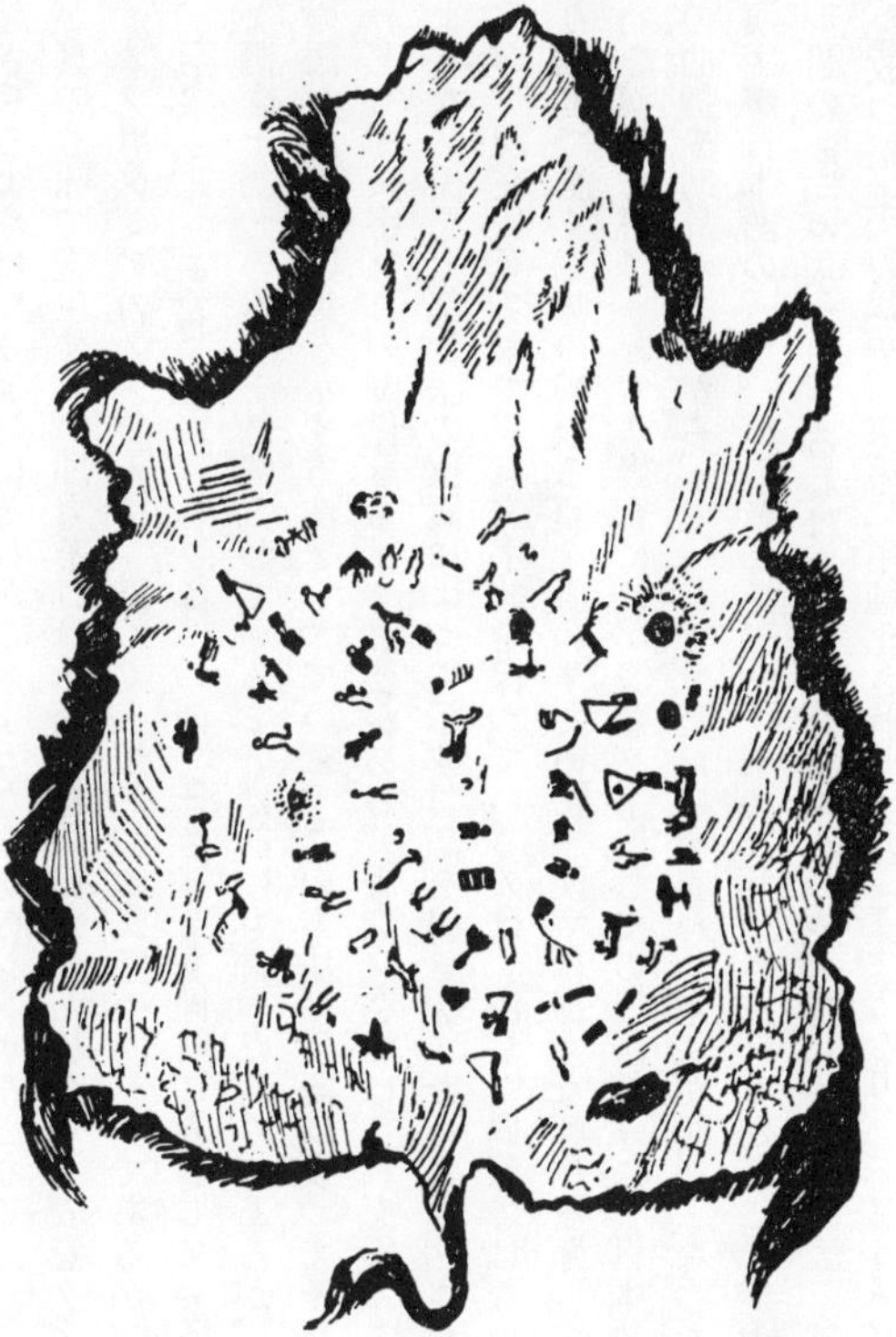

北アメリカ・インディアンのバイソン皮に書いた年数表

ている。最初はそれは具象的な物から出発する。ある様式化された簡単な絵が次には何か抽象的な事柄を想起させるようになり、終《つい》にそれがこのような概念のシンボルとなると、ここにはじめて文字が真の意味で誕生する。即ちそれは単なる様式化された絵から、表意文字となったのである。メソポタミアのスメル人は、恐らく人類最初の文字の所有者であるが、かれらの文字では、「天」anaを表わす星のしるしは、「神」dingirをも同時に表わしている。

言語は伝承的な概念と語との対応を基礎としていることは前にも言った通りであるが、言語は更にこれらの語と語との関係を示す方法をもっている。この方法は言語によってそれぞれ違っているけれども、文字はこの関係をも示す必要がある。表意文字ではこれを示すことは困難で、このような関係を大部分語の位置によって示す言語を書き記すために発明され使用されてきた漢字が、現在に至るまで表意文字式を保っているのは、決して偶然ではない。それでも、やはり同音で全く意味の異なる語を表わすために、漢字は様々な転用を蒙《こうむ》っている。しかし日本語を漢字で書こうとする場合には、表意文字としての用法の外に、日本語には多くの文法上の曲折や助辞があるから、どうしても音だけを表わす方法が必要となった。こうして色々な漢字が日本語の一つ一つの音節を表わすために利用され、やがてこれが仮名となった。スメル語のanaを示す星じるしはanという音節をも表わすようになった。こうして、初めは光を放つ星の絵が、次第に単純化された文字となり、スメル人についでメソポタミアの支配者となったセム系のアッカド民族によってスメル人の文字が借用さ

スメル絵文字より楔形文字への発展の例

ワァルカ期／ジェムデット・ナスル期／古王朝期／ニネヴェ	アッカド語の音価と意味	
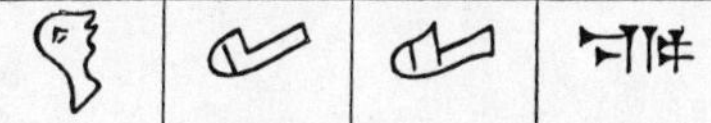	rêšu	頭
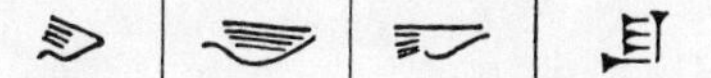	qâtu	手
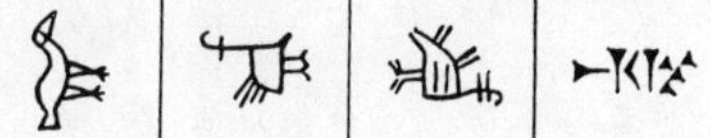	sinuntu	燕
	šeu	大麦
	ilu	神（星の絵で示す）
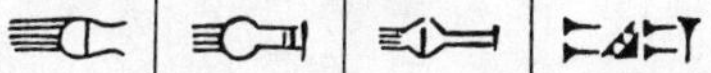	išātu	火
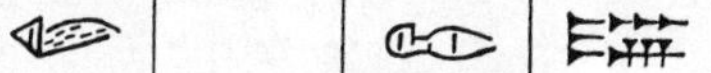	amêlu	人
	înu	眼
	alâku	行く（足の絵）
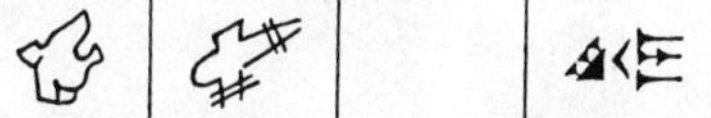	izzu	怒れる（鹿の頭）
	sǎḫû	豚

れた時に、この音節を表わす外に、「天」「神」「高い」などの意味をも表わすようになった。従ってアッカド語の文字は、丁度漢字仮名まじり文のような様相を呈するに至ったのである。アッカド人は、スメル語の文字の元の意味や音節の価値を保存する一方、自分の言語に由来する同じような操作をこの借用文字に対して行ったために、同じ文字が多くの意味と音とを表わすと同時に、幾つかの文字が同じような音価を有するに至り、例えば tu は十七通りの表わし方をもっている。それではこの文字は理解出来ないので、その一つの救済法として発達したのが、「限定または指示文字」determinative と呼ばれる、音節文字で書いた後に、それが人とか動物とか木とかであることを示す方法である。これはこの外、エジプト文書でも、一九五二年に解読されたミュケーナイ文書でも使われていて、これは丁度漢字が偏でもって、木、人、魚などを類別し、つくりで音を表わすのと同じ方法である。また表意文字として使う時には、その語の最後の音節の音価を有する文字を附加することによって意味を識別した。

この複雑な様相は、「古事記」や「万葉集」の書き表わし方によく似ている。そして丁度仮名がこの複雑な方法の簡単化から出来上がったように、このスメルに発した楔形《くさびがた》文字は、やがて外の言語に利用されるようになった時に、簡単化された。ペルシア帝国のダーレイオスやクセルクセース王の碑文に用いられている楔形文字は、仮名が恐らくインドの文字の影響を蒙《こうむ》って整理されたように、恐らくアルファベット式表記法をとっていたセム語系のアラム文字の影響下に、単独の母音、子音と母音より成る音節を表わす、一音節一文字に限定した簡単な組織となっている。そしてこのように四十たらずの符号だけの組織となったために、ここから楔形文字解読の最初の糸口が見出され、やがてアッシリアやバビロニアの何百に及ぶ複雑な文字で書かれた文書が、同じセム語系のアラビア語やヘブライ語の知識の助けをかりて、解読されたのである。

エジプトの文字もまた、もとは絵から表意文字に移り、次の音節文字の段階で限定文字や、ある物の名を表わす符号を、それと同じまたは似た音の形をもっている外の物や動詞や抽象名詞を表わすために使うようになった。

しかし音節文字は、子音が幾つも重なって現われる言語を誌《しる》すには都合が悪い。もしこのような子音群を母音の前後にもっている語を全部正確に書き表わそうとすると、非常に沢山の符号が入り用となる。例えば英語の stream, text のような語は、仮名で書くと、「ストリーム」「テキスト」となり、su-to-ri-i-mu, te-ki-su-to の中の多くの文字の母音は発音しないようにしなければならない。これは古代ペルシア語を音節文字である楔形文字で書いた場合も全く同じで、クセルクセースの名は X(a)-ša-ya-a-r(a)-ša-a と書いて、括弧の中の母音は発音せずに、Xšayāršā と発音せねばならない。Xはこの際ドイツ語の ch の音を表わす。だから、例えば a-ga-ma と三文字で書けば、これは agama agma agam agm と四通りに読めることとなる。このような不便は、楔形文字で印欧語系の言語であるヒッタイト語を誌したボガズケイの文書、また特殊な音節文字でギリシア語を書いたミュケーナイ文書などで、常に感じられ、解読者をなやましつづけている。

このような不便を解消するだけではなく、一番簡単に使用出来、一番たやすく覚えられ、一番言葉を元の姿に近く書き誌すことの出来るのは、一音一符号の書き方、即ちアルファベットである。この段階への歩み出しは、紀元前一〇〇〇年代の半ば頃に近東のセム民族の間で行われた。その最初が現在われわれの知っているどの民族、どの文字組織にあるかは、論の分かれるところで、未だ定説はないが、とにかく前十三―前十二世紀頃には、ラスシャムラ Ras Shamra では楔形文字によるアルファベット式の符号組織が使用されており、またギリシア・アルファベットの元となったフェニキア文字の系統も同じ頃に始まっている。

しかし、セム系のこれらの文字の組織は、子音だけで、母音は書き表わさない。これはセム語のように、子音が語の認知に重要で、読む人が文法的に考えれば、母音は自《おのずか》ら決定され、割合に容易に補い得る言語ならばよいが、そうでない言語、例えばギリシア語では、母音がなくては、意味は通じない。そこでギリシア人は、フェニキア文字を借りた時に、セム語には必要だが、ギリシア語にはいらない子音を表わす文字を母音に利用した。既にセム人も、母音が書いてないと不便な時に、長母音を表わすのに半母音を、また外に喉音《こうおん》の符号を用いていたが、ギリシア人はこの方法を更に徹底させ、iにはフェニキア文字の yod を、uとwには waw の二つの変形を、a, o, e にはフェニキアの三つの喉音 aleph, ʿayn, ḥeth

フェニキア系アルファベット

文字名	音価	北セム・アルファベット	初期フェニキア・アルファベット	後期フェニキア・アルファベット	新カルタゴ・アルファベット
aleph	’				
beth	b				
gimel	g				
daleth	d				
he	h				
waw	w				
zain	z				
ḥeth	ḥ				
ṭeth	ṭ				
yod	y				
kaph	k				
lamed	l				
mem	m				
nun	n				
samek	s				
ʿayn	ʿ				
pe	p				
ṣade	ṣ				
qoph	q				
reš	r				
šin	sh-s				
taw	t				

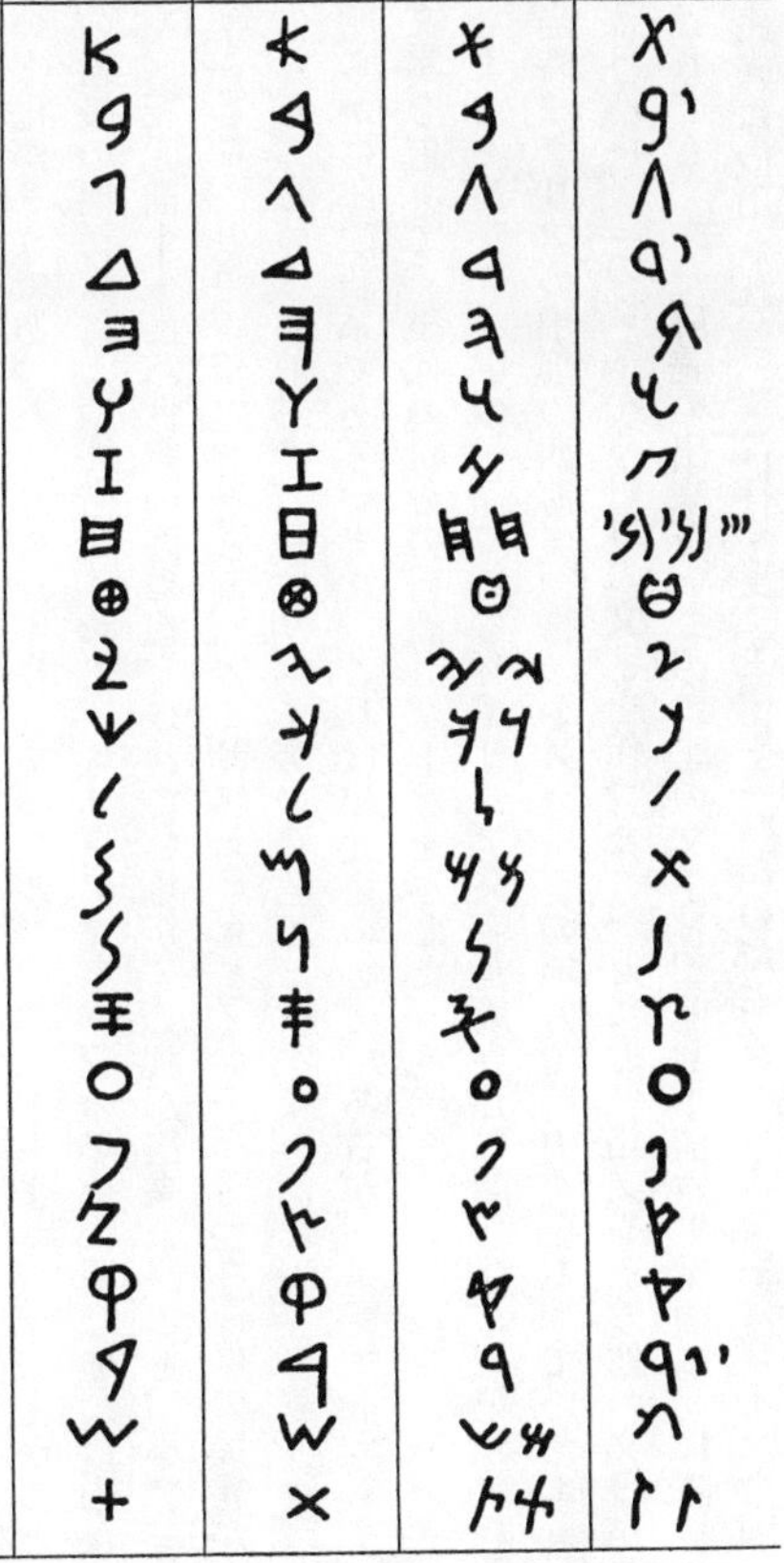

を転用して、五つの母音の符号を創り出した。セム語の母音を示さない文字は、要するに音節文字から母音を除いたもので、これによって語の子音だけを示し、ktb と書けば、「本」なのか「書く」の意味なのかは、丁度漢字で「書」と書いたのと同じで、読む者の判断に任せる点は、表意文字と同然であったが、母音を明示することによって、ここに初めて本当の意味での一音一文字主義のアルファベットが出来上がったのである。

ギリシアの文化がそうであったように、ギリシアのアルファベットもまた、出来上がると直ちに多くの近接の他民族によって借用された。ギリシア文字成立の年代に関しては、未だに異論が多く、紀元前十―前八世紀の間に想定されているが、これが出来上がると、小アジアのリュキア Lykia、リューディア Lydia、カーリア Karia、プリュギア Phrygia の民族がこの文字を借りた。このうち前二者、特にリュキアの言語はヒッタイト語に近く、プリュギア語もまた明らかに印欧語系である。また、これは紀元後のことであるが、エジプト人もまたギリシア文字を借りて、後代の自分の言語コプト語を写した。

ローマ字もまたギリシア文字の子孫である。ギリシア文字が成立して間もなく、紀元前八世紀頃に、当時イタリアの中部の西海岸一帯、トスカーナの地方で勢力を振るっていたエトルリア Etruria 人は、この文字から自分の文字を作った。一万に近い銘文やその他の文書が残っているけれども、未だ解読の出来ないこの言語の文字は、前七―前六世紀頃に既に隣接のラテン語民族に借用され、ここにローマ字が生まれたのである。ローマ字はローマ帝国

初期（前8-前7世紀）ギリシア・アルファベット

MANIOS ME FHEFHAKED NUMASIOI

プライネステ出土のピン（前６世紀）
古いローマ字で古いラテン語系の言葉が書いてある。「マニオスがわたしをヌマシオス（普通のローマ人名Numerius）のために作った」

の、ひいてはローマ・カトリックの文字として、西欧諸国の文字となって、全世界に普及した。エトルリア・ローマ文字の系統には、外に、紀元後三世紀、南ロシアで勢力を張っていたゴート族の残したものを最古とし、外にデンマーク、ノルウェー、スエーデン、イギリス、ドイツ、またフランスからさえも発見された、ゲルマン民族の間で通用していた特殊の「ルーン文字」runes と呼ばれるアルファベットや、木の枝のように、中央の一本の縦の線の左右に幾本かの棒を引いてアルファベットを表わす、アイルランド、ウェールズ、コンウォル、デヴォンのブリテン諸島のケルト人が用いていたオガム oghams と呼ぶ変わった文字がある。

一方紀元後に、東方のキリスト教諸民族の言語を誌すためにギリシア文字から種々の新しいアルファベットが創り出された。四世紀に西ゴート族のモイシア Moesia の司教ウルフィラ Ulfila は、ギリシア文字を中心として、これに六つのローマ字と二つのルーン文字を交えたゴート語を正確に表記するためのアルファベットを作り、列王紀略（これは主として戦の話であるので、戦を好むゴート族を刺戟《しげき》する）を除き、聖書をゴート語に翻訳した。これは名高い五、六世紀頃の写本コーデクス・アルゲンテウス Codex Argenteus にその一部分が残って、ゲルマン語最古の文献となっている。

　スラヴ族もまた、聖書翻訳のために新しい文字を作った。キリロス Kyrillos、メソディオス Methodios の二人の僧はギリシア文字を基とし、ギリシア文字にはないがスラヴ語を誌すに不可欠な音を表わすに必要な文字をギリシア文字の結合や時には恐らくヘブライ文字も利用して、四十三字の、当時の南方のスラヴ語を驚くべく正確に写し得るキリル文字を創った。これが昔のビザンティン帝国のギリシア正教を奉ずるスラヴ人、即ちブルガリア、セルビア、ロシア、白ロシア〔註：現・ベラルーシ〕、ウクライナ、また暫くの間はルーマニアの文字となった。これに反してローマ正教を信奉するスラヴ人、即ちポーランド、チェコ、スロヴァクの人々はローマ字を使用、ユーゴースラヴィア〔註：現在はセルビアなど六国〕では、同じ言語、同じ民族のセルビア人はキリル文字を、クロアティア人はローマ字を使い、ここに東西のキリスト教の勢力範囲の境が文字の相違によって示されている。スラヴ人はいま一つ、グラゴル文字 Glagolitic という、非常に変わったアルファベットをもっている。これは四十の文字から成り、その組織は全くキリル文字と同じであるので、両者の間には何か発生的に深い関係があったに相違なく、出来上がった年代もまたほぼ同じである。これは九世紀半ばにチェコスロヴァキア〔註：現・チェコ共和国〕の中部のモラヴィア

Moravia で、祈禱書の翻訳に際して使用された。この地方は後にローマ教会によって支配され、スラヴの祈禱書が禁ぜられたが、バルカンではイストリア、クロアティア、ダルマティア、モンテネグロなどアドリア海沿岸のスラヴ族やブルガリアに受け入れられた。しかしこれは東方ではギリシア正教のスラヴ族の地からキリル文字によって追放されたのに、西バルカンではローマ正教のスラヴ人は、ローマの意に反して、これを守りつづけ、終に教会から特別の許可をうけ、現在もなおダルマティアやモンテネグロでは祈禱書の特別の文字として使用されている。この文字によるスラヴ語の古い文献は、キリル文字文献と同様に、スラヴ語の歴史研究の重要な資料となっている。

いま一つ、色々と異説はあるが、ギリシア文字を基として出来上がった文字にアルメニアの文字がある。これは四、五世紀の頃にメスロップ Mesrop が、やはり福音伝道のために創り上げた国字で、その音声学的な分析による音韻の正確な写し方には驚くべきものがある。

われわれはここにセム語族の文字の一つであるカナン系のフェニキア文字とそこから派生した西方のギリシア文字、更にその後であるエトルリア・ローマ字系の文字の発展の跡を辿ってきたが、この系統の別の民族の文字は更に東方の多くの諸民族に文字を供給する運命にあった。それはアラム文字である。

遊牧の民アラム族もまた、興亡の激しいシリアに紀元前十二世紀に入って南北メソポタミアとシリアに一聯《いちれん》の小王国群を建てた後に、数奇な運命を辿ったセム族の一つである。彼ら

キリル系アルファベット

音価	キリル文字	ロシア	ブルガリア	セルビア	ウクライナ	古ルーマニア
a	ɑА	АА	А	А	А	а
b	Б	ББ	Б	Б	Б	Б
v	В	ВВ	В	В	В	В
g	Г	ГГ	Г	Г	Г(Ґ)	Г
d	Д	ДД	Д	Д	Д	Д
ye	Є	ЕЕ	Е	Е	Е(Є)	Е Е
ž	Ж Ж	ЖЖ	Ж	Ж	Ж	Ж Ж
z	Ꙁ	ЗЗ	З	З	З	Ѕ Ꙁ
i	И	ИИ	И	И	И	И
i	І	ІІ			І(Ї)	І(Ї)
y		(Й й)	(Й)	Ј	(Й)	
k	К	КК	К	К	К	К
l	ЛЛ	ЛЛ	Л	Л Љ	Л	Л
m	ММ	ММ	М	М	М	М
n	N N	НН	Н	Н Њ	Н	N
o	О	ОО	О	О	О	О(ѡ)
p	П	ПП	П	П	П	П
r	Р	РР	Р	Р	Р	Р
s	С	СС	С	С	С	С
t	Т	ТТ	Т	Т	Т	Т
ty	Ћ			Ћ		
ū	ȣ оу	УУ	У	У	У	ȣ оу
f	Ф	ФФ	Ф	Ф	Ф	Ф
kh	Х	ХХ	Х	Х	Х	Х
ts	Ц	ЦЦ	Ц	Ц	Ц	Ц
č	Ч	ЧЧ	Ч	Ч	(Ш)Ч	Ч Ч
š	Ш	ШШ	Ш	Ш	Ш	Ш
šč	Щ шт	ЩЩ	Щ		Щ	Щ
ŭ	Ъ	Ъъ	Ъ	Ъ		Ъ
y	Ꙑ	Ыы				Ы
ĭ	Ь	Ьь	Ь	Ь	Ь	Ь
ye	Ѣ	ѢѢ	Ѣ			Ѣ
e	Э	ЭЭ				(ІЕ)
yu	Ю	ЮЮ	Ю	Ю		Ю
ya	Я Ꙗ	ЯЯ	Я	Я		Ꙗ
ph	Ѳ	ѲѲ				Ѳ(ft)
y	Ѵ	ѴѴ				Ѵ Ү
u̇	Ѫ		Ѫ			Ѫ
ju	Ѧ Ѩ		ІѪ			Ѧ Ѩ ia in
						Ѯ Ѱ ks ps

はアラム・ダメシェク Aram Dammešeq 即ちダマスコを中心として危い存在を保っていたが、アッシリアの興隆の生け贄となって、終に最後の独立を失い、ダマスコが前七三二年に落ちた後、彼らはアッシリアの政策によって四散し、亡国の民となった。しかしこれはアラム族の近東に於《お》ける不思議な第二の誕生となったのである。彼らの言語と文字とは前七世紀にはアッシリア全土に拡がり、同世紀の末には近東の通用語となった。インド、紅海からエーゲ海に至る広大な地域を二世紀に亙《わた》って支配したペルシア人には自身の文化も帝国を治めるにふさわしい言語もなかった。これを供給したのがアラム人である。ペルシアの王たちは前五世紀頃アラム人を官吏に用い、やがてアラム語は帝国の官用語、外交語となり、インドからエジプト、小アジアの商用語となった。アラム語はペルシア帝国滅亡後もたくましく千年以上も生き残り、ユダヤ人もこの言語を使用し、キリストも使徒たちもアラム語を話したのである。

アラム文字は先ずメソポタミアとインドとの商業交通及びペルシア帝国の北西インド支配の結果、インドに知られ、ここから北西インドで行われたカローシュティー Kharošti（これは名高い仏教徒の王アショーカ王の仏法布教のための碑文の文字である）と、ブラーフミー Brahmi の二様の文字が生まれた。この両者の中、ブラーフミー文字はデーヴァナーガリー Devanagari その外の、その後の大部分のインドの諸文字の外に、東トルケスタン出土のトカラ語もこの文字で書かれ、更に仏教と共にビルマ、タイ、カムボジア、ラオス、ヴィエ

アラム系アルファベット

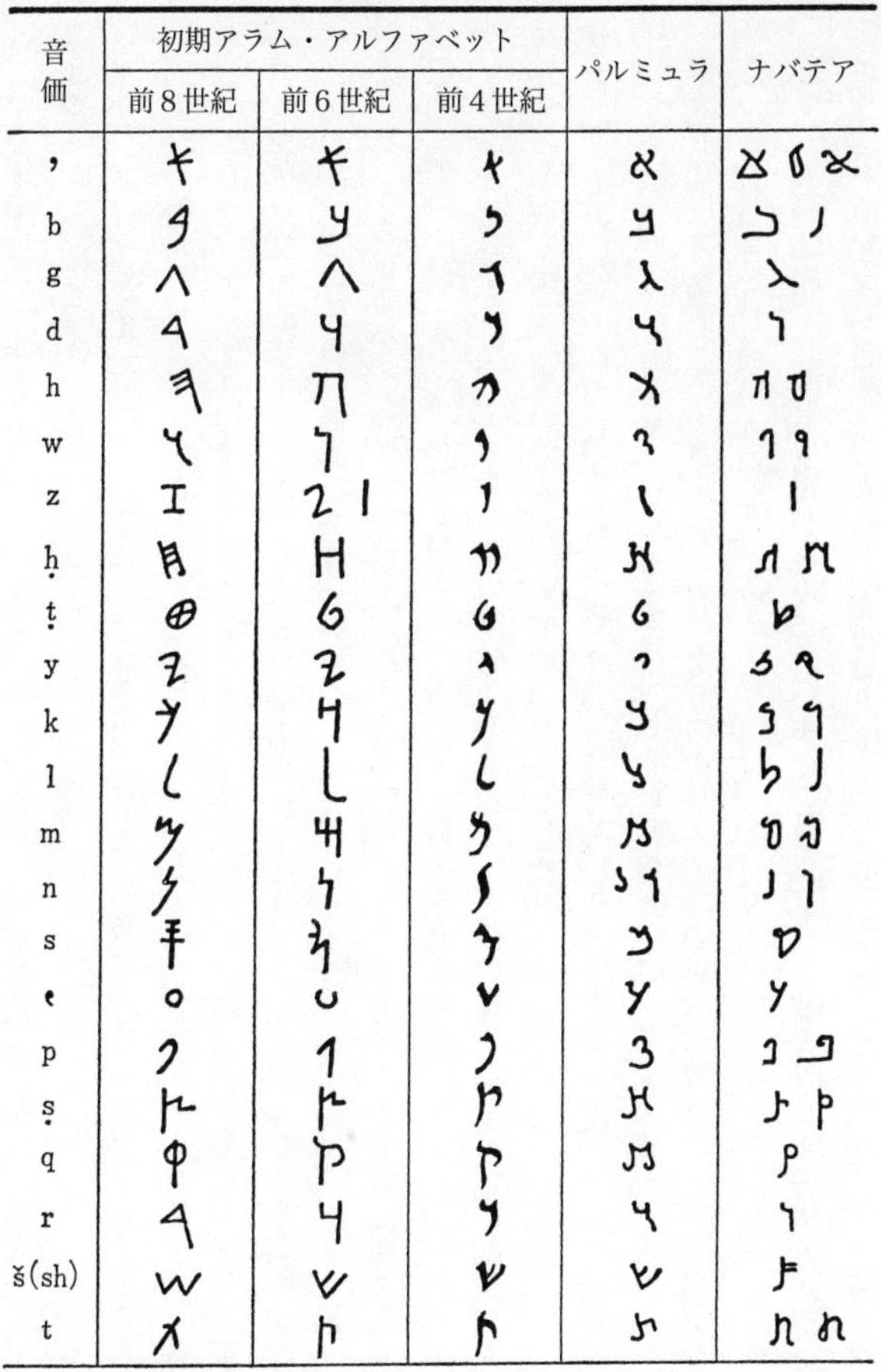

トナム、マレー半島、インド・ネシア、フィリッピンに及ぶ極東の広大な地域に南インド式のブラーフミー文字が拡がった。

アレクサンドロスが紀元前四世紀末に老朽したペルシア帝国に最後のとどめをさした後に、帝国崩壊の跡からパルティアが興り、ついでササン王朝が強大を誇ったが、かれらの言語であるパーレヴィ Pahlevi の文字もまたアラム文字系統のものであった。特にササン王朝時代のペルシアは文化的にも言語的にも大きな勢力をもち、その文字はペルシアから中央アジアへと拡がり、この地の共通語であり、ペルシア語と同じくイラン語系のソグド語（紀元一世紀以来）、カスピ海から満洲にかけて勢力を張っていたケク・トルコ人 Kök Turki（六―八世紀）、蒙古〔註：モンゴル〕と東トルケスタン〔註：現在の新疆ウイグル自治区〕にいたウィグル人 Uighur の文字もまたこの系統である。ウィグルの文字は十三世紀初葉にジンギスカンの蒙古帝国の、次いで満洲語の文字の基となった。

アラム人とその言語の活力は紀元後も衰えず、かれらはキリスト教に神学者を多数供給し、三世紀以後メソポタミアのエデッサ Edessa は一時東方キリスト教会の中心となり、シリア、ネストリウス Nestorius 教をはじめ、東方のキリスト教の異端の教会に文字を提供した。

アラビア人の一部族で、前二世紀から後二世紀まで、ヨルダンと北アラビアの中間のペトラ Petra 王国を立てていたナバテア Nabataea 人もまた、当時レバント一帯でフェニキア語、ヘブライ語を駆逐して、この地域の共通語となっていたアラム語とその文字を文章語として採用した。このようにしてやがて出来上がったアラム文字の一変形を、やがてアラビア人が学び、七世紀以降、イスラム教と共に、エジプトからモロッコに至るアフリカ北岸一帯から、インド、更には太平洋に及ぶ広大な地域にアラビア文字が拡がったのである。ギリシアやローマの文字が、その言語そのものよりも広い地域に拡がったように、アラビア文字もアラビア語の使用される地域を遥かに越えて使用されるに至った。それはペルシアとオットマン・トルコ帝国の文字となり、ベルベル、スワヒリ、スーダンなどのアフリカの諸言語やヒンドゥスターニーの、更に南東ロシアでは一部のスラヴ語の文字とさえなった。ヘブライ語、スペイン語にもこの文字による文書がある。

以上に述べたように、世界の現在のもろもろの文字は、漢字の系統を除いては、すべてセム族のカナン文字の系統を引くものであって、それが新しい言語を写すために借用されるたびに、その言語の音韻組織に合うように改変され、また時と共に変遷を経て、終には全く別物の観を呈するに至っている。

この外にも、未解読の、南太平洋のイースター島の名高い刻文、アメリカ・インディアンのマヤやアズテック人の文字、或いはクレータ島やキュプロス島の文字、ヒッタイト・ヒエログリフと呼ばれる文字など、別の系統の文字もあったが、これらはその後の文字の発展とつながりがない。

現在では、われわれは楔形文字、エジプト文字をはじめとして、大部分の古代の文書を読むことが出来るが、これは十九世紀以来多くの学者、天才の努力と苦心の賜物であって、それ以前にはこれらの文字は、紀元後数世紀以後は忘れ去られ、千古の謎を秘めて黙していた。

文書を読むためには、それが何語でどんな文字で書かれているかが先ずわかっている必要がある。それでなくては文書の内容は理解出来ない。エトルリア語の文書のように一万に近い資料があり、文字もわかっていても、肝心の言葉がわからないので、内容は、墓碑銘のように簡単で大よそ想像のつくものの外は、知ることが出来ない。また文字が読めなくては、勿論のこと、書かれている言葉は、たとえそれが知っている言葉であっても、わからない。

それだから、読めない文字で書かれた文書解読には、何語で、どんな内容かが問題となる。だから、エジプト文字解読の際に大きな役割を果したギリシア語対訳つきのロゼッタ石の碑文のような、二つ或いは三つの言語で同じ内容が並記してある資料は、内容を知る上にこの上ない助けとなるだけではなしに、そこに固有名詞が含まれている場合には、未知の文字のこの固有名詞にあたる部分さえ判明すれば、この文字の読み方を解く最も有力な鍵となる。ロゼッタ石上のクレオパトラーやプトレマイオスの名がまさにそうであった。楔形文字解読の最初の手がかりとなったのも、ダーレイオスとクセルクセースの二人のペルシア帝国の王の名であった。この場合にはエジプト文字のような他の言語の対訳による鍵はなかったが、「ダーレイオス、大王、王の王、諸国の王、ヒュスタスペースの子」のような一定の内容と語順とが、ほかの資料から推測することが出来た。このようにしてグローテフェントは驚くべく短時日の間にペルシア楔形文字の謎を解くことが出来たのである。これには、しかし、内容の推定の外に、語が＼の符号によって切ってあったことが大きな助けとなっている。

しかし、一番むずかしいのは、文書が何語であるかわかっていない場合である。後に詳しく紹介するように、ミュケーナイ文書がこれであった。これは結局ギリシア語であったが、その解読の操作の経過では、この文字の符号の音価が判明してから、ギリシア語であることが、読んでみて、初めてわかったのであって、それまでは、この文書の内容がギリシア語ではないという考えによって、解読がはばまれていた。丁度シュリーマンの時代に、ヒサルリクの丘がホメーロスのトロイエーではあり得ないという、当時の学界の通説によってこの古代都市の遺跡の発見がはばまれていたように、ミュケーナイ文書は、クレータ島のミノア文化の所有者であるギリシア先住民族のものであるというエヴァンズをはじめとする学界の通説によって、その解読が非常におくれた。だからこそ、ヴェントリスがギリシア語に相違ない解読を発表した時、学界は驚愕したのである。この際にも、幸いにして語の切れ目は一定の符号によって示されてあったし、内容もまた大体一目で判る絵文字と数字によって推量し得た。しかし何語であるかが不明のために、ヴェントリスは、以前の解読者とは比較にならぬ大量の作業を行わねばならなかった。幸いにして何千にも上る量の刻文があり、類似の型の資料が多かったことから、ヴェントリスはこの音節文字を、音価が不明のままに、カ行とかサ行といった、同じ子音と異なる母音との結合の行に並べることと、かつある程度の語尾変化の型の発見に成功した。しかし、この場合にも最初に確実に読み得たのは、クレータ島の地名であった。

このように、文書は、ある言語をある文字によって誌《しる》したものであるから、この両方を知っていなくては、理解出来ない。何語であれ、われわれの知っている言語で書かれ、その書かれた場、即ち内容がほぼ推知出来れば、文字の方は、漢字のような表意文字の連続でない限り、読むことが出来る。しかし、言葉そのものが、全く未知である上に、現在知られているどんな言語とも関係のない時には、手のほどこしようがない。これがエトルリア文書の場合である。言語は全く勝手な、それが代表している意味内容とは全く無関係なものであるからである。

この本では、主として未知の文字の解読を紹介することにした。解読には、勿論、上に述べたように、文字で書かれた言語とその内容をも含んでいるが、そこまで扱うと、アッカド語やエジプト語そのものと、それを話していた民族や社会の文化や歴史の厖大《ぼうだい》な領域に踏みこむこととなり、とても紙幅が許さぬ上に、メソポタミアやエジプトの文化や歴史は既に一般の所有物となっているから、今更紹介を要しないと考えたからである。しかし、二十世紀半ばに解読されたばかりのミュケーナイ文書の場合には、極めて要約して、文書の内容とそこから推察される当時のギリシア民族の文化にもふれておいた。

なお、この本で扱ったのは、主として楔形文字、エジプト文字、ヒッタイト文字、ミュケーナイ文字の解読で、ほかに二、三のものを加えたにすぎない。例えばトルコ系の言語の最古の資料となったオルコン碑文や西夏文字などは、本書の二人の著者の専門外である上に、文化的にも、また歴史的にもさして重要な役割をもたないものでもあるので、強いて本書の中に加えることはしなかったことをここに改めて断っておきたい。

第二章　エジプト聖刻文字の解読

学問の世界では、一夜にしてすべてがかわり、それ以前のことがみな忘れられてしまうようなことが、ときどき起こる。エジプト聖刻文字の解読の場合もその一つであろう。ジャン・フランソワ・シャンポリオンのなしとげた解読の仕事はまことに画期的で、またその結果は徹底的であったので、エジプト聖刻文字の解読は、シャンポリオン一人の問題に集中するようにすら見える。しかしシャンポリオンの仕事の偉大さを理解するためにも、彼以前の問題の状況を知る必要があることは、言うまでもない。

ジャン・フランソワ・シャンポリオン

古代エジプト人が、紀元後三世紀の間にキリスト教に改宗し、その言葉をギリシア文字で書きあらわすようになると、いわゆる聖刻文字は急速に忘れられていった。聖刻文字で書き残された最後の刻文はローマ皇帝マクシ

死者の審判の図
アヌービスが死者の心臓を秤にかけている。玉座に坐っているのはオシリス（第21王朝、紀元前1025年頃のパピルスより）。

ミヌス・ダイヤ Maximinus Daia（在位三〇五—三一三年）の時代のもので、それ以後古代エジプトは長い間忘却の淵に沈んでいた。

古代末期、ホラポロン Horapollon というエジプト人が「聖刻文字」という本をギリシア語で書き、聖刻文字は普通の意味の文字ではなく、一字一字が全部の概念を、しかも祭司の神秘哲学的な思想を含んでおり、同じ魔術的・神秘的な智恵の奥義をきわめた人のみ、それを解しうる、と書き残した。この紀元後五世紀の本の影響は意外な程長くつづき、初期のシャンポリオンすら、その影響を免れなかったのである。ホラポロンはまだ意味によって分類された文字表を知っていたらしいが、その文字の解釈は全く奇抜なもので、たとえば禿鷹の記号は「母」を意味する、何故かというと禿鷹には雌がいるだけだから、とか、鵞鳥《ガチョウ》の記号は「息子」を意味する、何故かというと、鵞鳥は他のすべての動物よりも、雄の雛を愛するから、という風のものであった。エジプト聖刻文字が表意文字と表音文字の併用である、ということはホラポロンの全然関知しないことであった。

アレクサンドレイアのクレメンス Clemens Alexandrinus には、エジプト聖刻文字は表意文字と本来の文字からなる、という古代の伝承が伝えられていたが、この方は誰の注意をも引かなかった。十七世紀にエジプトのことに興味をもったドイツのアタナシウス・キルヒャー Athanasius Kircher（一六〇一―八〇年）もホラポロンのいうままを受けつぎ、「オシリスはいう」という簡単な一句に「事物の生命、テュポーン（タルタロスとガイアの息子で、ゼウスに征服されたという原始の時代の怪物）の征服後、自然の湿気、アヌービスの警戒により」と全く想像をたくましくした勝手な解釈を加えている。真面目な学者達がこのような解釈を問題にしなかったのは当然で、聖刻文字の秘密は解くことは不可能だ、と長い間考えられていた。もっともキルヒャーはエジ

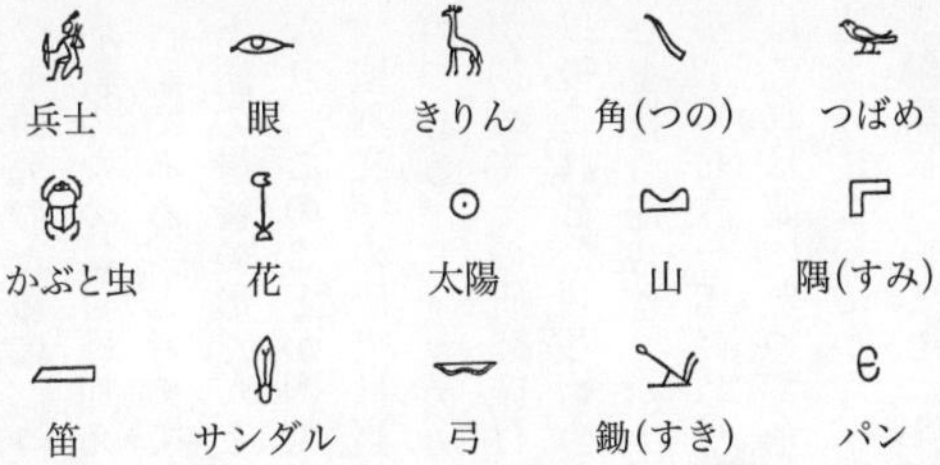

名詞の表意文字

動詞の表意文字

プト研究のために、コプト語の研究では字引や文法を書き残しているから、そのことは彼の名誉のために付け加えなければならない。キルヒャーは、コプト語は古代エジプトの民衆の言語である、と考えていた。事実コプト語は紀元後三世紀終わり以後の言語で、古代エジプト語の最後の形だ、といえるのである。十七世紀にはコプト語の研究がヨーロッパで盛んになり、このことが聖刻文字解読のためのよい準備となった。

聖刻文字の研究は当初余りすすまなかった。それは資料の公刊が充分に行われなかったためである。ドイツのカルステン・ニーブール Carsten Niebuhr（一七三三—一八一五年）が初めてその研究旅行から帰って、エジプトの記念碑の正確な写しを持ち帰り、一七七四年以後これを公刊し始めた。それ以前には旅行者も現地の熱狂的な民衆に妨害されて正確な写しを持ち帰ることが出来ないような状態であった。ニーブールは元来アラビア学者であるが、一七六一年終わりから翌年の中頃までカイロに滞在し、聖刻文字を写して歩いた。始めはこれは彼にとって余り楽しい仕事ではなかったようであるが、だんだん聖刻文字をよく知るようになってから、非常に興味をおぼえ、熱心に写して歩いた、ということである。

解読についてもニーブールは当時としては大変進んだ考えをいだいていた。彼は聖刻文字の中に、小さな文字と大きな文字を区別すべし、といい、この大きな文字が本来の文字で、小さな文字はその説明のために附加されたものだ、といった。そしてこの小さな文字はアルファベット式の文字である、とすらいっている。ニーブールが小さな文字というのはどの文字のことか、正確には分からないが、恐らくよく出てくる文字のことであろう。そうだとすると後に分かってきた聖刻文字の中のアルファベット文字に、ニーブールはある程度気付いていたらしい。とにかくニーブールは聖刻文字の全体の構造をかなり正確に見ぬいていたようである。彼の子である有名な歴史家のニーブールはその父について次のことを伝えている。それは、父は聖刻文字は非常に限られた数のもので、各語に特別な記号がある、ということはない、と考えていた、というのであるが、この見解も正しかった。それ故多くの人がニーブールをエジプト聖刻文字解読の先駆者と呼んでいる。聖刻文字の解読はコプト語の助けを借りてなされるべきだ、という彼の見解も、後にシャンポリオンによって実践されたともいえる。聖刻文字をコプト語と関係させるこの考えも当時としては決して自明のことではなかった。たとえばエジプト聖刻文字を中国の漢字と結びつけて考える考え方が広く行われていたのが、当時の実状であった。以前から行われていたこの考えに理論的根拠を与えようとしたのはフランスのジョゼフ・ドゥ・ギーニュ Joseph de Guignes（一七二一—一八〇〇年）である。

ドゥ・ギーニュはコレジュ・ドゥ・フランスのシリア語教授で、ルーブル博物館の古代文化史室長をつとめた人である。一七五六年十一月十四日パリの刻文学士院で、中国はエジプトの植民地であったという説を述べた。彼はエジプトと中国の多くの類似点を指摘し、漢字はエジプト聖刻文字から出たものである、と推定した。「エジプト人は中国人にその文字の組織全体を与えた。中国の文字の一部は聖刻文字で、一部はアルファベット文字である」とドゥ・ギーニュは述べている。従ってエジプトのテキストを中国語の字引で読もうとした。フェニキアのアルファベットの解読をしたバルテルミィ Barthélemy も同じ考えであった、といわれている。イギリスでもエジプトと中国を結びつけて考える人が多かったが、フランスとは逆に、エジプト人、少なくもその文化は中国から来た、と考えられていた。

このような状況の中で、デンマークの古代学者、ゲオルク・ゾェガ Georg Zoëga（一七五五―一八〇九年）の研究は注目に値するものであった。彼はローマ時代のエジプトの貨幣の研究から次第にエジプトに眼をむけるようになった。この人はその生涯の最後の二十七年間をローマで過ごし、そこで死んだ人であるが、この貨幣研究とローマにあった古代エジプトの記念碑の研究のためにコプト語の研究に従事したのであった。彼のエジプトのオベリスク（方尖塔）の基礎的な労作は一七九七年に完結し、一八〇〇年に世に出ている。ゾェガはエジプト聖刻文字がエジプト人のキリスト教改宗の時代まで使用されていたことを証拠だて、また聖刻文字の中に表音文字が存在すること、それはしかし少数の文字に限る、という見解を述べた。ことに有名なのは楕円形の輪で囲まれている記号の場合には、その中にアルファベット式にかかれた王の名が記されている、ということの指摘である。

聖刻文字解読史上画期的な出来事は一七九九年七月の有名なロゼッタ石の発見である。ボナパルトのひきいるフランス軍のエジプト遠征の時のこと、参謀将校の一人ブーシャールが

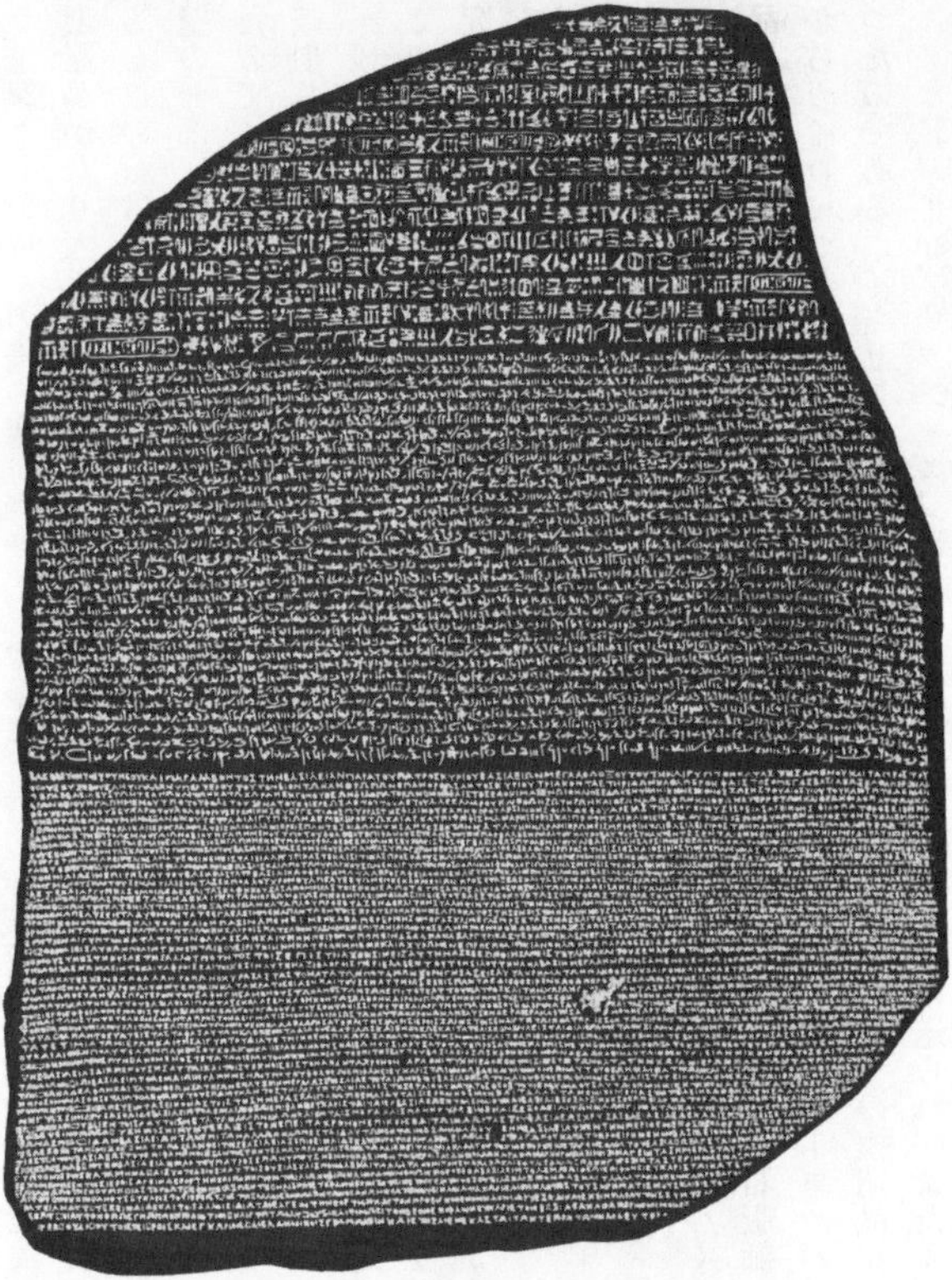

ロゼッタ石

ラーシードの近くの後の聖ジュリアンで堡塁《ほうるい》の増築作業を兵士達にやらせていた。その時兵士達がかなり大きな黒い玄武岩〔註：後の研究で花崗閃緑岩と解明〕を発見した。一説によるとこの石はそのまま地上にあったといい、他の説によると兵士達が取り除こうとした古い壁の一部にはめこまれていたという。ラーシードの町をヨーロッパ人はロゼッタとよんでいたので、この石はロゼッタ石として有名になった。これは元来四角の石であったが、かなり破損していて、ことに上の方がなくなっている。よく磨かれた石の面《おもて》に三つの違った文字で三段に細かく書かれているが、一番上の段は石の破損のため三分の二程がなくなっている。このロゼッタ石は始めカイロのエジプト研究所――ボナパルトの遠征を機会に設立された研究所――に入れられたが、一八〇一年九月アレクサンドレイアの降服後、ボナパルト遠征でフランスが獲得したすべての古代エジプトの記念物はイギリスに引き渡さなければならなくなった。ハッチンソン将軍はロゼッタ石をもロンドンに送った。一八〇二年の終わり、ジョージ三世はこれを大英博物館に置き、今日まで大英博物館の所有品の一番有名なものとして、見物人の多大の興味を喚起している。もっともフランスの委員会のつくった模写と模造品はその前にパリに送られていた。ナポレオンの命令で二人の秀れた石版師がわざわざパリからカイロにつかわされ、ロゼッタ石のコピーを沢山つくって、ヨーロッパの学者達にくばったのである。イギリスでも大英博物館に入れられる前に、四つの模造品がつくられ、オクスフォド・ケンブリッジ・エジンバラ・ダブリンの四大学に送られ、またギリシア語のテキストのコピーを沢山つくって、ヨーロッパの主な大学・図書館・学士院・学会に送った。

　このロゼッタ石が始めから学者達の多大の興味を喚起したことはいうまでもない。

　ボナパルトはその遠征に多くの学者達をつれていっていたから、ロゼッタ石の発見後すぐ彼らの間で多大の好奇心の対象になった。しかし、ジャン・ジョゼフ・マルセル Jean-Joseph Marcel とルミイ・レージェ Remi Raige の二人が一番上の段の聖刻文字の筆記体がその次の段に書かれている文字だ、ということに気がついた、という程度で、文字の解読には到底いたらなかった。

　ギリシア語の部分ですら当時その内容をよく説明することはそう容易なことではなかった。その内容は紀元前一九六年にエジプトの祭司達がプトレマイオス五世エピファネースの功績をたたえ、彼を神として崇《あが》め、彼のためにその像とロゼッタ石の刻文と同じ刻文を各神殿に立てることを求めた法令であった。前一九六年というのはこの王が八年の間治めた後に正式に即位した年で、この王が神殿や祭司に善政を行った、というので、エジプトの祭司達の総会がメンフィスで開かれ、このことを議決したのであった。このような内容をギリシア語のテキストから読みとることも最初充分できなかったのは、プトレマイオス王朝の法令の文体が当時よく知られていなかったからであった。最初にこのギリシア語本文を訳したのはイギリスの牧師スティーヴン・ウェストンで、それは一八〇二年四月のことであった。仏訳を発表したデュ・ティルはロゼッタ石がアレクサンドレイアかその近くの場所の祭司達のプトレマイオス・エピファネースに対する感謝の記念碑である、といった。ラテン訳はアメイロンによって行われ、彼の研究、さらにそれにつづくシャンポリオン・フィジャク、第三章でふれるゲッチンゲンの古典語学者ハイネの研究でロゼッタ石のギリシア語本文は充分に明らかにされてきた。このロゼッタ石のギリシア語本文が祭司達の議決を「かたい石の記念碑に聖なる文字と通常の文字とギリシア文字」で書き記すことを各地の祭司に呼びかけていたから、同じテキストが三つの文字で書かれていることは明らかであった。それ故ギリシア語テキストと比較して、他の文字を解読することが出来そうに見えたが、それは決して容易なことでないことが分かった。

フランスでは大臣のシャプタールがロゼッタ石のコピーを当時の一番有名な東洋学者で、第三章でもわれわれが言及するシルヴェストル・ドゥ・サシ Silvestre de Sacy の所に送った。ドゥ・サシは中段の筆記体のテキストの中で、固有名詞のプトレマイオス、アレクサンドロスその他の名前だけでも確認しようとしたが、それもうまくいかなかった。ギリシア文字とこの筆記体の文字が少しも対応しなかったからである。ドゥ・サシはこの失敗を「シャプタール氏への手紙」Lettre au Citoyen Chaptal の中で告白した。ドゥ・サシは、コピーをスエーデンの学者ダヴィド・オーケルブラド David Åkerblad に送った。この人はスエーデンの外交官として東洋に在勤したことがあり、当時パリに駐在し、特にコプト語の研究をしていた人である。彼もドゥ・サシと同じように、筆記体の方が聖刻文字より解読に適する、と考えた。彼はこの筆記体の文字の中の固有名詞を分析し、十六のアルファベット文字を取り出した。固有名詞以外でもアルファベット文字が出てくることを確認し、コプト語の「神殿」erphîni、「ギリシア人」ueinin などの語を見つけ出した。またコプト語で三人称男性単数の「彼」「彼の」をあらわす代名詞の f がこの筆記体にも用いられていることを発見した。しかしオーケルブラドはこの筆記体文字を全部アルファベット文字と思っていたので、それ以上の進歩はなかった。またこの筆記体の文字が彼の計算でも、二百以上にのぼったので、それをアルファベット文字と考えることは不可能で、彼はこのディレンマに苦しんだ。しかしともかく彼が筆記体文字が外来の固有名詞をアルファベット式に書いていることを示したことは大きな功績といわなければならない。

聖刻文字の方はドゥ・サシもオーケルブラドも全く手の下しようがない、という有様であった。ドゥ・サシは聖刻文字を、観念を描いたもので、音を表わしたものではない、と考えたので、始めから問題にならなかった。オーケルブラドの方はギリシア語テキストで「第一、第二、第三の神殿」が述べられているところで、聖刻文字の方に、棒が一本、二本、三本、他の一つの記号と一緒に書かれているのを認めただけであった。この棒は確かに数を表わす記号には違いないが、これは解読というにはまだ余りに序の口だ、といわなければならない。オーケルブラドは一八〇二年の夏、彼の研究成果を「ドゥ・サシ氏への手紙」Lettre à M. de Sacy で報告したが、この年から一八一四年までロゼッタ石の研究は中断されていた、といってよい。一八一四年になって、イギリスのトーマス・ヤング Thomas Young（一七七三―一八二九年）が再びロゼッタ石を取り上げ、解読史上シャンポリオンにつぐ大きな仕事をしたのである。トーマス・ヤングは光の波動説その他の提唱者として物理学史上不朽の名声を残しているが、非常に多方面な人で、すでに一七九六年ゲッチンゲンの学生としてアルファベットの問題に取り組み、人間の発声器官の能力の限度は四十七字のアルファベットであるといい、その後も諸国民のアルファベットの研究をつづけた。彼は能書術《カリグラフィ》の大家でもあり、多くの人が破損している古いテキストの修復を彼に依頼した。一八一四年春、サー・ラウス・バウトンがエジプトの筆記体のパピルスをヤングの所に持ってきて、同じことを頼んだのが機縁で、ロゼッタ石の筆記体と取り組むようになった、といわれている。

ヤングはオーケルブラドの取り出したアルファベットでは足りないことを知り、八十のアルファベットを想定し、それで筆記体のテキストを読める、と考えたが、結局アルファベットの考え方では駄目だ、と思うようになった。ヤングはギリシア語のテキストに、王とか、神殿とか、祭司とかいう言葉が度々出てくることにヒントを得て、それに応ずる、と見える文字のグループを取り出してゆき、さらに進んで、筆記体のテキストを語で分けてゆく、ということをやってみた。そのように語と語を分けてゆく仕事を聖刻文字のテキストにも試みた結果、面白いことが分かった。それは筆記体の場合に個々の語をつくっている文字のグループが、それに応ずる聖刻文字のグループに似ている、ということで、それによって筆記体は聖刻文字が変化して出来たものであることが推定された。さらに重要な成果としては、ヤングは聖刻文字のある種のグループの意味をいいあてることが出来るようになったことである。勿論発音は全然分からないので、これはただ「いいあてた」といえるだけのものである。またヤングはギリシア語テキスト中の固有名詞の中、「プトレマイオス」が聖刻文字のテキストで楕円の輪でかこまれて出てくることを知った。

ヤングはさらにロゼッタ石の他の聖刻文字のテキストでもその意味をあてることが出来たので、一八一八年夏には聖刻文字の語彙表を作成して友人達にくばり、その翌年、大英百科辞典のサプリメント第四巻の「エジプト」の項で彼の見解を発表した。ヤングはエジプト文字は漢字のように表意文字であるが、その表意文字としての性質がうすれ、失われて音を表わすことが出来るようになり、外国名を書くことも出来たのだ、と考えた。彼の想定した十四の字音のうち、ｐｔｉｎｆは正しく、ｌｍは半ば正しかった。

このようにしてヤングはプトレマイオスの七字をロゼッタ石で読んだが、これは「読んだ」というより「推定した」、あるいは「あてた」という方が正しいかもしれない。ヤングの業績の評価の問題は後のシャンポリオンとの論争のところで一層詳しく述べることにしよう。

ヤングはその仕事を中途でやめてしまった。彼ははじめからこの仕事をひまつぶしにやり始めたので、この仕事が面白くなくなるとやめてしまったのである。ヤングははじめエジプト人を非常に聡明な民族であろう、と推量していた。ギリシアのピュタゴラスのような賢人がその智恵を学んだ、というのだからエジプト人は理智的な才能豊かな民族だ、と考えていたのである。ところがはじめ望んでいたような天文学や年代学についての何物をも学ぶことが出来なかった。その上彼を失望させたのは彼の仕事がイギリスでも外国でも少しも認められなかったことであった。

われわれはここでようやく聖刻文字の本来の解読者シャンポリオンのことを述べる場所にきたようである。シャンポリオンという偉大な天才については、われわれはハルトレーベン女史の「シャンポリオン――その生涯と業績――」H. Hartleben, Champollion. Sein Leben und sein Werk I II, 1906という上下二巻の大冊によって、ただにその学問上の業績についてのみでなく、その人物やその生涯についてもかなり詳しく知ることが出来る。

ジャン・フランソワ・シャンポリオンJean François Champollion（一七九〇―一八三二年）は一七九〇年十二月二十三日の早朝、南仏の田舎町フィジャクに生まれた。その父、ジャク・シャンポリオンは書籍商で、その姓氏と家系はアルプスの村落シャンポレオンと関係がある。ジャン・フランソワの誕生の時、母親はリューマチのため、極度に難産で、その地方で「魔術者」とよばれるある男の祈りの助けで、奇蹟的に生まれた、といわれ、この生まれた子が後にいつまでも続く名声をうる、という予言がなされた、とも伝えられている。

少年シャンポリオンは早くから特別な才幹を示し、古代に対しては異常なまでの興味を示した。書籍商を父に持ち、書物の間で育った彼にはごく小さい時から学習意欲が目覚めていたらしく、五歳になるかならないうちに全く独力で読み書きを覚えてしまった、という。この特殊な才能が後に聖刻文字の解読者として示されたシャンポリオンの天才の萌芽であった、といってもよいであろう。

九歳の頃、シャンポリオンはラテン・ギリシアの詩句の朗読が得意で、冬の夜など家族の者を前にホメーロスやヴェルギリウスを題材にした即興劇の一幕を演じたりした。学校では退屈して、多くの教師にとっては「いやな生徒」élève détestable だった、といわれている。特にこのような天才的な子供によくあるように、彼の才能はかなり片よったもので、算数の出来が非常に悪く、わけても暗算は一番の苦手であった。この弱点は生涯彼につきまとった。学校教育がうまくゆかないので、両親は彼を退学させ、僧侶の手に託したが、一八〇一年三月には、二、三年前にイゼール県の首都であったグルノーブルに移っていた兄の所に連れていかれた。

この兄、即ちジャック・ジョゼフ・シャンポリオン Jacques Joseph Champollion は十二歳の年上で、われわれのシャンポリオンにとって第二の父ともいうべき人となった。この兄は弟と区別するため、自ら後にはシャンポリオン・フィジャックと名乗ったが、彼自身非常な努力家で、またなかなかの野心家であった。しかし彼は自分より秀れている弟の特別な才能に期待をかけ、その生涯を自分のためよりも弟のために生きた、といってもよい程である。

一八〇一年秋シャンポリオンはグルノーブルで一番有名なジュセール神父の私塾に入学し、それまで自習していたヘブライ語をジュセール神父から学び始めた。当時シャンポリオンはすでに古代の諸民族の年代の問題に興味を抱き、旧約聖書を原典で読んで、聖書の中の年代の問題を自分で解こうと試みたりした。その他自然科学にも興味を示し、かたわら詩をつくり、絵をかいた。

一八〇二年にシャンポリオンの生涯にとって決定的なことが起こった。それはこの年の四月にイゼール県の知事としてジョゼフ・フリエ Joseph Fourier がグルノーブルに赴任してきたことである。フリエは卓越した数学者、物理学者であり、ナポレオンのエジプト遠征に伴った学者団の中心人物であった。フリエはエジプトからの多くの記念品を持参してグルノーブルにやってきた。グルノーブルの町でエジプト研究熱が一時に盛んになったのは当然である。シャンポリオンがこの熱にとりつかれた一人であったことも容易に想像される。ことに彼は前にのべたように古代の年代の問題に深い興味を持っていたので、フリエの蒐集《しゅうしゅう》品を見たくてたまらなくなった。

シャンポリオンの兄は先に一七九八年フィジャクにいた時、ナポレオンのエジプト遠征に参加しようとして、その願いが実現しなかった、という事情もあり、フリエがグルノーブルに着任すると、次第に彼に近づき、彼の学問上の助手になった。こうして弟も一八〇二年の秋には早くも兄につれられて、フリエの所にゆくことになるのである。知事の官邸に入ろうとして、シャンポリオンは強度の不安におそわれ、始めは口をきくことすら出来なかった、といわれている。この天才児はおそらくその時運命の予感におそわれたのであろう。

その日彼は石に刻まれた二、三の聖刻文字の刻文やパピルスに書かれた色々なエジプト文字を見た。その日彼の胸にいつの日かこの古代エジプトの謎めいた文字を解読しようという異常な熱意と、その仕事を必ずなしとげうるという確乎たる確信が生まれた、という。これは彼がわずか十一歳の時のことであった。

シャンポリオンはヘーロドトス、ストラボーン、ディオドーロス、大プリニウス、プルータルコス等の古典の著作者に残されているエジプトとその文化についての証言を研究し始め、またアラビア語、シリア語、アラム語の勉強を始めた。また一年後には中国語の字引を手に入れて、それでエジプト聖刻文字を読もうと企《くわだ》てた。ドゥ・ギーニュの説を直接知っていたわけではないが、当時の一般の考えに従ったのであろう。

一八〇四年ナポレオンがグルノーブルに軍事教育をかねた寄宿舎つきの学校をつくり、シャンポリオンもそれに入れられたことは、彼にとって大打撃であった。彼はその初志を貫徹するために山程したいことをかかえていた。コプト語と古代エジプト語の比較対照がドゥ・ギーニュらによって公表されていることを知ったシャンポリオンは聖刻文字の解読のためにぜひコプト語を研究しなければならない、と考えるようになった。同時にアラビア諸語の勉強にも力を入れる必要を感じていた。しかし自分のなすべき勉強を充分になす時間は彼には与えられておらず、学課はきちんとしたプランによって行われ、生徒の行動はいちいち監督されていた。シャンポリオンは時折深い絶望を感じ、この「監獄」——兄への手紙の中でシャンポリオンは学校を監獄とよんでいる——からの脱獄を考えることもあった。

ついに彼は夜の巡視が立ち去った後で、共同の寝室のほの暗いランプのもとで、ひそかに夜の勉強を始めた。後友人達の請願のおかげで、シャンポリオンは公然と自由な時間を好きな勉強にあてることを許されるようになった。しかし徹夜の連続と過度の知的緊張のために生まれつき丈夫だった少年の健康もすっかり損われてしまった。

しかしこの学校時代にシャンポリオンは「ファラオ時代のエジプト」と題する大作の執筆を決意し、古代エジプトの地理を扱うべきその第一巻の準備にとりかかった。一八〇七年九月一日学校を卒業直後、彼はグルノーブルの学士院に自分の研究プランを報告し、同時に古代エジプトの地図の素描を提出した。その結果十六歳の若者がグルノーブル学士院の会員に選出されることになった。

九月十三日にはシャンポリオンは憧れのパリに着き、新たな勉強の課程に入った。その到着の日すでに兄はシャンポリオンをドゥ・サシとルイ・マティユ・ラングレス Louis Mathieu Langlés に紹介している。ドゥ・サシはすでにふれた人であるが、東洋諸語に通達し、ことに古典アラビア語の権威として知られ、ラングレスはパリの現代東洋語学校の設立者であった。ラングレスはシャンポリオンに、エジプト研究への努力は愚かな僭越であるといい、中部アジアの言語領域に眼をむけるようにすすめたといわれている。シャンポリオンはそのすすめには従わなかったが、ラングレスの学校とコレジュ・ドゥ・フランスに学び、ことにサンスクリット語、「ゼンド」語、パーレヴィ語に力を注ぎ、パリの国立図書館ではコプト語の写本の研究に従事した。ロゼッタ石の刻文をはじめて知ったのもその時で、彼の本来の研究領域への第一歩がふみだされたのである。彼はコプト語研究の必要をますます痛感し、多くの辞書を集め、語幹によって語彙を整理し、上部エジプト方言の最初の文法をつくった。

一八〇九年シャンポリオンは兄とともに、グルノーブルの新しい学部の歴史の教授としてグルノーブルに帰ることになった。十八歳の彼にとって、この仕事はかなりの負担であったが、よく研究に励み、ことにその大作「ファラオ時代のエジプト」の著作に集中した。勿論その間ロゼッタ石を中心とする文字の研究をもつづけた。一八一〇年八月七日グルノーブルの学会でエジプト文字の問題を総括的に取り上げているが、その発表は注目に値するものである。第一に、エジプト文字には聖刻文字とその筆記体の民衆文字《デモティック》のほかに「神官文字《ヒエラティック》」と呼ぶべき字体があることを指摘した。これは聖刻文字の筆記体であるが、それが更に民衆文字に発展したのである。当時シャンポリオンは逆に考え、民衆文字の方が古くて、神官文字はそれを神官達がかえて用いたもの、と考えた。この両者はアルファベット式だが、神官文字には聖刻文字の要素が混じている、というのがシャンポリオンの当時の考えであった。

エジプト文字の変遷

聖刻文字
装飾用の聖刻文字
神官文字
民衆文字
紀元前 2900-2800
紀元前 2700-2600
紀元前 2000-1800
紀元前 1500頃
紀元前 500-100
紀元前 1500頃
紀元前 1900頃
紀元前 1300頃
紀元前 200頃
紀元前 400-100

聖刻文字自身は一音節の語から出来た表意文字であるとみたのは漢字からの類推であり、またコプト語の一音節の規則から考えたことであった。しかしこの表意文字は外国名の表記に用いうる、というのである。厳密にいうとシャンポリオンは、民衆文字・神官文字・聖刻文字のほかに「象徴文字」を想定したが、それはポルフュリオスの述べているところを踏襲したものである。しかしこの象徴文字は普通の文字ではなく、神官だけが解する秘密の文字であり、問題外とされた。なお当時の彼の考えでは、聖刻文字はすでにアルファベット化していた他の書体の文字から「一種の哲学的な後退」によって出来た文字だ、という複雑な見方をしていた。

一八一二年夏にはシャンポリオンの考えは大分変わってきた。聖刻文字が一番古く、民衆文字と神官文字は聖刻文字の筆記体として聖刻文字から出てきたもの、と考えるようになった。したがって民衆文字の研究から聖刻文字の研究に進まなければならない、と考えるようになり、さらにエジプト人の言語と文字のシステムの統一性の考えから、コプト語によってそれ以前のものが読めると思い、新たにコプト語研究に没頭した。

一八一三年二月十一日に学友サン・マルタンに書き送ったことは重要な点を含んでいた。聖刻文字が神官文字と民衆文字と密接に関係することは細かい比較からシャンポリオンの動かない確信であったが、聖刻文字は哲学的な連合によっているので、複雑なのだ、といっている。第四の秘密の文字を依然として認め、この秘密の文字と聖刻文字の明確な区別の仕方が分からなかったが、それをホラポロンの本の中に発見した、とのべ、この本は聖刻文字の解明ではなく、エジプトの記念物にみられる象徴的な彫刻品、絵文字についていっているので、これは本来の聖刻文字とは全く違うのだ、と書いている。さらに重要なのは次のことを指摘している点である。「エジプト語の名詞、動詞、形容詞は特別な語尾変化を持たず、すべては接頭辞と接尾辞であらわされることに特に注意しなければならない。名詞と動詞の文法的変化はみな ⲓ ⲕ ⲧ ⲥ ϥ ⲟⲩ の六字でなされ、これらの文字は聖刻文字にもアルファベットの形で見出される」。いいかえるとコプト語には人称的関係を示す六つの語尾があるから、聖刻文字にもこの語尾を示すために六つの特別な文字があるだろう、と考えたのである。そこで結論的に「聖刻文字には二種の記号がある。六個のアルファベット記号と沢山あるが定まった数の自然物の模写」と書かれている。

一八一四年五月にはシャンポリオンは聖刻文字のシステムもエジプト語全体のシステムも全く音節的である、と記している。その当時単音節からなるエジプト語は聖刻文字の音節文字と他の二つの筆記体のアルファベット文字によって表わされた、と考えていた。この考えは前の考えと矛盾している。彼の考えはいつも動いていたのである。彼は自己の考えを容易に放棄できる人であった。この年の十一月には次のような考えに移っているが、どういう風にして変わったかは分からない。それは、聖刻文字は語られている言語の音を表わしているものだ、という考え方であった。

なおこの年に出た「ファラオ時代のエジプト——カンビュセス以前のエジプトの地理・宗教・言語・文字及び歴史の研究、地理的叙述」L'Égypte sous les pharaons: ou recherches sur la géographie, la religion, la langue, les écritures et l'histoire de l'Égypte avant l'invasion de Cambyse. Description géographique, 1814では非常に重要な次のことを記している。それは「古代エジプト人はおそらくは母音を無視して、それらを書かなかった場合が極めて多かったのであろう」ということで、これはドゥ・サシやオーケルブラドが注意しなかったばかりか、ヤングもこの事実に気がつかなかったために、その解読が本当にはうまくゆかなかったのである。

それから間もなくシャンポリオン兄弟の平穏な生活を乱す非運な時期が訪れた。それはナポレオンの百日天下が終わり、ナポレオン分子は迫害され、シャンポリオンは古代ギリシア語の教授であった兄とともに、ナポレオンの信奉者で、その政治的支持者なるかどで免職になり、フィジャクに追放されたのである。悪いことはつづくもので、その頃父親は破産し、シャンポリオンは一家を養うために郷里の小学校長となって教育の仕事に時間を割《さ》かなければならなかった。当時シャンポリオンはランカスター・システムによる学校教育によって、国民の教養をたかめようという考えを持っていた。一八一七年には学士院の秘書としてグルノーブルに帰ったが、そこでは彼に悪意を持つ人間や政敵の陰謀が待っていた。そのため彼はついに病気になったが、自分のライフ・ワークと決めた研究は放擲《ほうてき》せず、時間のゆるすか

カルナクのアモンの神殿入口の柱
(ラメセス二世《第19王朝》紀元前1250年頃)

ぎりそれに没頭した。この政治上の出来事は彼の師であったドゥ・サシとの関係にも影響した。百日天下の期間シャンポリオンはナポレオンの公約した政治的自由の実現に期待をいだいて、グルノーブルで刊行されていた新聞に論文を寄せたり、ブルボン家反対・皇帝支持の演説をぶったりした。反対にドゥ・サシはブルボン家の復古を歓迎する頑固な王党主義者であった。一八一六年一月二十日、ナポレオンのエルバ島脱出に関連したグルノーブル事件当時のシャンポリオンの行動を頭において、ドゥ・サシはヤングに宛て、次のように書いている。「わたしはシャンポリオンについてもうこれ以上お話ししたくありません。アーリマン（イラン神話の悪の化身）の三ヵ月の統治の時の彼の行状は決して彼の名誉になることではなく、彼はきっともうわたしに手紙を書く勇気もないものと思います」。ドゥ・サシは彼自身の失敗の経験もあり、エジプト文字の解読についてのシャンポリオンの仕事にも非同情的であった。

シャンポリオンはコプト語の文法と辞書をパリの学士院の承認を得て、公刊させようとしたが、ドゥ・サシの反対で拒否されてしまった。それは一八一五年七月のことで、これはドゥ・サシがコプト語は聖刻文字解読には役立たぬ、という意見であったためである。

一八一八年二、三月にはパリで出されたロゼッタ石の図版をシャンポリオンはくり返し求めているが、これを出した委員会の連中にはシャンポリオンが眼の上のたんこぶであったので、その願いすら入れられなかった。

一八一八年四月十九日に書いているところによると、彼はもはや第四の秘密文字を特別な種類として認めてはいないが、依然聖刻文字の絵文字としての性格を他の二つの筆記体文字のアルファベットとしての性格と対照的に考えている。

一八一八年四月にはヤングのやったようにロゼッタ石を語の単位で分け、聖刻文字における語の順序がコプト語の語順と大体一致することを知った。

一八一八年五月六日のノートには解読の最初の一歩ともいうべきものが記されている。それはロゼッタ石のギリシア語のテキストに「彼」「彼の」があるところに聖刻文字では小さな蛇がかかれ、民衆文字にはこの蛇から出たに違いない小さな記号があった。これがコプト語にϥ、fとして残っているのであるから、聖刻文字の小さな蛇はfを表わす文字であろう、というのである。

このような発見にもかかわらず、シャンポリオンは聖刻文字が、表意文字的であるという考えを持ちつづけた。かえってこのfの発見をこの考えと結びつけて、このfが聖刻文字テキストには例外的に残っているのだ、と考えたのである。

一八一九年二月にはシャンポリオンはまた一つの間違った考えに陥った。それまで彼はロゼッタ石の王名を「プトレマイオス」と考えていた。ところが「エジプトの記述」Description de l'Égypte（ボナパルト遠征の成果を集めたもの）のある頁の中に同じ記号を発見したが、編集者はそれを非常に古い建物からとった、と確言していた。そうだとすると古い王名をギリシアの支配者が用いたのであろうか。そこにある獅子の記号は「好戦的な」という表意文字ではなかろうか。「プトレマイオス」は「プトレモス」πτόλεμος（戦争）から出た名前だから、それによくあうではないか、と考えた。しかしそうなると折角今まで外国名では聖刻文字は表音的に用いられる、というように考えていたのが、くずれてしまうことになる。

一八二一年七月シャンポリオンは妻を伴ってパリに居を移した。――これより先一八一八年の暮、工場主の娘、ロジーヌ・ブランとシャンポリオンは結婚していた。——時に彼は齢《よわい》三十、地位も財産もなく、解読に専心しよう、という固い決意をもって、同時に熱病に冒され易いその体質から、それを成しとげずに死ぬのではないかとの心配を心の底にいだきつつ、すでにここに移っていた兄をたよりにパリに来たのである。「お前は生きなければならないし、また生きるであろう」といって兄は弟を励ました。

しかしパリには彼の競争者がいた。コレジュ・ドゥ・フランスでアルメニア語の講座をもっていたサン・マルタン St. Martin はその一人で、彼は楔形《くさびがた》文字と聖刻文字の解読に関心を持ち、また考古学者のフランソワ・ジョマール François Jomard も熱心に解読をやっていた。ジョマールはかねてからロゼッタ石の一番いい写しを自分で秘蔵し、それをシャンポリオンに貸すことを拒否した人である。

シャンポリオンに古くから好意と期待をよせていたのは、ボン・ジョゼフ・ダシエ Bon-Joseph Dacier で、彼は今はフランス学士院 L'Institut de France の中心人物であり、兄フィジャクは一八一八年以来その私設秘書であった。

シャンポリオンの解読が他の人達——ヤングをも含めて——とその方法や原理をことにすることは先ずその民衆文字と神官文字についての徹底的研究がなされた点にあるので、その点を多少詳しく述べよう。これはロゼッタ石だけでなく、民衆文字のパピルス文献の突っ込んだ研究の結果なのである。

彼は宗教的内容を持つ二、三のパピルス中の聖刻文字で書かれたあるものと、神官文字で書かれたあるものの内容が同じであるという着眼のもとに両者の記号の対比表を作製した。この仕事の結果は「古代エジプトの神官文字について」という報告となり、これは一八二一年八月パリの刻文学士院で発表され、その梗概《こうがい》は同じ年グルノーブルでも発表された。その結論は「私が比較考査したところでは、⑴第二種のエジプト文字（神官文字のこと）はアルファベット的ではない。⑵この第二種の体系は聖刻文字の体系の単なる変種に過ぎず、記号の形が異なるだけである。⑶この第二種の文字はギリシアの著作者たちのいう神官文字《ヒエラティック》であり、聖刻文字的筆記体 une tachygraphie hiéroglyphique とみなされなければならない。⑷最後に神官文字——従ってそれから生じた文字（聖刻文字）——も対象物の記号であって、音声の記号ではない（les signes des choses et non des sons)」。

その他この報告では次のことが明らかにされている。正確な文を構成するため、思考の論理的順序を固定するために用いられる文法的記号が聖刻文字にも神官文字にもあること、また神官文字の記号は四つのクラスに分類されること、それは、⑴聖刻文字に対応する、粗雑な、絵を描いた記号、⑵聖刻文字の基本的特徴をとって構成された記号、⑶聖刻文字のある一部分のみを模倣した記号、⑷聖刻文字とは形態上全然関係のない記号の四種である。

この学士院の報告でシャンポリオンは五十部程印刷してあったその資料をみなに配ったが、それが後で大きな攻撃の材料になった。というのはこの報告の中の、聖刻文字は神官文

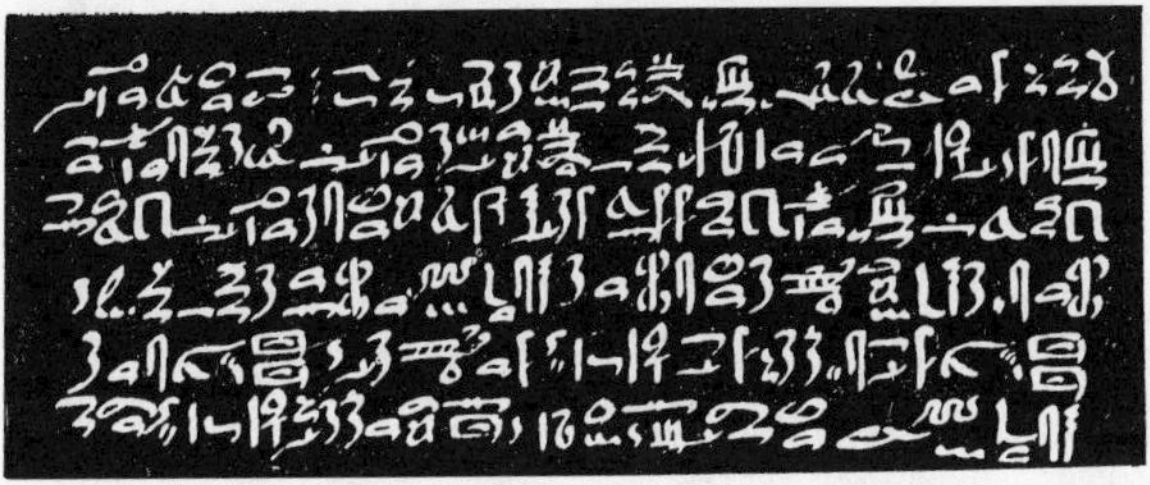

神官文字の一例（パピルス・エーベルス）

字と同様、対象物を表示するもので、古代エジプト語の音を表示するものではない、という見解は、後の「ダシエ氏への手紙」中にある古代エジプト人の文字体系には音声的聖刻文字が存した、という見解と矛盾する、とみなされ、この後の見解は大英百科辞典にのったトーマス・ヤングの「エジプト」の影響によるもので、一八二二年になってはじめてシャンポリオンが抱いた見解であると、反対者が主張する根拠となったからである。しかしそう見ることは皮相な見方であって、シャンポリオンはこの「対象物の記号」が必要な場合に音声を表示しうることを否定するつもりはなかった。すでに一八一〇年八月七日グルノーブルの学士院で発表した報告の中で――その一部はフィジャクにより印刷に付された――シャンポリオンは、エジプトの刻文の中には、外国の皇帝や民族の名をしるした聖刻文字の存在したことを主張している。

一八二二年八月シャンポリオンは同じくパリの刻文学士院で、民衆文字についての報告を行った。この報告は、ロゼッタ石の民衆文字の新しい分析の結果であり、そのために彼は

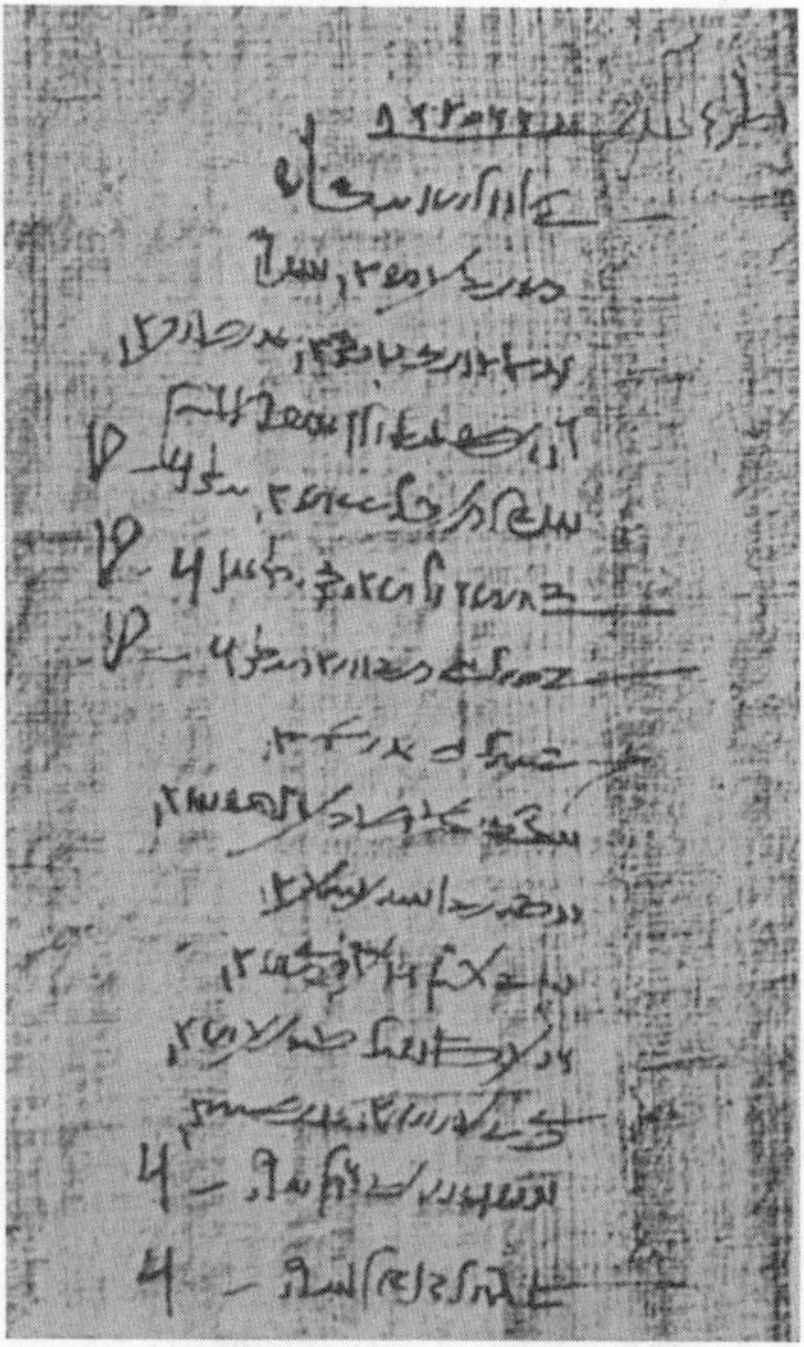

民衆文字テキストの一例

神官文字の研究の成果を用いたのである。彼はロゼッタ石の真中のテキストが神官文字のパピルスの記号と殆んど変わらない、やや曲りくねった形をしていることを確かめた。

ドゥ・サシがシャンポリオンの報告を無条件に認めたことはとくに彼を喜ばせた。

シャンポリオンはロゼッタ石の民衆文字刻文の各行をほどいて、個々の語を構成しているグループに分けた。その後同じ民衆文字のグループがこの刻文中に何回出てくるかを調べ、またそれと同じと思われる語がギリシア語刻文の方に何回出てくるかを調べて、同じ回数だけある民衆文字のグループとギリシア語の単語を対比させたのである。その対照の結果デモティック・ギリシア語辞典が小さな形で出来たわけである。それにつづいてシャンポリオンはこの字引によって意味の判明した民衆文字記号の表をつくった。それにより彼は固有名詞を表わす民衆文字群をとり出し得たし、またそれぞれの民衆文字群に関する多くの考察、とくに文法上の性格についての考察をすすめることが出来た。こうして民衆文字テキストとコプト語の文法体系の間には文法的事実の対応のあることが明らかになったのである。外国の固有名詞に関していえば、シャンポリオンはエジプト人がそれらを音声的に表現する手段を持っていたことを前々から確信していた。そして事実ロゼッタ石とある一つのパピルス――それは「パピルス・カザティ」であるが――に見える民衆文字による固有名詞を分析し、つづいてこれらをロゼッタ石のギリシア語刻文と対照することによって、民衆文字の音声的アルファベットを構成することに成功したのである。

　このようにしてシャンポリオンはロゼッタ石に民衆文字記号で書かれている王や王妃の名前――アレクサンドロス、プトレマイオス、ベレニケー、アルシノエー――とディオゲネースその他五つの固有名詞を解読した。またロゼッタ石の民衆文字刻文の八行目の Sntgsj を「俸給、給料」σύνταξις と、三十二行目の jnn を「イオーニア人、ギリシア人」と解読することが出来た。

またパピルス・カザティ中からアレクサンドロス、プトレマイオス、ベレニケー、アルシノエーのほか、クレオパトラー、その他の名前を読みとることが出来た。

聖刻文字の解読のための下準備となった「民衆文字についての報告」は一八二二年に発表された他の論文中に含まれている。民衆文字についてのシャンポリオンの結論はその中で次のように定式化されている。⑴民衆文字は聖刻文字や神官文字と同様に本質的に表意文字的である。⑵民衆文字を構成している単純な記号 les signes simples はそっくりそのまま――ヤングの解いたように歪曲されずに――神官文字の体系から借用されたものである。⑶民衆文字へと転じていったこれらの単純な記号はこの種の文字に特有な、他の二つの文字――即ち聖刻文字と神官文字――とは本質的に異なっている諸法則に従って、相互に結合する場合がある。――どれかある概念を表現している、いくつかの単純記号からなるあらゆる結合をシャンポリオンはセーム sème（意義をになう記号群）と名づけた――。⑷始めの民衆文字記号 les signes primitifs démotiques の数はかなり限られたものであるが、これらの記号が種々様々に結合すると、概念の新しい手段はいくらでも生み出される。それ故エジプト文字の豊かさは中華民族の文字の豊饒に匹敵するであろう。⑸エジプト民衆文字は各単純記号ないし各セームが常にどれか一つの語に対応しうる程に、エジプト人の日常語に密接に結びついている。⑹民衆文字体系においては、単音節、単語、助詞は、日常語において名詞及び形容詞の性と数、代名詞及び動詞の人称、冠詞、動詞の法と時制、等を表現するに要するところの「純粋に論理的ないし文法的」とでもいうべき記号のクラスを構成している一定数の文字と同数の文字によって表現される。つまり語を表現する文字の数と文法的な辞を表現する文字の数とは同数である。(7)これらの論理的な記号はその大部分は識別されたが、一部は神官文字から借用されていて類推されうるものである。この事実は第一に民衆文字の真の源に導き、第二にエジプト文字の三つの体系の真の接触点を明らかにする。と同時にこれらのものの性質の同一性をも明らかにする。どのようにして一つの体系が他の二つの体系を理解するのに必要であるかはこれらの資料からのみ明らかになるのである。(8)エジプト語にとっては外国語である単語や固有名詞を表現するためにとった民衆文字の方法は、中国文字の場合と同様にアルファベット的一音節文字の一種である。

記述はつづいて、これらの諸結果はロゼッタ石の三つのテキストの比較分析からのみ引き出されたものである、と付け加えられている。「また民衆文字に関するこのような認識の現況がこの貴重な材料から得させる確乎たる事実の多くを補充するために」シャンポリオンは彼の報告の中に、この刻文の一つのまとまったテキストを加えた。それは完全な分析の結果、右から左に書かれた互いに対応する六つの行に配列されている。第一行目は民衆文字のテキストで、その中で何かある一定の概念を表わす記号ないしセームは、前後の記号ないしセームから区別されている。——元来の刻文ではこれらは全然間隔を置かずに連続して書かれていることは周知の通りである。——この第一行目にインクで記入された文字は「論理的」ないし「文法的」記号と考えられるもの、黄色のインクで記入されている文字は音声文字で、「半アルファベット的」方法で書かれた単語を構成していた。――ここで「半アルファベット的」とはアルファベット的一音節的文字の意味で用いている。――第二行目は同一の刻文のギリシア語の単語である。これらの単語は同じ概念を表わした民衆文字の記号ないしセームの、すぐ下に置かれている。しかもこの場合シャンポリオンは両言語の精神の間に存する相違が要求しない限りは、フレーズや単語の置き換えを許していない。多くの点で非常に重要なこのような逐字的な転写がシャンポリオンの所論の信憑性をましていることは確かである。第三行もセームの分析と刻文の逐字的な転写がそのような信憑性を与えているもう一つの場合である。第三行目は民衆文字刻文の全部にわたって同一の記号ないし、同一のセームが概念別に順次繰り返されており、それを同じ概念を表わすギリシア語の単語により再現している。さらにこの民衆文字刻文を読んだエジプト人が発音していた多くの単語に、もっと接近するために、第四行目には記号やセームの意味に最も合致したコプト文字で書かれたものが並んでいた。第五行目に、記号ないしセームの意味を表現するフランス語が書かれている。最後の六行目は同じテキストの聖刻文字の記号とセームである。

このようにして、独立の意味単位であるロゼッタ石の多くの聖刻文字ないしそのグループがどんなギリシア語にあたり、どんな民衆文字記号ないしその記号群にあたるかを、シャンポリオンは一八二二年八月に知ったのであった。

こうして神官文字と民衆文字という、二種のエジプト文字に関する二つの報告によって、エジプト文字の三種類、すなわち聖刻文字、神官文字、民衆文字の三つが、おたがいに発生的につながりがあることが、はっきり示されたのである。しかもシャンポリオンは聖刻文字が最も古く、民衆文字が最も新しいという誤りのない正しい判断を下し得たのであった。

またエジプトにはただ一つの文字体系があった、ということがこれらの報告の中に言われている。この体系の原理はこれらの三種類の文字が音声的意義を持つものでなく、表意的意義を持つ点に存する、とシャンポリオンは考えたのである。個々の概念を表現するこれらの記号ないしセームは多少とも日常語において当該のセームと同じ意味を持つある種の単語に現われてくる。例外として若干の表意記号はその有意義性を失って、外国語の単語や固有名詞を表わすことがある、というのである。

このような神官文字、民衆文字の資料から得られた諸結果を聖刻文字に応用する、という最後の仕事に、今やシャンポリオンは立ち向った。

神官文字と民衆文字の研究にたずさわりつつも、シャンポリオンは一時たりとも聖刻文字研究をなおざりにせず、その研究の終局的目的である聖刻文字解読の仕事を忘れたことはなかった。

彼の第一回のパリ滞在の時、聖刻文字研究の第一歩を踏み出して以来、彼は聖刻文字解読のために多くの確実な観察を蓄積し得た。更に一層進んだ解読のために特に重要な意義を持

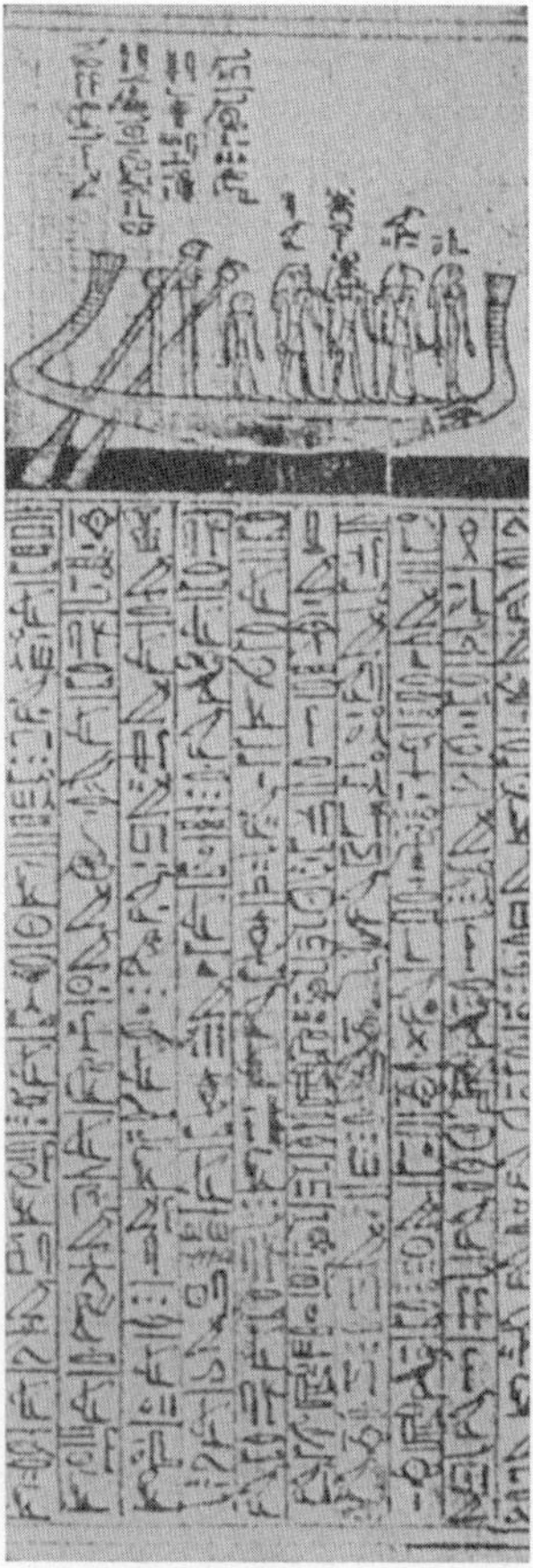

簡易化された聖刻文字の一例
(「死者の書」の一部)

ったのは、一八二一年十二月二十三日になされた発見であった。

すでに一八一九年四月に、シャンポリオンはロゼッタ石に保存されている聖刻文字刻文の各部分が、同じロゼッタ石のギリシア語刻文のどの部分に対応するかを決定した。勿論聖刻文字刻文の始めの部分は石の破損のために欠如していたことは前述の通りであるが、シャンポリオンはその残存する部分は、ギリシア語の原テキストの三分の一にあたる、と見た。彼は上部の刻文の聖刻文字の数を数え、ギリシア語テキストの単語の数を計算し、前者の数——千四百十九と数えた——は後者の数——四百八十六と判った——よりもはるかに多いことから考えて、聖刻文字を表意文字とすることは不可能だ、と考えた。何故なら聖刻文字の一つ一つが表意文字だとすれば、聖刻文字刻文の意味的単位は著しく多くなるからである。さらにこの千四百十九の文字を百六十六の文字に還元することが出来たから、この数の基本文字を持つ文字の体系は、本来のアルファベット式のものではありえない。多くの音をうつした記号を想定させるものである。

そこでシャンポリオンは再び外国語と外国の固有名詞の表出のために、表音的な聖刻文字が必ず存在しなければならぬ、という考えに戻り、さらに民衆文字のテキストにはやはり音声的性格をもつ記号が外国語起源の単語や固有名詞のほかにも見出される、という事態に注目したのである。

民衆文字記号が神官文字記号をへて、聖刻文字記号に遡ることが確証された以上は、ロゼッタ石の聖刻文字刻文におけるギリシア名の統治者達の固有名詞は民衆文字テキストにおけるこれらの名前を構成しているアルファベット記号の典型である聖刻文字によって──即ちアルファベット的聖刻文字によって──書かれているに違いない。この結論の正しさを検討するために、シャンポリオンは楕円の輪でかこまれた文字のグループ、つまり王の固有名詞の民衆文字から聖刻文字への復元を試みた。この楕円の輪をシャンポリオンはカルテル cartel またはカルトゥーシュ cartouche という名称で呼んでいる。

彼は先ずプトレマイオスの名前を民衆文字から一字一字神官文字に移し、さらにそれを聖刻文字に移してみた。その結果ロゼッタ石の聖刻文字のプトレマイオスの書き方と大体一致

フィライ島のイシスの神殿（前2世紀）

したのであった。またパピルス・カザティにあったクレオパトラーの名前をその民衆文字から聖刻文字に移してみた。その結果が正しいかどうかを確かめるために、シャンポリオンはフィライ島のオベリスクの刻文を手に入れたいと望んだ。このオベリスクはJ・W・バンクスが一八一五年にフィライ島のイシス神殿を調査の際発見したもので、プトレマイオス八世オイエルゲテース（在位紀元前一四四―前一一六年）の聖刻文字刻文を含んでいた。その中でオイエルゲテースの妻クレオパトラーについて述べられている。このオベリスクの台の所にギリシア語で書かれた三つの刻文があり、その中の第一のもの――そこには βασιλισση Κλεοπατρα τη αδελφη και βασιλισση Κλεοπατρα τη γυναικι（姉妹なる女帝クレオ

フィライ島を西側から見たもの〔註：現在神殿は別の島に移築〕

パトラーと妻なる女帝クレオパトラーに）とある――によってバンクスは聖刻文字刻文における クレオパトラーをカルトゥーシュの中で推読していたのである。なおこのオベリスクは二十一フィートの高さがあり、台の部分は十フィートあった。台の部分はフィライに残され、上の部分がロンドンに運ばれていた。そのようなことで、シャンポリオンはこのオベリスクの聖刻文字の部分にあるに違いないクレオパトラーの記号を見たい、と切に望んでいたのであるが、遂に一八二二年一月そのオベリスク刻文の石版刷を手にすることが出来た。シャンポリオンは一目見た瞬間電気にうたれたように感じた。というのはこの聖刻文字刻文の二番目のカルトゥーシュの中に「クレオパトラー」の名前が、彼が民衆文字から復元した通りの記号で書かれていたか

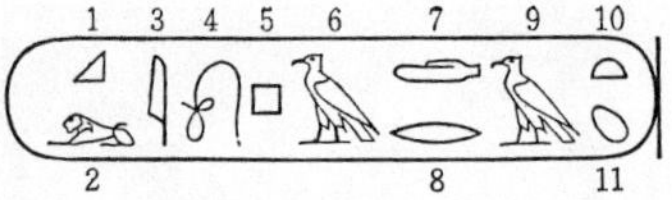

「クレオパトラー」

らである。バンクスは全く推量でこの「クレオパトラー」の名前の所にしるしをつけていた。シャンポリオンは一八二二年三月に発表した論文でも、「ダシエ氏への手紙」においてもこのことに一切言及しなかった。彼は単なる推量にはなんの価値もおかなかったからである。しかしバンクスはこの点で後にシャンポリオンを口ぎたなくののしった。シャンポリオンが「プトレマイオス」の後で「クレオパトラー」の復元をした理由は、前者の名前の中の文字のいくつかが、後者の名前にも出てくるからであった(Πτολεμαιος, Κλεοπατρα)。この二つの名前の記号の復元がともに正しい、ということになれば、聖刻文字が音声的記号からなることは争い得なくなるからであった。

このようにして「プトレマイオス」と「クレオパトラー」の民衆文字から聖刻文字への復元をして、シャンポリオンは自分の判断の正しさを確認しつつ、彼はこの二つのヒエログリフ名の比較分析へと進んだ。

(1) クレオパトラーという名をあらわすと仮定される上のカルトゥーシュの第一の記号は小さな丘を描いたもので、k音を示すと考えなければならない。

従ってkは「プトレマイオス」なる名の中にはない。

(2) 伏しているライオンを描いた第二の記号はl音を表わすものでなければならない。「プトレマイオス」という名前の中にこの音は現われ、ギリシア名のl音に対応して第四位に見えている〔註：八五頁の図を参照〕。

(3)「クレオパトラー」の名の第三の記号は葦の小箒（ブラシ）を描いたもので、短母音eを表示するものでなければならない。「プトレマイオス」の名前においては、最後の記号の前に位し、しかも重複している。ここではこの記号は二重母音aiを表わすものである。

(4)第四の記号は投げなわを描き、「クレオパトラー」の中ではo音を表わしているはずである。実際またこれは「プトレマイオス」中の第三番目に位置し、この名前のギリシア語書法のo音に対応する。

(5)第五の記号は葦のむしろを描いたもので、「クレオパトラー」の名ではp音を表わし、「プトレマイオス」の中では第一位をしめるものでなければならない。また実際その通りである。

(6)「クレオパトラー」の第六及び第九の記号はとびの一種を描いたもので、同じくa音を表わすはずである。従って「プトレマイオス」の中では出てくるわけがないのは、二重母音aiは「クレオパトラー」の第三音の重複によって表わされているからである。また事実その通りである。

(7)第七の記号は手のさき（手首の関節から指先までの部分）を描き、「クレオパトラー」においてt音を表わすものでなければならない。t音が「プトレマイオス」では小型のパン

表意文字を表音文字として用いる例

を描いた全くの異形の聖刻文字で表わされている。シャンポリオンは聖刻文字では同じ一つの音が種々の異なった記号で表わされ得る、と予想して、この困難を回避した。

(8) 口を描いた第八の記号は「クレオパトラー」の名前でr音を表示し、「プトレマイオス」にはないはずであり、事実またその通りである。「クレオパトラー」の名の第十及び第十一の記号については、シャンポリオンはこの二つの聖刻文字からなるグループには音声的意義はなく、当該の名の女性名なることを指示するものと考えた。

このようにして「クレオパトラー」の聖刻文字は完全に解読された。「プトレマイオス」の名には二つのブランクがあった。すなわち第五と第八の記号が分析されずに残った。これらは「クレオパトラー」の名にはないが、このmとsという文字は他の材料から埋めることは今や困難ではないと思われた。

しかしこのシャンポリオンの解読には二つの難点があった。第一にシャンポリオンには「プトレマイオス」がPtolmais（またはPtolmēs）と読めた。第二に前述のように同じ一つの音（t）に二つの異なった記号が対応することが判った。この最初の障害は、シャンポリオンが、エジプト文字は多くのセム語の書法と同じく、必ずしも母音を表記しない、という事情を指摘したことで、取り除かれた。シャンポリオンにとっては、すでに一八一三年に明らかになっていた、このエジプト文字の特性を看過したことは、その他の誤解とあいまって、オーケルブラド、後にはヤングの不成功の原因となったものである。同じ一つの音を表わすのに種々の記号が適用されることに関しては、シャンポリオンはこの事実をエジプト文字体系の発達の歴史を発生的に段階づけることによって説明した。音声の表出は二次的な現象であり、本質的に表意文字的であるこの体系にとっては、後になって創り出された手段である、とシャンポリオンは言っている。約五世紀にわたるギリシア語、ラテン語の支配の期間に、しかも色々な地方で、この手段に頼らざるを得ない場合がますます多くなってきたので、エジプト人は彼らの遭遇した外国の固有名詞の数がふえるにつれて、対象物の模写である聖刻文字記号を、あれこれの音声を表わすために用い、漸次その数をましていった。聖刻文字記号は物象を模写し、その物象の名称は、全体ないしその始めの部分に、文字の上に表出すべきエジプト日常語の音声（母音ないし子音）、音節を含んでいるのである。そこで例えば口を描いた聖刻文字は音声 r を表わすようになったが、それはエジプト語において口が子音 r とそれにつづく弱子音とからなる語――コプト語では po――によって記号化されているからである。それ故もし異なった聖刻文字によって描かれた異なった物象の名称が同一の音声となった場合には、異なった聖刻文字が同じ一つの音声を表わすことがあり得たわけである。異なった物象を描きながら、同一の音声を表

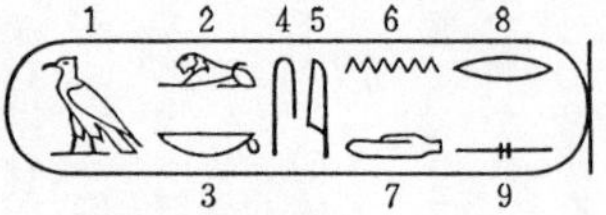

「アレクサンドロス」

わす聖刻文字をシャンポリオンは同音異字 homophone と名づけた。

このようにしていくつかの聖刻文字を解読したシャンポリオンはカルトゥーシュにかこまれた第三の王の名前をとり上げ、これを、

Al-se-tr-

と読んだ（註：上の図を参照）。ハイフンは三・六・九番目の記号で、今の所不明のものである。ここに「アレクサンドロス」という名前がかくされている、と仮定して、この三個の聖刻文字のアルファベット的価値を定めた。すなわちｋｎｓの三つで、ギリシア名「アレクサンドロス」は Alksentrs という形で表わされる。そして事実ロゼッタ石の民衆文字刻文において、また民衆文字のパピルスの一つにおいて「アレクサンドロス」という名は全くこれと同じく九個の聖刻文字に対応する民衆文字記号で書かれている（ただし第五記号がａとなっている！）。

同じようにしてシャンポリオンは「ベレニケー」の名前をも分析し、さらに三個のアルファベット記号を補足した。その一つは音声ｂを表わし、あと二つはｋとｅを表わす同音異字であった。その後シャンポリオンはギリシア人及びローマ人のエジプト統治者の名前と称号の全部を解読し、その結果「プトレマイオス」（左上図はその聖刻文字）から始めてギリシアのアルファベットの十九個の文字に対応する聖刻文字のアルファベットを見つけ出し、ま

た音声hと音声toを表わす二個の記号を発見した。同音異字を含めると、この聖刻文字のアルファベットは約六十の異なる記号を持つことになったのである。

このようなシャンポリオンの解読において、聖刻文字の体系は「音声的・アルファベット的」とよばれるものとして把握されていたのであり、このような音声的聖刻文字の原則はレプシゥスより以前にシャンポリオンが知っていたものであることを特記すべきである。また一八二二年八月の論文において、楔形文字においてもみられる「限定文字」と同じものが聖刻文字の場合にも存在することをシャンポリオンは指摘している。これを彼は最初「種別の聖刻文字記号」signes hiéroglyphiques de l'espeéce とよんだが、すぐあとで限定文字déterminatifs とよびかえた。

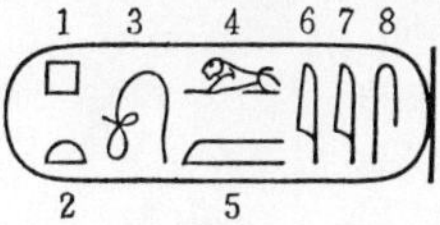

「プトレマイオス」

しかしシャンポリオンは長い間音声的アルファベット文字というものは、もっぱらギリシア人の影響によって、外国の固有名詞を表わすために、エジプト人によってとり入れられたものと考えていた。「わたくしもまた長い間この誤《ご》謬《びゅう》に陥っていた。そして歴然たる事実がわたくしに、エジプト聖刻文字を全く意外な視角から見ることを教え、あらゆる時代のエジプト文献を飾っている刻文中の聖刻文字群の多くに〈音声的〉意義を認めざるを得なくなったその瞬間までは、頑迷にこの偽りの道を歩いてきたのであった」とシャンポリオンは後で書いている。

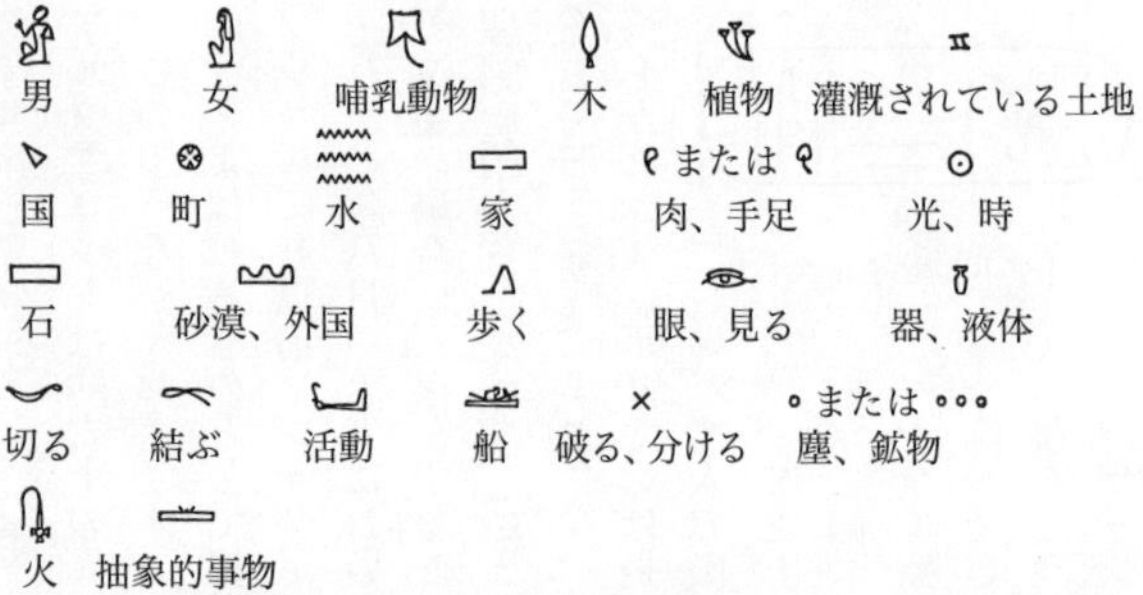

男	女	哺乳動物	木	植物	灌漑されている土地
国	町	水	家	肉、手足	光、時
石	砂漠、外国	歩く	眼、見る	器、液体	
切る	結ぶ	活動	船	破る、分ける	塵、鉱物
火	抽象的事物				

一番普通の限定文字

このシャンポリオンの解読の仕事の上で最大の転機となった、偉大な「瞬間」は一八二二年九月十四日に彼を訪れたのである。その頃彼は兄フィジャクとその子、アリーとともに二階に住み、三階にその仕事場を持っていた。十四日は早朝から仕事にかかり、ローマのオベリスクのうちの一刻文で、ヘルマピオンの残した、ギリシア訳に保存されているエジプトのファラオ達の形容語——「アモンに愛された者」とか「ホルスの友」というような——をギリシア語から聖刻文字に再構成し、その結果を「エジプトの記述」に出てくる聖刻文字のカルトゥーシュ内のグループと比較しようとしていた。

その仕事のためにシャンポリオンは、彼の親友である建築家J・N・ユイオ Huyot がエジプトで写して送ってくれた浮彫の写し——丁度その朝彼の手許にとどいていた——を手にとった。ヌビアのアブー・シンベル神殿の岩壁に彫られたその浮彫の図に、シャンポ

アブー・シンベルの大神殿入口（第19王朝のラメセス二世の建てたもの）

リオンは四個の聖刻文字を含むカルトゥーシュを認めた。この四個の文字の中の最後の二つは全く同じもので𓋴𓋴、それぞれ音声sを表わすものであることは、以前に彼の決定していたことであった。その前の聖刻文字𓄟の意味も彼には分かっていた。すなわちロゼッタ石では、ギリシア語刻文の対応語から明らかなようにこの𓄟は、𓋴と一緒になって「生む」という概念を表わし、コプト語ではmiseである。エジプト文字では母音が無視されるということを考慮に入れると、この結合はmsと読まなければならない。結局このカルトゥーシュの最後の三字はmssとなる。最初の聖刻文字⊙については、シャンポリオンはこれが太陽の円を描いたものであることを正しく見抜いて、これがエジプトの太陽神のシンボルである、と仮定した。事実この図のもう一つのカルトゥーシュには、これと同じ四個の聖刻文字があり、ただその最初の聖刻文字が太陽の円の代わりに、その円を頭にのせた神自身の姿を描いていた。コプト語では太陽神はRêと呼ばれている。したがって⊙もRêと読まなければならない。するとこの四つの聖刻文字はRêmssとなり、母音を入れればRemses, Rameses, Ramsesとなる。この読み方が正しいとすれば、このカルトゥーシュはかのエジプトの歴史家マネトーンの歴史書に言及されている古代エジプトの最も偉大なファラオの一人ラメセス王の名前を表わしているのではないか。シャンポリオンは新しい発見の喜びと、もしやこれが間違いではないかという不安とに正気を失う程の興奮を感じた。彼はもう一つの絵図をとり上げ、そこに三つの聖刻文字からなる第二のカルトゥーシュを見出した。三つの文字の中の最後の二つは「ラメセス」のカルトゥーシュの第二と第三の文字と同じゆえ、msという表音性をもつ。第一の文字は紅鶴を描いたもので、これはシャンポリオンの承知していたように、エジプトでは月神トトと関係する神聖な鳥である。こうしてこの三つの記号はマネトーンが古代エジプトの帝王として挙げている今一人のファラオ、「トゥトメス」の名を表わしているのではないか。その他の多くの聖刻文字群を分析して得た結果を色々に検討した後、シャンポリオンは古代エジプト文献に見える聖刻文字によるファラオ達の名前がついに解読できた、と確信した。そして彼には自分の発見の意義が分かってきた。聖刻文字の謎はついに解けたのだ。若き日の夢はついに現実となった。多年の探求の結果は完《まった》き成功に終わった。彼はエジプトのアルファベット的聖刻文字がギリシア時代のずっと以前から存在していたことを確かめ得たのである。

お昼頃この最後の確信に到達して、シャンポリオンは彼の家に程近いフランス学士院で仕事中の兄の許にかけつけた。「やったぞ」Je tiens l'affaire! と叫びながら兄の部屋にかけこむと手につかんでいた資料を机の上に投げ出して、自分の発見の模様を語り始めた。しかし興奮の余り彼は両脚で立っていることすら出来ず、体のすべての力が抜けて、シャンポリオンは正気を失ってその場にブッ倒れた。兄は弟を近くの家に運び絶対安静を保たせたが、シャンポリオンの昏睡状態は五日間もつづいた。九月十九日になってようやく眼をあけ、意識を回復したが、兄の助けを借りて仕事のまとめにかかったのは二十一日のことであった。その仕事は「ダシエ氏への手紙」Lettre à M. Dacier として知られているもので、九月二十七日に発表された。

その前日の二十六日に兄フィジャックは刻文学士院の会議の開催を求める手紙を学士院の常任幹事であるダシエに提出した。二十七日朝早くダシエは院長のドゥ・サシの所に赴いた。他の学士院の会員にもすぐ知らされ、アレクサンダー・フォン・フンボルトやヤングを含む名ある人々が集まった。この日はエジプト学の誕生の日としては暗い雨の日であった。

シャンポリオンはかつて学士院で行った神官文字と民衆文字についての報告に言及しつつ、その話を始めた。続いてドゥ・サシ、オーケルブラド、ヤングの研究成果を述べ、自らのロゼッタ石の民衆文字刻文の研究から始まり、聖刻文字刻文の分析、外国の固有名詞を表わすアルファベット記号の存在の証明にいたるまでの道を叙述した。彼はエジプト文字の音声的要素を「半アルファベット的」と呼んだ。聖刻文字の表音法はセム語の正書法と同じように、語の骨組みだけを表記して、母音を無視することが多いからである。また一つの物象の描写が一つの音を表わすために適用される理由を明らかにしようとして彼は頭音書法acrophonieの原理を述べている。九月十四日の発見については、彼は方法論的考察からは言及せず、事実の存在を指摘した。

結論として彼はエジプト文字をフェニキア文字と比較し、エジプト表音文字を西アジア諸民族のアルファベットの起源でなくとも少なくも模範であり、ヨーロッパはおそらくフェニキアを通してそのアルファベットをエジプトに負う、と述べた。この見解は当時の学者間の通説に真向から反対するものであった。

この発表に対して最初に祝意を述べたのはドゥ・サシであった。フンボルトも深い関心と興味を示した。ヤングは最初は強気で、やはり自分が最初の発見者である、と考えていた。しかし翌日シャンポリオンの所を訪ねた時、事態は大分変わってきたことに気付いた。多くの客が来ていたが、みなシャンポリオンの業績をたたえ、ヤングのことは何も言わなかったからである。その後間もなくヤングはシャンポリオンを訪ね、シャンポリオンはヤングにすべての資料を見せ、未発表のものについても語った。またパピルス・カザティのコピーをも与えた。同じ日の夕、シャンポリオンの方からもヤングを訪れ、ヤングの妻とも知り合いになり、こうして二人の間はうまくゆくように見えた。しかし結局そうはゆかなかったのである。

十一月二十二日ヤングはロンドンに帰り、フランシス・グレイから四つの民衆文字とギリシア語のパピルスを入手し、彼は一度放棄していた聖刻文字研究をとり上げ、再び猛然とその仕事にとりかかった。

一八二二年後半から一八二三年前半までは、シャンポリオンの仕事の一つの頂点《ピーク》であった。二二年九月の最後的発見と、それにつづく「ダシエ氏への手紙」の発表、すでに十月号の「学者の雑誌」Journal des Savants はこの手紙の一部をのせた。十一月にはディドー社からその全部が出版された。しかし神官文字と民衆文字についての研究は金がないので出版できなかった。神官文字についての研究だけでも出版したいと思って、十一月以来グルノーブルにいた兄の帰るのを待っていた。兄の不在はシャンポリオンにとってつらかった。烈《はげ》しい昼夜の仕事の中で、兄とともにする長い夕方の散歩がシャンポリオンには必要欠くべからざるものになっていた。シャンポリオンには、その手紙によると「家の中の平和」がその仕事のための最初の条件であったが、この当時のシャンポリオンには、妻ロジーヌとの気持の疎隔が次第にひどくなっていたようである。グルノーブル時代、彼女は夫の病気のときにはその口述で彼の考えを書きとめ、「秘書」としてシャンポリオンに感謝されていた。パリに移ってからはすべてが変わってしまった。変化の烈しいパリの雰囲気にロジーヌはついていけなかった。ことに夫の仕事が進めば進む程、彼女は独りとり残された。それは兄のフィジャクが今やシャンポリオンの「他のわれ《アルター・エゴ》」となり、兄が弟にとってすべてとなったためでもある。

「ダシエ氏への手紙」の出版後も経済的には少しも楽にならず、この「手紙」は空しい歎賞《たんしょう》と嫉妬と疑惑を惹起しただけであった。当時のパリは古代エジプト研究のために必ずしも有利ではなく、エジプトからの「財宝」はみなイギリスに行き、ヤングの手をへて、その多くは私人の蒐集品として消えていった。シャンポリオンはイギリスに行きたかったが、その金はなく、彼を援助する者もなかった。しかしシャンポリオンはその置かれた場所で、一八二二年の終わり頃までには驚くべき仕事をなしとげていた。コプト語の助けでエジプト語文法の基礎すらすでに出来上がっていたのである。

一八二三年をシャンポリオンは貧困と地位を得られない悩みの中で迎えた。しかしルイ十八世の侍従長ブラカス公の理解あるはからいで、二月半ばにはイギリス旅行の見込みがやっと立った。と思ったのもつかの間、三月半ばにはフランスとスペインの戦争でこの希望も駄目になった。しかし四月の二十一日はシャンポリオンにとって忘れられない日となった。アジア協会の第一回の公の年会が開かれ、名誉会長のオルレアンのルイ・フィリップは古代語研究の意義をのべ、シャンポリオンの仕事を賞讃したのであった。シャンポリオンの前には自分の学問がすべてをその人におうナポレオンの偉大な姿が浮かんだ。

シャンポリオンは一八二三年四月から六月にかけ、三回の報告を学士院で行った。そのエジプト文字体系についての学説は「古代エジプト人の聖刻文字体系提要」Précis du système hiéroglyphique des anciens Égyptiens にまとめられ、一八二四年に初版が出た。この書の中で彼は「ダシエ氏への手紙」公刊後ヤングとその支持者によってなされた剽《ひょう》窃《せつ》云々という非難に答えている。

イギリスのある雑誌（The Quarterly Review, 1823）に匿名の論文が掲載され、聖刻文字のアルファベットの考えは、ファラオ時代のエジプトのテキストの解読には無価値だ、と述べた。表音的聖刻文字の考えはシャンポリオンがドゥ・サシとオーケルブラドから盗んだのだ、といった。無名の筆者はヤングにも二、三の小さな非難をあびせていたが、シャンポリオンはこの記事が少なくもヤングの示唆《しさ》によるものとの疑いをいだいた。シャンポリオンはヤングにこの記事に対する態度表明を要求した。ヤングは二人に加えられた非難に対して不快の意を表明したが、ヤングの伝記者は後にこの記事がヤングのものであることを認めている。

ヤング自身のシャンポリオンへの公の態度表明は、一八二三年三月に出された論著「新しい発見云々」という頗《すこぶ》る長い標題の書物においてなされた。それは "An account of some recent discoveries in hieroglyphical literature, and Egyptian antiquities: including the author's original alphabet, as extended by Mr. Champollion, with a translation of five unpublished Greek and Egyptian manuscripts" by Thomas Young, M. D. F. R. S. Fellow of the Royal College of Physicians. London, John Murray, 1823で、この標題がすでに示しているように、ヤングはすでに一八一九年に大英百科辞典にのせた論文の中で、プトレマイオスとベレニケーの二つの聖刻文字名の分析に基づいて、聖刻文字の表音アルファベットを発見したことを主張したのである。

シャンポリオンはこの二つの名前の分析にあたって用いた自分の方法とヤングの方法を詳細に比較することによって、ヤングの方法の不徹底なことと、非難の不当なことを証言した。この「発見」がどちらが先かということは問題にならない。何故なら「われわれ二人のシステムには殆んど全く共通なものがないから」とシャンポリオンは書いている。

事実シャンポリオンもヤングも同じような二つの前提から出発している。その第一はエジプトの筆記体文字と聖刻文字の発生的関係に関するもの、第二はカルトゥーシュが王の名を他から区別するためのしるしだ、ということである。しかしこの二つのことはシャンポリオンとヤングの研究以前に他の人達のすでに指摘していたことであった。

プトレマイオスの名前を構成する聖刻文字の音声的意義の決定にあたって、ヤングはそれを余りに機械的に行った。プトレマイオスの聖刻文字記号の数がその名のギリシア書法における文字数より少ないため、ヤングはいくつかの聖刻文字を音節的と考え、はなはだしきは二重音節的と考えた。聖刻文字でギリシア名通りが書かれている、との前提に立っていたからである。それで獅子の記号は ole と読んだ。ヤングが Ptolemaios と読んだものを、シャンポリオンは正当にも Ptolmēs と読んだのである（今日では p t wꜣ rw(＝l)mꜣ ïï ś と読む）。その結果ヤングによる聖刻文字の音体系は三つのカテゴリーから成る記号、つまり、アルファベット的、一音節的、二音節的記号から成る雑多な体系となった。このような体系をその他の聖刻文字名に応用しようとする試みがことごとく失敗に終わったことは言うまでもない。

それに対しシャンポリオンの明らかにした聖刻文字音体系は内的な同質性を持ち、厳密なアルファベット的法則によって構成されていた。具体的には各々の聖刻文字が一母音ないし一子音を表わすことがシャンポリオンにより正しく決定されたのである。

シャンポリオンの「提要」の印刷は六月の学士院での報告の後始まっていた。八月二十一日シャンポリオンはヤングに宛て、彼も公の判定場《フォールム》において、二人の体系の検討を企てるであろう、と書いた。彼はまたエジプトに旅行したフレデリック・ケイヤールの齎《もたら》した木乃伊《ミイラ》の供した貴重な証拠物のことをも述べた。これはヤングに大きな影響を与えたらしい。一八二三年九月十三日ヤングは最早聖刻文字の解読はしまいと決意した。二人の人が独立に同じ思想に達し、ある程度同じ発展を辿りうる、という洞察がヤングに欠けていたことは不思議である。彼は生涯シャンポリオンが自分の結果を盗んだものと考え、自分を解読史上の犠牲者とみなし、終わりまでそれを恨みに思っていた。

「提要」の公刊はスペイン戦争の拡大のために遅れ、その最後の部分が印刷にまわったのは十一月の末のことであった。その公刊は翌一八二四年である。

この書においてシャンポリオンは述べている。この書の主な目的はヤング博士の意見に反して次のことを示すにある。⑴私の聖刻文字アルファベットはあらゆる時代の王の聖刻文字刻文に通用しうる。⑵聖刻文字表音アルファベットの発見は全聖刻文字体系を解明する真の鍵である。⑶古代エジプト人は聖刻文字表音アルファベットをあらゆる時代にわたって彼らの日常語の音声をアルファベット的方法によって表わすために使用した。⑷すべて聖刻文字刻文は主として純粋にアルファベット的であり、私の決定した意味を担っている記号から構成されている。⑸私は聖刻文字テキストの中で同様に用いられている種々の記号を識別しようとする。⑹最後に私はこれらすべての仮説から、それらが実証される限りにおいて、広く応用できる聖刻文字体系の原理を導き出すつもりである。

シャンポリオンは先ずギリシア・ローマの人名の聖刻文字書法において、王のためのカルトゥーシュと一般人の場合の識別的記号としての限定文字があることを指摘する。これらの符号は表現される概念の性格を表示するためのもので、表音か表意かには関係がない。これは神々の名前その他の場合にも同様であり、結局聖刻文字体系には全くカテゴリーを異にする二つの記号が使用されている。一つは音声を、一つは概念を表現する、とシャンポリオンは結論している。

聖刻文字のアルファベット

	記号	転写	描かれた物
1	𓄿	ȝ	禿鷹
2	𓇋	j	葦（花の咲いた）
	𓇌 または 𓏭	jj,j	
3	𓂝	ʿ	前腕
4	𓅱	w	うずら
5	𓃀	b	脚
6	𓊪	p	椅子
7	𓆑	f	蛇（角のある）
8	𓅓	m	ふくろう
9	𓈖	n	水
10	𓂋	r	口
11	𓉔	h	よしずばり
12	𓎛	ḥ	あんだ麻なわ
13	𓐍	ḫ	菓子（?）
14	𓄡	ẖ	乳頭を持った動物の腹
15	𓊃	s	かんぬき
16	𓋴	ś	たたんだ布
17	𓈙, 𓈙	š	池、海
18	𓈎	ḳ	丘（の斜面）
19	𓎡	k	かご（把手のついた）
20	𓎼	g	つぼを置く台
21	𓏏	t	パン
22	𓍿	ṯ	家畜につけるなわ
23	𓂧	d	手
24	𓆓	ḏ	蛇

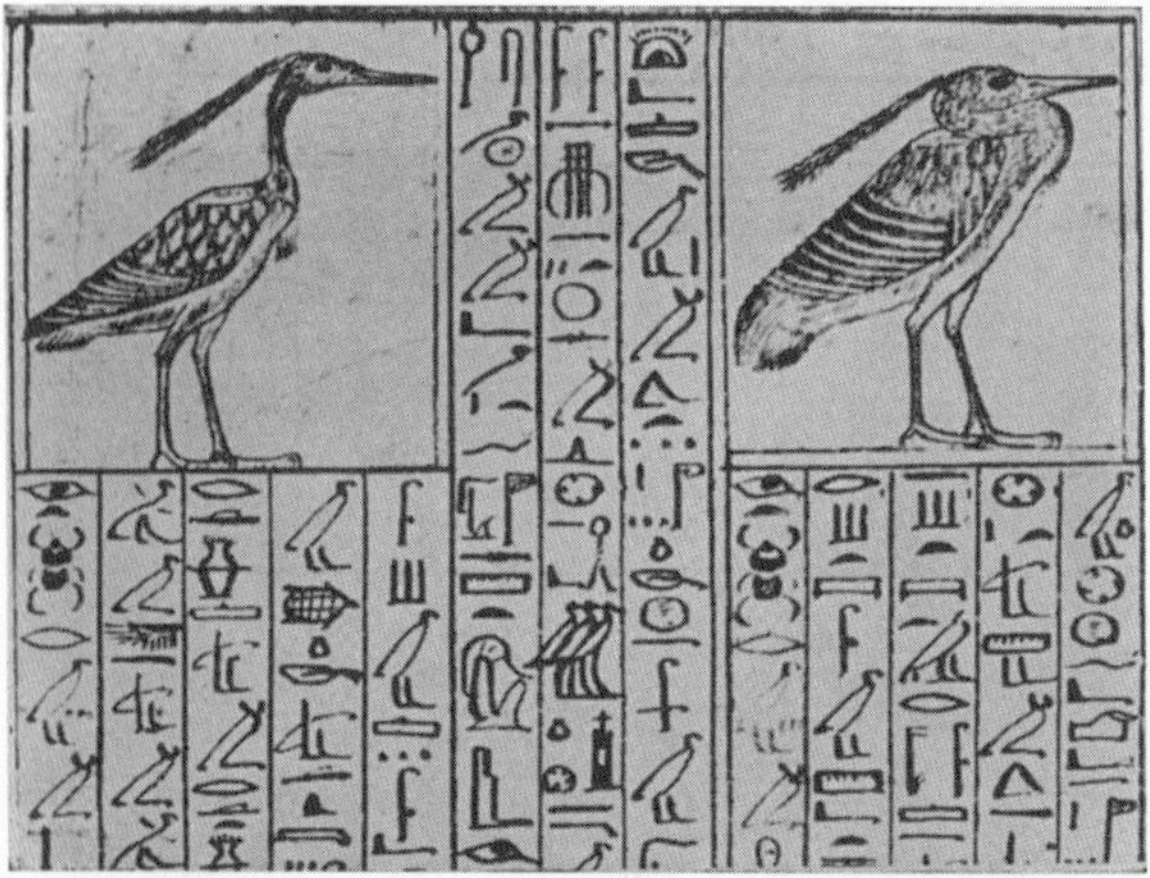

「死者の書」のパピルス（第18王朝、紀元前1450年頃）

シャンポリオンは次にギリシア時代以前の刻文において、聖刻文字は表音的であったか、表意的であったか、という問題を提起する。この問題の決定のために、シャンポリオンにとって、いわゆる「死者の書」は非常に役立った。それはこの書が同じような内容を違った書き方でくりかえしているからである。彼は最初絵と本文全体の類似から同じような内容を持つと推定された二つの聖刻文字のパピルスを比較対照し、二つの相違点を除いてはこの二つのパピルスが全く同一であることを発見した。その相違点の第一はこの文書の捧げられている死者の名前とその先祖の名前の相違、第二には本質的に相似している聖刻文字群の多くの場合に二つのパピルスの一つにはもう一つのパピルスでそれと対応する記号と形の異なる別個の記号がかなりひんぱんに見うけられることである。そこでシャンポリオンは同様の内容をもつ多くのテキストを用いて、類似の聖刻文字群を比較対比してみた。この対比の結果、相互に交替する聖刻文字の一覧表が出来上がり、しかもそれが以前彼がギリシア・ローマの人名を分析した際発見した表音アルファベットからなる聖刻文字と同一のものであり、またそれらの交替がことごとくアルファベット記号の交替、聖刻文字アルファベットの同音異字の交替をくりかえしている、ということが分かった。純粋に表意文字的であると従来考えられていた聖刻文字テキストにおいても記号の交替が認められることは、これらのテキストにもエジプト日常語の音声を表わす多数の表音記号が含まれていることを意味する。

表音的アルファベットによって読まれた語の意味の検討の際にはコプト語が大きな役割を演じたが、さらに「表音記号群は、聖刻文字のテキストにおいて、この表音記号群によってその名称が表わされるところの物象そのものの描写によって決定される場合が極めて多い」。例えば「馬」「わに」「翼」「足」「秤《はかり》」「いちじく」等を表わす表音アルファベット記号の後に、それぞれ、馬、わに、翼、足、秤、樹などを描いた聖刻文字が発見されるのである。

このようにしてシャンポリオンは多数の語の解読に成功したのである。

シャンポリオンの解読で一層重要なのは、性、数、人称、時制を表わす文法的機能を果たす個々の聖刻文字ないし、聖刻文字群の解読である。例えば彼はアルファベット的聖刻文字𓏏（t）が女性のしるしであることを確立した。それでsiは「息子」を表わすがsi.tとなると「息女」となり、ŝnは「兄弟」を表わすが、ŝn.tとなると「姉妹」となる。しかしコプト語で音声tは女性語尾を表示せず、女性定冠詞を表わすので、シャンポリオンは𓏏をも女性定冠詞と見なした。それで𓏏は語末にくるけれども語頭に置いて読まなければならぬ、と考え、si.tはt.siとなり、ŝn.tはt.ŝnと読まれた。このシャンポリオンの読み方は間違いであったが、聖刻文字の多くのテキストを解読する際には妨げとはならなかった。かくしてシャンポリオンは幾世紀もの間、特殊な神秘に閉されていた古代エジプトの神々の名前に移っていった。

神々の名を表わす聖刻文字群を確定することは困難でなかった。この場合には紋切型の同じ様式の言い方が非常にしばしば附加されており、また神名の記号群は男神ないし女神をあらわす限定文字で終わるのが普通だからである。シャンポリオンはおよそ手にしうる資料を駆使して、それらの神名の聖刻文字群の相当数を集め、多くの神名を表音的アルファベットによって解読した。こうして古代エジプト人は自分達の神をすら表音的に表記したことが分かったのである。勿論時には神名は表音記号によらず、さきに見た太陽神「ラ」のように太陽の円板で、象形的に描かれる場合がある。また神名を、その当該の神を象徴する動物で表わす場合もあることを、シャンポリオンは指摘する。例えばアヌービスの神を犬の聖刻文字で表わす如くである。神名の解読で得られた結果をシャンポリオンは古典作家の著作に見えるエジプトの神々の名称と照合した。

次にシャンポリオンは土着のエジプト人名の解読に移った。ここでも古典作家の著作に発見される資料と比較し、またコプト語によってその名の語源を確かめることにより、解読の成果を確認していった。その結果ギリシア・ローマの人名だけでなく、本来のエジプト人の名前も表音的に表記されることが判明した。

ここまでくるとこの表音的アルファベットが固有名詞のみでなく、普通名詞にも用いられることは明らかで、事実シャンポリオンは名詞、形容詞、動詞のみならず、前置詞や接続詞等にいたるまで表音的に書き表わされることを確認した。

最後に述べなければならないのはヤングと思われる匿名論文の著者に答えて、シャンポリオンが表音的聖刻文字がギリシア・ローマ以前の、古代エジプトのファラオの名の表記にも用いられたことを証明したことである。彼は第二十九王朝のネフェリテースとアコリスの二人のファラオの名から、ラメセス、トゥトメス、アメンホテプにいたる約十五のファラオの名を聖刻文字表音アルファベットにより解読しえた。その際これらのファラオの名とその治世の順序は大体においてマネトーンの歴史書にある古代エジプトの王の名簿と一致することが分かった。

以上の研究の結論は、(1)エジプト表音文字の使用は遠く古代にまで遡る。(2)今までもっぱら概念を表わし、母音や子音を表わさない記号から構成されている、と考えられていた聖刻文字体系はそれと反対に、大部分がエジプト日常語の語音を表わす記号、すなわち表音文字から構成されている、ということであった。

「提要」の後半においてシャンポリオンは聖刻文字体系の発達段階を検討した。

先ずその形態により、三種の聖刻文字を彼は区別した。(1)純粋の聖刻文字 les hiéroglyphes purs。時には絵具を用い、物象を詳細かつ完全に描いたもので、壮大な建物などに使用される。(2)輪郭を描いた聖刻文字 les hiéroglyphes profilés。物象の外郭だけを描いたもの。余り大きくない浮彫、壁、小像、神聖甲虫の彫り物 scarabées などに使用される。(3)線を描く聖刻文字 les hiéroglyphes linéaires。物象を最少限度の面影しか残らない程に略図化したもの。これら三つのカテゴリーはそれぞれ概念の描出という働きを果たしている。

次に発達段階から見て一番古い聖刻文字は「象形的文字」les caractères figuratifs で、物象そのものの形態を描くもの、その描出の正確さと写実性の度合いで三つに分けられる。第一は本来的のもので、礼拝堂を描いて神殿を表わす。第二は「家」を表わすのにその略図によるもの。第三は一番写実性から遠く、神殿の天井を描いて天を表わす如きである。この天が神殿の天井を描いたと見るのは勿論シャンポリオンの解釈である。

次の段階は「象徴的文字」les caractères symboliques で、これが四つに分かれる。第一は提喩 synecdoque によるもので、全体のかわりに部分で表記するもの。例えば盾と矛で武装した二本の手を描き「戦士」を表わす。第二は換喩《かんゆ》 métonymie によるもので、ある現象をその現象そのもので描かず、その原因になるものによって描くもの。例えば太陽の円板が日（夜に対する）を表わし、二つの眼で「見る」という動詞を表わす。第三は隠喩 métaphore によるもので、当該の概念と連想的に結びつく物象を描くもの。例えば「貪欲」という概念をわにを描いて表わす。第四は謎によるもので、この手段の説明にはシャンポリオンは殆んど全部前にのべたホラポロンから借用した例で説明している。例えば駝鳥の羽で公平という概念を表わすのは、駝鳥の羽は全部大きさが同じだからだ、という具合である。

このような象形的及び象徴的文字からなる表意文字もエジプト語のあらゆる概念を表わす手段としては不完全であり、それを補うカテゴリーとして表音文字が生じたのだ、とシャンポリオンは見る。結局表音文字がエジプト文字体系において一番有力な、また有効な手段であった、と彼は結論する。またエジプト文字は母音を無視するという特殊事情のため、方言差が、特に母音に関しての方言差がなくなったが、表音文字使用の時代にはコプト語におけると同じく、方言が存在した、というのがシャンポリオンの見解であった。

「提要」はすぐ学界で受け入れられたとは言えなかった。勿論これを認めたウィルヘルム・フォン・フンボルトの如き人がいた。イギリスでもヘンリー・ソールトはシャンポリオンの味方であった。ヤングは聖刻文字の主要部分は表音記号だ、という見解を拒否した。

シャンポリオンの所には次第に今まで考え得なかった程の多くの材料がとどいた。一八二四―二六年にはイタリアで仕事をし、一八二八―三〇年にはついに生涯の憧れの地エジプトの土をふんだ。――その成果は「エジプト及びヌビアの遺跡」Monuments de l'Égypte et de la Nubie の標題で彼の死後四巻の大著として現われた。――長年の蓄積は今や驚くべき実を結び、シャンポリオンは年毎にエジプト語に通達していった。未刊で残された文法や辞書のための労作やノートを読むと、彼が如何にエジプト語とその文字に通達していたかが分かる、とエルマンはのべている。

一八三一年彼のためにエジプト学の講座がコレジュ・ドゥ・フランスにもうけられ、その教授に就任後間もなく、シャンポリオンは死病にかかった。一八三二年一月病は篤く、彼は病床で「ああ、わたしの神様、あと二年でよいのです、どうしてそれが許されないのです、あまりに早すぎる、まだすることがこんなに多いのに」と言ったといわれる。すべての内臓をやられ、殊に心臓の肥大がひどかった。三月四日早暁《そうぎょう》シャンポリオンはついに世を去った。その死の直前、病床に多くのエジプトの記念品を書斎からもってこさせた。「半分見えなくなっていたその眼は驚くべきかがやきを放った。彼は再び、その生涯を通じて彼に幸福を与えた理念の世界に入った。そしてその真中に立ちつくしつつ、早暁二時頃その最後の息をひきとった」とハルトレーベンは「シャンポリオン――その生涯と業績――」の終わりに記している。学問という一つの「理念の世界」にその生涯を生き抜いた一人の天才の一生はこのようにして終わった。

シャンポリオンの死とともにエジプト学は埋没されるかに見えた。コレジュ・ドゥ・フランスの教職について直ぐ彼は世を去ったので、一人の弟子をも残さなかったからである。「その墓から立ち上って名声を博した古代エジプトは、シャンポリオンとともに再び埋もれた」とシャンポリオンの師、シルヴェストル・ドゥ・サシは歎いた。

エジプト学の急を救ったのはベルリンにあったプロイセン学士院であった。この学士院のゲルハルト、ベック、ブンゼンは若き言語学者、リヒャルト・レプシゥス Richard Lepsius（一八一〇—一八八四年）にエジプト学にたずさわることを慫慂《しょうよう》した。当時レプシゥスはサンスクリット以外の東洋語を知らなかった。しかしレプシゥスが何らの偏見なく、いわば外から新たにエジプト学に近づいたことはかえって好都合であった。彼は注意深く、堅実な方法によってその仕事をすすめた。一八三七年「ロセリーニ氏への手紙」Lettre à M. le professeur H. Rosellini が書かれ、レプシゥスはシャンポリオンの体系を検討し、これを訂正した。百三十二の文字からなるアルファベットを除き、少数のアルファベットと一定の音価を持つ文字記号に置きかえた。それによって今までシャンポリオンの業績に疑いをもっていた人達もその解読の仕事を認めるようになった。その後のエジプト学は各部門で巨大な進歩をとげたが、直接言語の研究では、とくにアドルフ・エルマン Adolf Erman（一八五四

—一九三七年）の業績をあげなければならない。彼はエジプト語の構造とその歴史的発達の跡を辿り、その成果をその「文法」に集大成した（A. Erman, Ägyptische Grammatik, 1928^{4}；Neuägyptische Grammatik, 1933^{2}）。またその呼びかけにより一八九七年以来「エジプト語辞典」の編集が多くの学者の協力のもとに始められ、一九三五年、五巻の大きな辞書として完結した（A. Erman und H. Grapow, Wörterbuch der ägyptischen Sprache, 1926 ff.）。

第三章　楔形文字の解読

チグリス、ユーフラテスの二つの河に灌漑《かんがい》されるメソポタミアの土地は、「歴史の父」といわれるギリシアのヘーロドトスも強調しているように、古くから農作に適する肥沃《ひよく》な土地であった。とりわけメソポタミアの南部は、気候も比較的温和で、その他の条件もそろっていたので、早くから人々が定住して、文明の曙光がここに照り始めたのは当然である。

けれどもこのメソポタミア文明は、古代ではヘーロドトスや旧約聖書の記述、そのほかには古典作家のわずかな言及を通して、長い間ただ間接に知られるだけであった。今日われわれがこのあたりの言語や歴史の事情について、かなりの程度に詳しく知ることが出来るようになったのは、おもに過去二、三百年程の間につみかさねられた多くの探検や考古学上の発見の賜物である。

ここでは問題をメソポタミアの人々が用いていた、いわゆる楔形文字《くさびがた》の発見とその解読の歴史に限って、その経過を辿ってみよう。

十七世紀のはじめに、くわしく言えば一六二一年のこと、イタリアの旅行家、ピエトロ・デルラ・ヴァルレ Pietro della Valle が東方に旅して、ペルシアの町、シラスからナポリの友人にあてて、はじめて五つ程の楔形文字の写しを書き送った。これがこの文字がヨーロッパにつたえられた最初である、といわれている。デルラ・ヴァルレはそのほかに、有名なペルセポリスの楔形文字の刻文の写し、その他のものを、ヨーロッパに持ちかえった。彼は最後に一六五〇年の著書の中で、これらの刻文は左から右に読むべきである、といい、その理由をいくつかあげた。

けれどもこれらの文字は、ヨーロッパの人々には余りに奇異に感ぜられたので、十八世紀になるまで、ある学者たちはこれが文字であることを疑い、ただの飾りであろう、と考えた。だがその後、同種の文字がいよいよ多く発見されたので、これが文字であることは次第に疑えなくなった。これらの文字に、はじめて楔形文字という名称を用いたのは、日本研究でも有名なエンゲルベルト・ケンペル Engelbert Kämpfer である、といわれている。

しかもこれらの文字の使用は狭い意味のメソポタミアの土地に限られてはいなかった。今述べたデルラ・ヴァルレのペルセポリスの発見は、この文字がこの古代ペルシア帝国の政治の中心地で用いられていたことを語っている。そしてこのペルセポリスの刻文の文字こそ、楔形文字の解読の最初の糸口となったのである。

十八世紀の始めには、ペルセポリスの刻文の完全な写しが、フランスの旅行家、ジャン・シャルダン Jean Chardin によって、アムステルダムで公刊された。この刻文の楔形文字の研究史上、決定的な一歩をふみ出したのは、第二章で接したカルステン・ニーブールで、彼

ペルセポリスの遺跡の一部

は一七六五年ペルセポリスで写してきた刻文をも一七八八年に公刊した。彼はこれらの文字の中に、楔形の結合の仕方によって、三つの種類を分けた。けれどもこれらの三種類が三つの違った言葉を表記したものであったことは、ニーブールのまだ気付かなかった点で、彼はこれらの三つは、同じ言語を違った三種類の仕方で書いたのだ、と考えていた。そのほかニーブールは文字の一番簡単な第一類の中に、四十二の違う記号を発見して、これがアルファベット式の表記の仕方である、と結論したが、これは十八世紀後半のことである。

ニーブールの業績をもとにして、本当の意味の解読にまで進んだのは、次の二人の学者であった。その一人であるロストック大学のオーラフ・ゲルハルト・テュクセン Olav Gerhard Tychsen はニーブールの区別した三種類の文字が一つの言語ではなく、三つの違った言語を表記したものであることに思いいたった。しかしまだ文字としてはこの三種が同じアルファベットであると考えていた。彼は試みに、第一類の翻訳をしてみたが、それは後から考えると、間違いだらけのもので、ある文字が母音のaを表記したものと想定したことのほかは、全部誤りであった。テュクセンはペルセポリスの建造物や刻文が、紀元前三世紀の、いわゆるパルティア時代のものである、という間違った前提から出発していた。けれども彼が第一類で斜めに上から下へと書かれた一つの楔《くさび》が、語と語を分ける記号であることを認めたのは、秀れた着眼であった。これによって、一語の始めと終わりがどこにくるかを知ることが出来るので、このような着眼が解読を容易にすることはいうまでもない。実際には彼はこの分離記号の原則に多くの例外を認め、二つの分離記号の間に多くの語を認めたりした。

テュクセンとならんで、問題を一層先に進めたのはコペンハーゲン大学のフリードリヒ・ミュンター Friedrich Münter である。彼はテュクセンとは独立に、斜めの楔が語と語を分ける記号であることに気が付いた。また彼は第一類は英語のABCのようなアルファベット文字、第二類は日本語の仮名のような音節文字、第三類は漢字のような一語を表わす表意文字である、と推定し、この三つが恐らく同一の内容のものである、と考えた。古代世界にはいくつかの言葉で同一の内容を刻文に残すことが多かったからである。このことと関連して、ミュンターはペルセポリスの刻文の三種のものに共通に、七つの文字からなる一群がくり返し出てきており、ある所では二つつづいて出ていることに気付いて、それが「王」「王の王」という語を表わすのではないかと考えついた。この考えをミュンター自身は最後には放棄してしまったが、実はこれが正しい想定であったことは後で述べる通りである。ミュンターはペルセポリスの遺跡が、紀元前六—前五世紀のいわゆるアケメネス王朝の王達のものであるという正しい見解から出発したが、これが彼をテュクセンより一段と進んだ認識にいたらせた理由である。彼はペルセポリスの遺跡を、ナクシ・イ・ルスタムの遺物と比較した。このナクシ・イ・ルスタムの遺跡は、これも第二章で出てきた有名なフランスの東洋学者、シルヴェストル・ドゥ・サシによって、いわゆるアケメネス王朝とササン王朝の王達のものであることが分かっていた。この比較によって、ペルセポリスの遺跡が純粋にペルシアのものであることがはっきりしたわけである。

テュクセンやミュンターが暗中摸索をしていた時に、解読史上の新しい光は今や別の方面からかかげられた。テュクセンやミュンターの仕事の前に、すでにペルシア語の知識がフランス人、アンクティル・デュペロン Anquetil-Duperron によって、ヨーロッパに輸入されていたのであった。彼は東方の研究旅行にのぼり、ゾロアスター教の聖典アヴェスタの写本を集め、ペルシア人の神官から文字の読み方を教えられて、アヴェスタの講読にまで進んでいた。彼の集めた資料の公刊によって、学者達はペルシアの王達の時代に用いられていた言語の研究資料を手にすることが出来た。けれどもアヴェスタの写本に用いられた文字は、ペルセポリスの刻文の文字とは全く違っていて、恐らくインド起源の一種のアルファベットを古代イラン語の表記に適合させたものであった。そこで学者達の仕事は、ペルセポリスの楔形文字の中に、アヴェスタのアルファベットの記号にあい応ずる子音や母音を発見することに向けられるようになった。この仕事は簡単なようで、決してそうではなかった。十八世紀の終わりにはアヴェスタの言語の知識はまだまだ貧弱なものであったためでもあるが、最初から研究者達を悩ましたのは、ペルセポリスの第一類の四十二の文字は、純粋のアルファベットを表わすものとしては、数が多すぎるし、音節を表わすものとしては、少なすぎる、という点であった。

さてペルセポリスの刻文の総てに、同じ言葉がくり返し出てくることは、前にのべたようにミュンターが一度気付いたことであった。彼が「王」という字がくり返し出てくる、というその想定を捨てないで、最後まで押し進めたならば、彼はこの第一類の楔形文字の解読者としての名誉を獲得していたであろうと思われる。何故なら彼が大きな助けを得たドゥ・サシの、ナクシ・イ・ルスタムの王の墓の研究は、その遺跡のパーレヴィ文字の解読にまで進んでいたからである。そしてドゥ・サシはパーレヴィ文字と並んでいたギリシア語の刻文の助けをかりて、パーレヴィ文字を読むことが出来たが、その結果これらの遺跡は、一定のきまり文句でササン王朝の王の名前とその称号を刻んでいたことが分かった。それは、

何某、大王、王の王、イランとアニーランの王、大王、王の王、イランとアニーランの

王、何某の子

という風のものである。ドゥ・サシはアンクティル・デュペロンの研究で知られていた古代ペルシア語の知識を用いて、ここにパーレヴィの文字とともに、この刻文の内容をも読みとることが出来た。ミュンターはドゥ・サシの研究によって、ペルセポリスの刻文が初期ペルシアの諸王のものであるという正しい結論に達しながら、それ以上に進むことが出来なかった。彼が「王」という言葉を手がかりに、ドゥ・サシがパーレヴィ文字に対してしたように、初期ペルシアの諸王の名前を、楔形文字にあてはめていったならば、容易に解読に進み得たはずである。そして初期ペルシアの諸王の名前は旧約聖書やヘーロドトスから知ることが出来たはずである。

この最後の決定的な一歩をふみ出して、楔形文字の最初の解読者となったのは、ゲッチンゲンの高等学校《ギムナジウム》のギリシア語の教師をしていた、当時わずか二十七歳のゲオルク・フリードリヒ・グローテフェント Georg Friedrich Grotefend（一七七五―一八五三年）であった。彼は東洋語の専門知識を持ち合わせず、エジプト聖刻文字の解読者、シャンポリオンの場合のような長年の努力のつみかさねもなく、解読に成功した。もちろん彼も何らの手がかりなしに、その偉業をなしとげたのではない。彼も第一類にみられる、語と語を分ける記号に注意した。またこの第一類の文字が音節文字ではなくて、アルファベット文字である、という想定から出発した。語と語の分離記号の間に、しばしば十の文字が並んでおり、これらの文字を音節文字とすると、あまりに多音節の語を考えなければならないところからこの想定が生まれたのである。

この楔形文字解読史上一番有名なグローテフエントについては、第二章で述べたフランソワ・シャンポリオン程では到底ないが、多少の伝記的な出来事が伝えられている。

ゲオルク・フリードリヒ・グローテフェント

グローテフェントは一七七五年六月九日、ドイツのハンノーヴァーに近いミュンデンで生まれた。父は靴職人の親方であった。一七九五年ゲッチンゲン大学に入学、古典文献学と神学を学んだ彼は学力優秀な人であったらしく、学生時代にすでに、その師ハイネの推薦で、ゲッチンゲンのギムナジゥムの補助教師になっている。

楔形文字解読については次のような事情が彼自身の筆でつたえられている。グローテフェントは一八〇三年にはフランクフルトのギムナジゥムの教師になって、ゲッチンゲンを去るのであるが、ことはその前年の一八〇二年の夏のことであった。「七月に王立図書館の秘書であった友人のフィオリッロ――この人は大学教授の息子で、自分も後に大学講師となったが、一八一六年に世を去ったヨハン・ヴィルヘルム・ラファエル・フィオリッロである――

が散歩のときに、そのアルファベットも言語も全く未知の文書の内容を知ることは出来ないものだろうか、とわたしに言いだしたので、わたしはそれは確かに可能だ、わたしは前から未知の文字で書かれた知られていない言語の文を解くことをやったことがあるから、と主張しました。するとフィオリッロが答えて、そのことの証明に、楔形文字のどれかを解いてみたらどうだ、と言うので、わたしはそれをやってみよう、彼がわたしを助けて、楔形文字の刻文について知られていることをみなわたしに知らせてくれれば、と約束しました。それからわたしは、すでにテュクセンが読もうと試みたあの文字を、一番楽なものだ、と考えて、友の助けによって取り上げたのです。幸運にも二、三週間後には、わたしは、解読に用いられるあらゆるやり方を適用して、この刻文の大部分を解くことが出来たのです」。

一八〇二年九月四日に、グローテフェントはゲッチンゲン学士院に、最初の論文を提出し、ペルセポリスの第一類の刻文解読の鍵を発見した、と報告した。このラテン語で書かれた論文は三部から成っていた。グローテフェントは先ず、ペルセポリスの刻文の三つの種類の一般的考察から始め、この三つの種類が三つの違った言語を表記したものと考える根拠を示し、次に第一類が一番主要な位置をしめ、アケメネス王朝時代の古代ペルシア語を表記したものとする理由を示した。グローテフェントは、三類ともその文字が左から右へ読むべきであること、縦にでなく横に読むべきであることなどの、彼の先駆者達の得ていた成果を確認した。彼は三類とも、その楔形文字はアルファベット文字で、表意文字でも、音節文字でもない、と想定したが、この想定は第二類、第三類については間違いであったことは後に見る通りである。しかしこの誤りは彼が主に扱ったものが第一類であったので、彼の論文全体に影響しなかったことは、もっけの幸いというべきであった。

その論文の第二部でいよいよ、第一類の楔形文字を扱い、これらの文字を構成する四十二をとり出し、その中の八つはことにしばしば出てくるので、それが母音である、と結論した。とりわけこれらの八つの中の三つ程はすべての語に出てきているのである。次にグローテフェントはナクシ・イ・ルスタムのパーレヴィの刻文の研究成果を用いた。この刻文はササン王朝の王達の残したもので、これらの王達は古代ペルシアの王の領土を受けつぎ、後者のやり方を踏襲して、その刻文を記したものとグローテフェントは考えた。そしてドゥ・サシのやり方をペルセポリスの刻文にあてはめていったのである。この刻文の始めには、この記念碑を残した王の名前があり、少し離れてこの王の父の名前があるに違いない、と考えたのである。

その論文の第三部で、グローテフェントはいよいよ本来の解読に進むことになる。彼はニーブールがその写しを公刊した二つの短い刻文を取り上げた。一つはニーブールがBと名付けたもので、六行からなり、他は彼がGと名付けたもので、四行から成っていた。パーレヴィ刻文からの類推で、グローテフェントは最初に、固有名詞につづくべき「王」という語を探し出した。その語は、後からも度々出てくるものでなければならない。ミュンターの示し

（文字の発音）(1) D(a)-a-r(a)-y(a)-v(a)-u-š(a)　(2) x(a)-š(a)-a-y(a)-ϑ(a)-i-y(a)　(3) v(a)-z(a)-r(a)-k(a)　(4) x(a)-š(a)-a-y(a)-ϑ(a)-i-y(a)　(5) x(a)-š(a)-a-y(a)-ϑ(a)-i-y(a)-a-n(a)-a-m(a)　(6) x(a)-š(a)-a-y(a)-ϑ(a)-i-y(a)　(7) d(a)-h(a)-y(a)-u-n(a)-a-m(a)　(8) Vi-i-š(a)-t(a)-a-s(a)-p(a)-h(a)-y(a)-a　(9) p(a)-u-ç(a)　(10) H(a)-x(a)-a-m(a)-n(a)-i-š(a)-i-y(a)　(11) h(a)-y(a)　(12) i-m(a)-m(a)　(13) t(a)-č(a)-r(a)-m(a)　(14) a-ku-u-n(a)-u-š(a)

（全体の発音）*Dārayavauš xšāyaϑiya vazrka xšāyaϑiya xšāyaϑiyānām xšāyaϑiya dahyunām Vištāspahya puça Haxāmanišiya hya imam tačaram akunauš*
x＝ドイツ語のch、*š*＝ドイツ語のsch、英語のsh、*ϑ*＝英語のth、*č*＝ドイツ語のtsch、*ç*＝フランス語のç

（意味）ダーレイオス、大王、王の王、諸国の王、ヒュスタスペースの子、アケメネスの人、彼がこの宮殿を建てた。

解読のきっかけになった刻文B（ダーレイオスの刻文）

た斜めの楔で語を分けて見てゆくと、グローテフェントは次の七字が、丁度それにあたることを発見した。それは、

という七字であって、アンクティル・デュペロンがアヴェスタのテキストのために造った辞書によると、「王」という語はḫšĕiô（ḫ=χ）であった。

さてこの「王」を表わすらしい七字はBとGで、これらの刻文の最初の一語の次にあるいはさらにその後でも出てきている。パーレヴィ刻文の類推からこの最初の「王」の直前の一つの語はBの場合もGの場合も固有名詞でなければならない。その一語はBでは、

であり、Gでは、

であって、ともに七字からなっていた。

BG二つの刻文の始めに出てくる固有名詞とおもわれるものは、この二つに限られていたから、グローテフェントはこれらの刻文が二人の支配者のものであるか、あるいはこの二つの名前を持った支配者達――二人に限らない――のものである、と考えた。

さらにグローテフェントが気付いたのは、Bの最初に出てくる名前がGの三行目の二番目に出てくることであった。くわしく言えば、Bの最初の語には、Gの三行目の二番目の語の

（文字の発音）(1) X(a)-š(a)-y(a)-a-r(a)-š(ȧ)-a　(2) x(a)-š(a)-a-y(a)-ϑ(a)-i-y(a)　(3) v(a)-z(a)-r(a)-k(a)　(4) x(a)-š(a)-a-y(a)-ϑ(a)-i-y(a)　(5) x(a)-š(a)-a-y(a)-ϑ(a)-i-y(a)-a-n(a)-a-m(a)　(6) D(a)-a-r(a)-y(a)-v(a)-h(a)-u-š(a)　(7) x(a)-š(a)-a-y(a)-ϑ(a)-i-y(a)-h(a)-y(a)-a　(8) p(a)-u-ç(a)　(9) H(a)-x(a)-a-m(a)-n(a)-i-š(a)-i-y(a)

（全体の発音）*Xšayāršā xšāyaϑiya vazrka xšāyaϑiya xšāyaϑiyānām Dārayavahauš xšāyaϑiyahya puça Haxāmanišiya*

（意味）クセルクセース、大王、王の王、ダーレイオスの、王の、子、アケメネスの人

刻文G（クセルクセースの刻文）

六番目の字が欠けていたが、グローテフェントはBの場合は主格で、Gの場合は「誰々の」を表わすその属格であろう、と結論した。パーレヴィ刻文の類推から、このBの七字、Gの八字で表記されているのは、Gの最初に出てくる固有名詞に含まれる王の父の名前であることは明らかであった。つまりBの固有名詞をXとし、Gの固有名詞をYとすると、YはXの子ということになり、それと「王」の語をつづけていえば、Gでは、

Y王……X王の子

という風になる、とグローテフェントは推論した。パーレヴィ刻文の類推で、グローテフェントは四行目の分割記号の後に「子」という一語を推読して、この語がBにも、その五行目の最初の分割記号

のすぐ後に出てくることに気がついた。そこで彼はこの「子」の前にXの父である王の名前が見出されなければならない、と結論したのである。ところがGではYの父であるXの名前につづくのは「王」という語であり、それに「子」がつづいているのに、Bでは「王」を表わす文字を四行目に発見することが出来なかった。それ故Bの「子」の前の十字は──四行目に始まり、五行目に及んでいたもの。分割記号が用いられていたので、これらの刻文では、行のきれ目は無視されて、そのまま一語が次の行に及んでいることが多い──Xの父を表わし、この人物は王ではなかったのだ、とグローテフェントは推論したのである。ここに彼の非常な烔眼《けいがん》がはたらいたものということが出来よう。つまりXこそ王朝の建設者で、彼自身は王統の出ではない、ということになったわけである。

Bでは、

X王……Zの子

Gでは、

Y王……X王の子

となり、ZXYは祖父と父と子の関係になるのである。

さて最初の頃のペルシアの王の表の中で、次の二つの王朝がここで問題になりうるわけである。一つは、キュロスによって建てられ、カンビュセス（在位前五三〇─前五二二年）が継いだもの、もう一つは、ダーレイオス一世が建て、その子クセルクセース一世、孫アルタクセルクセース一世が継いだが、ここで王位僭奪者のクセルクセース二世が登場して、彼はその子ダーレイオス二世、孫アルタクセルクセース二世に受け継がれた。

そこでグローテフェントとしては、ZXYに対して三つの可能性の前に立たされたわけである。一つはキュロスの父、キュロス、カンビュセスの三代、二つ目はダーレイオスの父、ダーレイオス、クセルクセース、三つ目はダーレイオス二世の父、ダーレイオス二世、アルタクセルクセース二世、である。第一の場合はキュロスとカンビュセスが同じ字で始まっているのに、XとYは違う字で始まっているので問題外となった。それでXとYはダーレイオスとクセルクセースか、ダーレイオス二世とアルタクセルクセース二世、のどちらかとなるわけであるが、後の場合はアルタクセルクセースの名前がダーレイオスに比べて、ずっと長いが、楔形文字ではXとYは同じ七字からなっていた。そこでグローテフェントはいよいよダーレイオスとクセルクセースが問題のXとYである、と結論したのである。

グローテフェントはYの最初の二字は、先に「王」を推定した語の最初の二字と同じであるから、χとšであると考えた。またYの四番目と七番目はしばしば出てくるので、母音のaかeであるとし、六番目はšであるから、

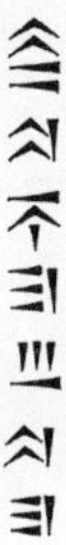

x š E š E

となるわけである。「王」にあたる語は一応、

と推定した。

Xについては七字のうち三字が最初にあてはめられたに過ぎなかった。それは、

である。ところで、この「ダーレイオス」に対しては、ギリシア語の「ダーレイオス」よりも、旧約聖書のダニエル書に出てくる「drjuš ダルヤーヴェシ」の方がペルシア語の元来の発音により近いと考えられたので、

DARHEUŠ

とした。この六番目のUを見つけたことは大成功であった。三番目がRであることは、Yの五番目が同じ字であることから確かめられ、四番目のHは「王」の四番目の字と同じであった。Yは、

XŠHERŠE

となった。これがギリシア語で「クセルクセース」と変えられた元来のペルシア名である、と考えられた。

ダーレイオスの父の名前に移り、三、五、九、十番目は、ダーレイオスとクセルクセース

の名前から分かったが、八番目はしばしば出てくるので、母音aとした。ダーレイオスの父の名はギリシア語ではHystaspēsであるが、他の色々な資料では、Goštasp, Guštasp, Vištaspo等となっている。グローテフェントは最初の字にgを想定した（これは本当はWで、「ゼンド」語の文献のvištaspoが元来の名前に近かった。古代ペルシア語を当時ゼンド語と呼んでいた）。こうして、

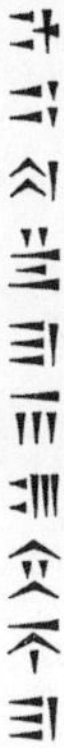
G O Š T A S P A H E

となり、最後の三字aheは語尾である、と考えた。

このようにしてグローテフェントは三つの固有名詞と「王」の語を読んだ。彼の想定した十四字の中、𐎠はa、𐎹はya、𐎰はθ、𐏃はh、であることが後で分かったが、とにかく、全体としてグローテフェントは正しかったわけである。彼はBG二つの刻文の作者はダーレイオスとその子クセルクセースである、と結論した。

BG二つをさらに比較して、グローテフェントが気づいたのは、それぞれの三番目の語が同じだ、ということで、パーレヴィ刻文からの類推で、この語は「王」を形容する「大なる」という意味であろう、と考えた。さらにBの四番目と、Gの五番目の語はあい応じ、ただ後者には、語尾に四つの字が加わっていた。これはこの語の変化形を示すものに違いない。ここでまたパーレヴィから見ると、「大なる王」の次に「王の王」とあり、グローテフ

エントはそれによって、Bでは、

「ダーレイオス、大王、王の王」

Gでは、

「クセルクセース、大王、王の王」

と読んだ。それからGでは、さらにつづいて「ダーレイオス王」があり、次にまたBにも出てくる一語があった。「ダーレイオス王」は語尾からみて属格と考えられ、それにつづくこの語は「子」の意味である、と推定された。こうしてGは最後の一語を除いて、次のように読めるようになった。

「クセルクセース、大王、王の王、ダーレイオス王の子」

Bもまた、

「ダーレイオス、大王、王の王、王……ゴシタスパの子」

と読めたが、「子」の次の語は読めなかった。またそれにつづく最後の四つの語も読めなかった。「子」についてはグローテフェントは、パーレヴィで「子孫」を意味するbunから考えて、

B U N

と読んだ。uは「ダーレイオス」に出てきており、最初の字をbあるいはpとした推定は正

ダーレイオス（Dārayawauš）、クセルクセース（Ḫsayāršā）、ヒュスタスペース（Wištāspa）の文字の読み方

グローテフェントの読み方	D-	ā-	r-	h-	ê-	u-	š
今日の読み方	D^{a}-	a-	r^{a}-	y^{a}-	w^{a}-	u-	$\check{s}^{(a)}$

グローテフェントの読み方	X-	š-	h-	e-	r-	š-	ê
今日の読み方	$Ḫ^{a}$-	$\check{s}^{a}$-	y^{a}-	a-	r^{a}-	$\check{s}^{a}$-	a

グローテフェントの読み方	G-	ō-	š-	t-	a-	s-	p
今日の読み方	W^{i}-	i-	$\check{s}^{a}$-	t^{a}-	a-	s^{a}	p^{a}

しかったが、最後のnは間違いであった。また「王」の複数語尾の二番目と四番目の字を、sとoと読んだが、両方とも誤りだった。こうしてグローテフェントはBでは五語を、Gでは一語を読めずに終わり、解読したと思った字の中でも、いくつかの誤りを免れなかった。しかし全体として彼の解読が成功したのは、ペルシアの王の名前が旧約聖書やヘーロドトスから知られていたことと、古代ペルシア文字がわずか四十字ほどからなり、ヨーロッパ語のアルファベット文字と似ていたからである。

しかしグローテフェントのこのような業績はゲッチンゲン学士院の認めるところとならず、論文の発表請求は「予断と類推にひきまわされた」ものとして、拒絶されてしまった。一八一五年になって、彼の友人ヘーレンはその著「古代世界の主要なる諸民族の政治・交通・商事についての考察」に一八〇二年のグローテフェントの論文を掲載したが、グローテフェントの業績はなお余り認められるには至らなかった。ただグローテフェントは彼に加えられた批判のあるものに教えられ、Gの最後の語、Bの五行目の二番目の語を「アケメネスの人」と読むことが出来たことをつけ加えなければならない。その他の彼の後の努力が余り成功しなかったのは、彼に東洋語学の素養が欠けており、ことに彼が解読者と、文献学者としての解釈者は別物だ、という間違った考えを固執したためであるといわれている。

ハンノーヴァーにある次のような彼の墓碑銘は彼のなしとげた仕事の意味をよく語っている、ということも出来よう。「彼は地上で他の人に分からなかった多くのものを見た。今彼

古代ペルシア語の楔形文字

文字	音	文字	音	文字	音	文字	音
𐎠	a,ā	𐎩	ǧ,ǧa	𐎲	b,ba	𐎻	w (i,wīの前)
𐎡	i,ī	𐎪	ǧ (i,ǧīの前)	𐎳	f,fa	𐎼	r,ra
𐎢	u,ū	𐎫	t,ta	𐎴	n,na	𐎽	r (u,rūの前)
𐎣	k,ka	𐎬	t (u,tūの前)	𐎵	n (u,nūの前)	𐎾	l,la
𐎤	k (u,kūの前)	𐎭	d,da	𐎶	m,ma	𐎿	s,sa
𐎥	g,ga	𐎮	d (i,dīの前)	𐎷	m (i,mīの前)	𐏀	z,za
𐎦	g (u,gūの前)	𐎯	(d,dūの前)	𐎸	m (u,mūの前)	𐏁	š,ša
𐎧	ḫ,ḫa	𐎰	ϑ,ϑa	𐎹	y,ya	𐏂	ϑr,ϑra
𐎨	č,ča	𐎱	p,pa	𐎺	w,wa	𐏃	h,ha

表　意　文　字

𐏋	ḫšāyadiya- 王	𐏏	bumi 国
𐏌 または 𐏍	dahyu- 地方	𐏈	auramazdā (神名)

は天にあって、すべての分からなかったものを明らかに知っている」。

一八二三年になって、フランスのサン・マルタンは、一七六二年にカイルスによって公刊された雪花石膏の壺の銘をとり上げた。この銘は三種の楔形文字とエジプト文字で書かれ、このエジプト文字はすでにシャンポリオンによって「クセルクセース・大王」と解読されていた。サン・マルタンは楔形文字の第一類が、グローテフェントが刻文Gで解読した「クセルクセース・大王」と全く同じ文字の羅列であることを世に示した。こうしてグローテフェントのこの読み方の正しかったことを立証するとともに、それまでなされたエジプト聖刻文字とペルシア語の楔形文字の読み方の両方が間違っていないことを明らかにする結果となったのである。またデンマークの学者、ラスク Rasmus Rask は「ゼンド」語の研究を発表し、これがサンスクリットに近く、またグローテフェントの読んだペルセポリス刻文の言語と近いことを示した。ラスクはグローテフェントの想定した「王」の属格複数形を訂正し、また固有名詞の読みのうち二字（mとn）を訂正した。ラスクの言語学的素養によって、第一類中の文字はグローテフェントの考えたのとは違って一字一音価であることが分かり、この原則は第一類の母音の音価を決定する上での一進歩であった。またフランスのビュルヌーフ Eugène Burnouf は「ゼンド」語の研究をさらに進め、グローテフェントの読んだ「大なる」の語の中の二字を訂正した。こうしてまたkとzが得られた。サン・マルタンはまた Goshtasp よりも Vishtaspa がより古い形であることを示し、グローテフェントのgに対し、これをvと訂正した。さらに一八三六年にドイツの東洋学者、ラッセンChristian Lassenは第一類の包括的な研究を発表し、グローテフェントの固有名詞の解読が全体として正しいことを示すとともに、一つ一つの字についてはいくつかの訂正をしたのである。ラッセンは民族表を記したある刻文――これはビュルヌーフも用いたものであった――によって殆んどすべての古代ペルシア文字を解読するにいたった。このようなビュルヌーフとラッセンの研究によって、ラスクの考えたように各字は一つの音価を持つことは正しいとされたが、逆に一つの音価が必ず一つの字によって表記されるとは限らない、ということになったのである。例えばdの音価に対して三つの、gの音価に対して二つの、kの音価に対して二つの、mの音価に対して三つの、n、r、tの音価に対してそれぞれ二つの文字がある、ということになった。ヒンクスEdward Hincks、ローリンソンHenry C. Rawlinson、オッペールJules Oppertの三人の研究によって、これらの子音はそれにつづく母音によって使いわけられる、という結論になったわけである。

このうちイギリスのローリンソンの研究についてはやや立ち入って述べる必要がある。

ヘンリー・C・ローリンソンは一八一〇年の生まれであるが、若いときに軍籍に入り、二十三歳の時、ペルシアに赴任し、ペルシア兵の訓練にあたっていた。彼はペルシアの国中に散在する楔形文字の刻文に興味を感じ、その中のハマダーンにある二つのものを写し、その研究にとりかかった。彼はグローテフェントからラッセンにいたる諸研究を全然知らずに、解読の仕事にとりかかったのである。それは一八三五年のことで、グローテフェントの解読後三十三年たっている。ローリンソンの取り上げた二つの刻文もダーレイオスとクセルクセースの残したものであったので、ローリンソンの解読もまずこの二つの固有名詞から始まった。興味深いことは、その推理の仕方もグローテフェントとよく似ていることである。同じ一群の字が二つの刻文に三回出てきており、一方の第二の位置に置かれている一群が、他方では第一の位置に置かれている。この第二の位置に置かれた一群を、この刻文によって記念される王の父の名であるということを全体の位置から推定し、二つの刻文に出てくる三つの群を、古代ペルシアのあいついだ三人の人名と推定したのである。ローリンソンがヒュスタスペース、ダーレイオス、クセルクセースの三代を思いついたのは、偶然であった、という。

ローリンソンの業績でさらに有名なのは、ビストゥーンのダーレイオスの刻文の解読である。ペルセポリスから西方、ユーフラテス河に向かう古来の交通の要路にビストゥーンの村落があり、その路の傍らに断崖がそびえ、その断崖の中腹に長い刻文があった。今まで取り扱われた刻文は四行から、たかだか七、八行のものであったが、ビストゥーンのこの刻文は四百行にも及ぶものであった。ローリンソンは始め望遠鏡でこの刻文を写すことからやり始め、最後には生命の危険を冒しつつ百メートルの高さにある刻文を岩によじ登って写しとった。ここでも異なる三種類の楔形文字が用いられていた。

ビストゥーンの刻文
ローリンソンがよじ登って楔形文字を写し、ミシガン大学のジョージ・カメロン教授もここに登った。

ローリンソンが第一類の刻文の最初の二行を訳したのは一八三七年であったが、未発表のうち、前記のビュルヌーフとラッセンの研究を知り、「ゼンド」語の研究にしばらく従事した。「ゼンド」語で足りない所はサンスクリットの知識で補い、ローリンソンはついに古代ペルシア語の解読に誰よりも大きな仕事をなしとげたのである。一八四三―五一年、「王立アジア学会誌」に発表されたローリンソンの研究により、古代ペルシア文字の解読は最も堅固な基礎の上に置かれた、といってよい。

このようにして成功したアケメネス王朝の王達の残した刻文の第

ビストゥーンの刻文
ダーレイオス王の守護神アフラマツダのシンボルである翼ある日輪と征服された敵の像。

一類の解読が、その第三類、アッカド語（バビロニア・アッシリア語）の解読の前提となったのである。この第三類と同じ種類の楔形文字の記録が十八世紀の終わりから次第に数多く発見され、十九世紀に入って、その資料はますます数を増していった。メソポタミアで発見されたこれらの資料を読むことが出来れば、古代メソポタミア文明の姿は全く新しい形で判ってくるに違いない、と思われたのである。けれどもこの第三類文字は、第一類が四十二文字、第二類が後にふれるように百十三文字に過ぎないのに、少なく見ても五百を越す数のものであったから、その解読の困難は第一類の場合と比べものにならなかった。しかしこの第三類を読むことが出来てはじめて、本来の楔形文字の解読が成功した、と言えるのである。

グローテフェントはすでに一八一四年に第三類の楔形文字の研究成果を発表し始めていたが、バビロニアからの他の資料の文字とこれとが根本において同一であることを認識したのは一八一八年のことであった。彼は両者の間のわずかの相違を筆跡の差に帰し、一八一九年には二百八十七の文字を取り出したが、なおこれらの文字は、古代ペルシア語の場合と同じように、アルファベット文字で、次にくる母音によって色々に書かれるのだ、と考えていた。

ペルシアの王達がアッカド語でその業績を伝えようとしたのは当然であった。古代バビロニア、アッシリアの土地は、キュロスが征服し、その後継者達が維持した最も重要な国の一つであったからである。ついでに言えば、第二類文字はエラム語であったことは後にふれる

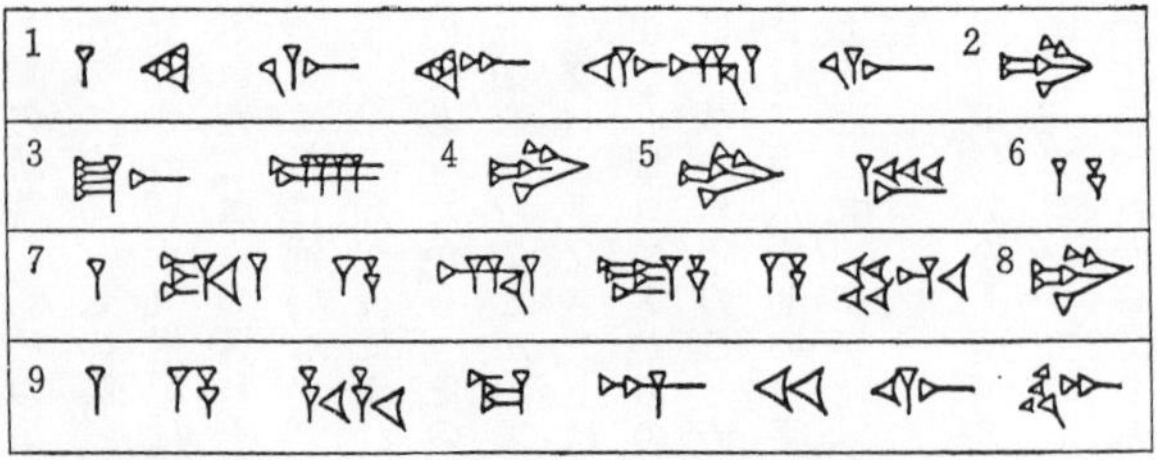

（文字の発音）(1) ^{I}Ḫi-ši-'-ar-ši (2) šarru (3) rabû^{ú} (4) šar (5) šarrāni^{MEš} (6) mār (7) ^{I}Da-a-ri-'ia-a-muš (8) šarri (9) A-ḫa-ma-an-niš-ši-'

（意味）クセルクセース、大王、王の王、子、ダーレイオスの、王の、アケメネスの人

クセルクセースのバビロニア楔形文字の刻文

通りであるが、この言葉がペルシア王達の刻文に用いられたのも当然であった。ペルシアの王達がその主な町々、ペルセポリス、スサ、エクバタナ等を建てたのはエラムの土地であったからである。

アケメネス朝の王達の刻文にみられる第三類が第一類の翻訳であることは明らかであった。第一類の古代ペルシア語がこのペルシア王国の主な言語で、それ故第一に記されていたからである。それで第三類の解読は、第二章に述べたロゼッタ石によるエジプト聖刻文字の解読が、聖刻文字の下に書かれていたギリシア文によったのと同じような事情になった。聖刻文字解読の場合に、プトレマイオス、クレオパトラー、ベレニケー等の固有名詞が最初の手がかりとなった、と同じように、アケメネス朝の王達の刻文の第三類解読の場合も、固有名詞に最初の注意が向けられた。ただ第一類の古代ペルシア語の場合には一語と一語の間に分割記号があったのに、第三類の場合はそれがない、という点が不利な条件であった。

一八四三年モースル駐在のフランスの領事、ポール・エミール・ボッタ Paul Émile Botta はコルサバードのアッシリア王サルゴンの王宮を発掘し始め、考古学上不滅の業績を残すことになったが、楔形文字解読の上でも画期的な一時期をもたらしたのである。コルサバードの出土品を用いてアッシリア文字解読の最初の試みをしたスエーデンのレーヴェンステルン Isidor Löwenstern は、アケメネス朝の王達の刻文の参照を怠ったのみでなく、アッシリア楔形文字がヘブライ文字の変形であるというおかしな結論を発表した。ただ彼が、アッシリア人がセム語を用いていた、と考えたことは正当で、アッシリア語がセム語である、という見解を最初に述べたのはこのレーヴェンステルンである。また彼は「王」「大なる」の文字を正しく解し、複数形をも正しく認識した。更に一つの子音に対して、多くの文字が用いられている事実に気付き、これを同音文字と呼んだのであるが、それらの同音文字が勝手に区別なく使われている、と見たのは後で述べるよう

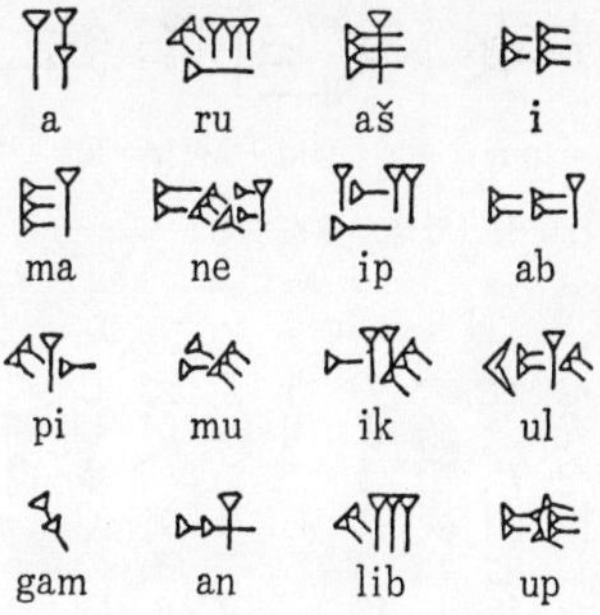

音節文字の色々
母音だけのもの、母音と子音、子音と母音、子音と母音と子音の結合したもの。

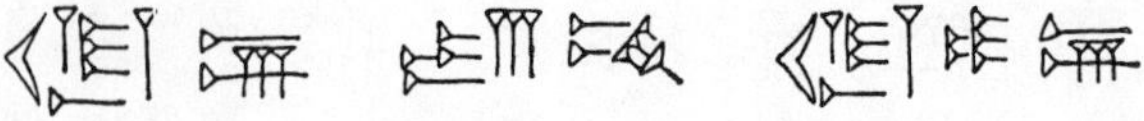

ki + ir = kir　　ta + am = tam　　ki + i + ir = kîr

二字以上で一音節を表わす例（母音が重複する）

に間違いであった。ボッタも自分の発掘した多くの刻文を注意深く検討し、多くの同じ語が色々に表記されている、という結論になった。この考えが、アイルランド人、E・ヒンクスによって受けつがれ、バビロニア・アッシリア文字はアルファベット文字ではなくて、音節文字と表意文字の併用である、ということになったのである。音節文字とは日本の仮名文字のように音節を表記する文字であり、表意文字とは漢字のように、一字で一語を表わし得るものであることは言うまでもない。ヒンクスはこの見解を一八四七年に発表したが、これが第三類文字の性質について、全く新たな光を投じた。音節表記の文字と、一語一語を表わす文字の併用ということで、第三類文字の数の非常に多いことの理由が容易に分かった。またボッタが示したように、同じ語を違う文字で書くことが多い理由も判明した。「神」にあたる ilu という語を表わすのに、表意文字一字で表わせるし、また音節文字の i と lu で表わせるのである。lab という音節は、その音価をもつ一字で表わせるし、また la と ab に分けて二つの音節文字でも表わせるのである。このような画期的な認識がヒンクスによって得られる以前には、第一類と比較して、第三類の中の固有名詞を読むことも正確には出来ない相談であった。第三類から固有名詞をとり出すことは出来ても、それと第一類の固有名詞とは、用いられている文字の数が違うので、どれがどれに応ずるのか、見当がつかなかったからである。ヒンクスの発見によってはじめて、ペルセポリス刻文の第三類の人名も読めるようになった。第一類の「クセルクセース」が、

X. š(a). y. a. r. š. a

と読まれたのに応じ、第三類で、

Xi-ši-’i-ar-ši-i

と読まれ、第一類の「ダーレイオス」が、

D. a. r. h. e. u. š

と読まれたのに応じ、第三類で、

Da-ri-’i-a-muš

と読まれた。この名前は、

Da-ri-’i-a-a-muš

と六字でも書かれている。「アケメネスの人」という第一類の、

H(a). χ. a. m(a). n. i. š. i. y(a)

は第三類では、

A-χa-ma-an-niš-ši-’i

と七字で書かれると同時に、

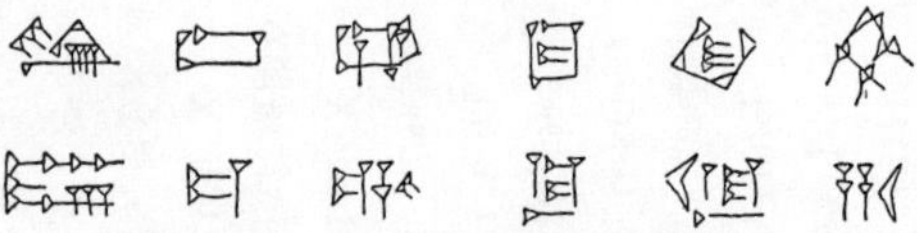

限定文字の例

A-χa-ma-an-ni-iš-ši-'i

と八字でも記されている。それは niš が一字で書かれると同時に、ni- と iš の二字でも書かれるからである。

ヒンクスの研究は次のような重要な点をも明らかにした。それはアケメネス王朝の刻文にも、バビロニア・アッシリアの刻文にも共通することであるが、人名の前には一つの垂直の楔形が書かれ、神々の名前の前には「天」という表意文字が書かれ、国や町の名前の前にも一定の文字が書かれていることである。これはエジプト聖刻文字とも共通することで、「限定文字」と呼ばれるようになったが、次にくる語の種類を示し、これがその後の解読に大いに役立ったことは言うまでもない。

このようにして、アケメネスの王達の第三類の中で、度々出てくる「子」「王」「国」「父」「神」「天」「地」が読めるようになったが、ここでまたローリンソンの登場が画期的な進歩をもたらした。イギリス人が彼を「アッシリア学の父」と呼んだのは当然である。このアッシリア学という名称は、最初の大きな発掘がバビロニアよりもアッシリアの地でなされたためにつけられた偶然の名前である。北のアッシリアは、その文化を主に南のバビロニアに負うているので、「アッシリア学」という名称は今日からみると余り当を得ない。

ローリンソンは一八五一年に「王立アジア学会誌」に、ビストゥーンの第三類の研究を発表した。彼はヒンクスの音節表記の原則を受け入れ、第一類に出てくる数多くの地名、人名との比較と、第三類に出てくる限定文字の助けを借りて、二百以上の文字の音価を決定することが出来た。彼はまた「父」「子」「大なる」その他の表意文字を決定することが出来た。

ヒンクスもまたその研究をつづけ、一八五五年には二百五十二の楔形文字の音価を決定し、その表をつくることが出来た。ヒンクス、ローリンソンの研究によって、ローリンソンが「多音性《ポリフォニー》」と呼んだこの第三類文字の特質が明らかになり、この文字の本質は最後的に決定されたのである。これは例えば𒌓が ud, tam, par, lah, hiš など色々に読まれうるように、一文字が多くの音節を表記しうる、という特質である。

この多音性の原則に当初反対する者もいたが、間もなくこれが広く認められるようになり、一八五五年オッペールもこれを支持し、ヒンクスの指摘したよりも一層多くの文字が多音的であることを示した。結局母音以外には、一字一音価という文字は極めて少ない、ということになったのである。

われわれはまたオッペールによってアッカド語の楔形文字の「多語性《ポリイデオグラフィー》」とも呼ぶべき特質を教えられた。これは「多音性」とあい応ずるものであるが、同じ文字が多くの語を表わす、という特質である。この多語性は、内容上なんらかの関連のある諸語の間に見られるのが通常である。たとえば  が ilu（神）と šamû（天）を表わす、という具合である。フランスのボッタと並んでメソポタミアの発掘事業に不朽の功績を残したイギリス人、レイヤード Austen Henry Layard はニムルードやニネヴェの発掘で有名であるが、ことにニムルードでは、アッシュール・バーン・アプリ王の図書館を発見した。レイヤードはそこで発見された多くの土板を大英博物館に送ったが、その中にきちんと欄をもうけて並べられた楔形文字の長い表があった。これらの表の研究にオッペールは大英博物館に通い、これらが一種の教科書で、書記達に楔形文字の習得を容易にするためのものであることを知った。これらの表には色々な種類のものがあったが、普通三つの欄からなり、中央の欄に一つの楔形文字が記され、その両側の欄にいくつかの楔形文字が記されていた。ヒンクスもこれらの表をしらべて、右側の欄のいくつかの文字は中央の一つの文字の音節の音価を示しているものである、と考えた。たとえば中央に  が三つ書かれ、その右側に、

とある。ヒンクスはペルセポリス刻文の固有名詞の読み方を参照して、これらを、

li-ib

da-an

ka-al

と読んだ。つまり問題の一文字は lib, dan, kal という三通りの音節的音価を持つ、ということが、分かるわけである。これらの表は「字音表《シラバリー》」と呼ばれているが、この字音表の発見によって、アッカド語の楔形文字の音節表記の性質、その多音性の特質は最後的に明らかになったのである。オッペールはこれらの多くの表を研究し、アッカド語の解読のために大いに貢献した。これらの字音表のあるものの場合には、右の欄には中央の文字の表意文字としての読み方が記され、左欄には音節文字としての音価が示されていることがあった。たとえば  は音節としては ki-i と左欄に示され、右欄には、

it-tu

aš-ru

ir-si-tu

と読まれ、これらはそれぞれ「側」「場所」「地」の意であるから 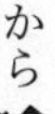 が表意文字として三通りに用いられることが分かるのである。もう一つ例をあげると、 について、

ši-ti  me-nu-tu（数）

ag 〃 it-ku（強い）

la-ag  kir-ba-an-nu（献げ物）

とあり、問題の字は表意文字として三通りに読まれ、音節文字としても三通りに読まれることを示している。このようにメソポタミアの人々自身が文字の読み方を教えるためにつくったこれらの語彙の表が、アッシリア学者の解読のためにどの位役立ったかは容易に想像されうるところである。

勿論一つの字のもつ多音性や多語性は楔形文字解読の大きな困難を意味したが、ヒンクス、ローリンソン、オッペールの研究は、この困難に対しても、メソポタミアの書記達はあるる便法を用いていることを明らかにした。それはたとえば一つの字がlib, dan, kal, rib等いろいろに読まれうる場合に、次にくる字がbiであれば、これをlibと読み、次にくる字がliであれば、これをkalと読むという具合に、ある字の終わりの子音が、次の字の始めの子音によってくり返される、ということである。

解読の問題は文字の解読ということにとどまらず、これらの文字を用いて書かれている言語がどのような言語か、ということに深くかかわってくる。グローテフェントはこの言語をアッシリア語と呼んだ最初の人であるが、これがセム語の一つだという特徴は何にも示していない、と言った。当時の代表的なセム語学者であったW・ゲゼニウスWilhelm Geseniusはこれが、メディア・ペルシア語のグループに属すと断定した。フィロクセヌス・ルツァットウPhiloxenus Luzattoは一八四九年二つの論文を公にして、アッシリア語はサンスクリットに近い、と言い出した。けれども「創世記」十章二十二節で「アッシュール」がセムの子としてあがっているので、アッシリア語をセム語と見た人ももちろんあった。問題は固有名詞やその他の多くの語がある程度正確に読まれるようになって、自然に解けてきたのである。ヒンクスその他の示した方法によって、

a-bu（父）、ra-bu-u（大なる）、šar-ru（王）、a-na-ku（わたくし）、i-kaš-šad（彼は征服する）

等が分かってきた時、これらがセム語に共通の語であることは明らかとなった。セム語は非常に特徴のはっきりした語族であるから、新しく発見された言語がこの語族に属すかどうかは、専門家ならばすぐにきめることが出来る。これは第五章で述べるウガリット語の場合にもそうであったが、アッシリア語の場合にも、解読がある程度進んでからは、自《おのずか》らこれがセム語であることが判明したのである。ヘブライ語、アラビア語、アラム語等に共通な語彙が非常に多いことと、アッシリア語に同じ語彙が沢山発見された、という事情が問題の決定をたやすくしたのであった。アッシリア語がセム語の一つであることが明らかになってから、他のセム諸語の助けを借りて、解読が急速に進んだことは言うまでもない。その際とくにヘブライ語とアラビア語が引き合いに出されたことも当然である。

メソポタミアの楔形文字解読がある程度進んだ時、その学問的基礎を疑う人がいたので、その疑いを一掃するためになされた次の試みは今は解読史上の一挿話となった。一八五七年ローリンソン、ヒンクス、タルボット Fox Talbot、オッペールの四人の楔形文字解読者が

ローリンソン、ヒンクス、タルボット、オッペールが訳を試みたティグラート・ピレセル一世の刻文

たまたまロンドンに居合わせた。時にローリンソンは大英博物館所蔵の一つの長文の刻文を石版刷りにし、その一つのコピーをタルボットに渡した。タルボットはすぐこれを訳して王立アジア学会に送り、ローリンソンの訳が出来上がるまで待って、二人の訳を比較し、両者が主な点で一致すれば、解読に対する疑いは除かれるであろう、と書き送った。ローリンソンの提案でさらにヒンクスとオッペールが加わり、二人は全部を訳し終えなかったのであるが、四者の比較にはこれで充分であった。諸学者立ち会いの公の委員会で、四者の訳文の照

合がなされ、その結果、訳は主要な点で全く一致し、訳の違う所は多くは訳者が疑わしいとした個所であった。この注目すべき企《くわだ》ての詳しい報告は、「王立アジア学会誌」の一八五七年の号に報告されたのである。取り扱われた原文はアッシリア王、ティグラート・ピレセル一世の刻文であった。

このような立派な証明がなされたに拘《かかわ》らず、有力な学者の中にもまだ解読の結果の正しさを疑う人もいた。フランスのルナン Renan やドイツのグートシュミート Gutschmid の如き人達で、彼らは楔形文字の多音性の説明を不充分とし、また固有名詞が一部は表意文字で、一部は音節文字で書かれていることに疑いの眼をむけた。

たしかに一つの文字が違った音節の表記に用いられ、また表意文字としてもいく通りにも読まれうるとすれば、解読の正しさは客観的にはなかなか証明が困難であるともいえる。けれどもこのような楔形文字の特別な性質は、この文字の歴史的起源からくることで、問題をそこまで遡らせなければならない。

楔形文字は元来エジプトの聖刻文字と同じように絵文字から変わったものである。軟らかい粘土にペン先を押しこんで書かれたので、元来の絵文字が早くから楔形に変わってきたのである。「神」や「天」を表わすは少し前にはと書かれた段階があり、これは星を表わしている。は「手」を表わすが、これはスメル人の書き方ではで、手の五本の指を表わしている。スメル人がと書いて「魚」を表わした絵文字が楔形に変えられて

となったわけである。は「家」であるが、まだ幾分家の形を表わしている。オッペールは一八五六年に、すでにこの種の変化を指摘している。また表意文字として用いられている字の読み方を容易にするために、最後の音節をその字につづく音節文字で示すことがあるのを、オッペールその他の人々は指摘した。たとえば「日」ūmu、「光」urru、「太陽」šamšu と三通りに読める場合に、音節文字の mu がつづいていると、「日」と読み、šu, ši あるいは aš がつづいていると「太陽」と読むという具合である。この二番目の場合 šu がつづけば šamšu（主格）、ši がつづけば šamši（属格）、aš がつづけば šamaš（構成態）となるのである。

　このようにして楔形文字の秘密は次第に明らかにされたけれども、ある字の表意文字として持つ音価と、音節文字としての音価との間にはなんの関係もないように思われた。この問題に新たな光を投じたのはヒンクスの研究である。彼は一八五〇年に次のような見解を発表した。それは楔形文字の起源はセム人の間に求めるべきではない、というのである。その理由として楔形文字が、セム語の子音組織の重要な要素である、軟口蓋音、硬口蓋音、歯音の間の区別を充分に表わさず、その他の点でもセム語族に属する言語を表記するのに適していない、というのであった。ヒンクスは楔形文字は元来バビロニア人やアッシリア人の国を征服した印欧語民族のどれかの文字で、それをバビロニア人やアッシリア人が採用したのだ、と考えた。ヒンクスはさらにこの印欧語民族はエジプト人となんらかの関係があり、楔形文字は最後にはエジプト人に遡る、と述べている。楔形文字のエジプト起源説は当初ローリンソンもこれを受け入れたが、彼はその後、バビロニアを征服してその文字をこの国に課したのはスキュティア人である、という見解を発表した。オッペールはこの見解を少し変えて、楔形文字の発明者の言語をカスド・スキュティア語と呼び、ロシアのトゥラ語群のある言語と比較したりした。楔形文字の起源が外来のものと考えれば、この文字の表意文字としての音価と音節文字としての音価が無関係である理由を説明することが出来るわけである。音節文字としての音価は非セム語の語音を表わし、その非セム語の語が、バビロニア人が表意文字として用いた語と同じ語であったと考えればよいわけである。たとえば上に述べた三つの欄を持つ字音表の中央の欄に𒀭があって、

an 𒀭 ilu

と並んでいる時には、anはセム語のilu（神）にあたるカスド・スキュティア語がanだったのだ、と考えればよいわけである。バビロニア人は外来の文字を採用し、非セム語のanを音節表記に用いようと考えたのである。これは特に表意文字で表わし得ない動詞や名詞の斜格形を表記するのに用いられた。つまりこの想定によれば楔形文字の発明者はこれを表意文字として用い、一方これを借用した方では、表意文字としてと同時に、音節文字として用いるようになった、と考えるのである。こう考えれば、ある文字の音節文字としての多音性は容易に説明される。表意文字として色々に用いられることも、多くの場合に観念の連想が

色々であり得たことから、よく説明されるわけである。違った言い方をすれば、バビロニア人は非セム文字を用い、これをセム語的に読んだ、ということになる。

スキュティア語とかカスド・スキュティア語という名称は多くの学者によって、はげしい攻撃の的とされ、ローリンソン自身も一八五五年にはこの名称をすて、アッカド語という名称を採用した。それは「創世記」十章十節に「アッカド」という名称が出てくるのと、バビロニア・アッシリア出土の刻文の中に、しばしばこの名称が用いられているからである。一八六九年になって、オッペールはユーフラテス流域に定着した非セム族に対して、はじめてスメル人という名称を提唱した。それは非常に古い支配者の残した刻文の中に「スメルとアッカドの王」という称号が出てくる、という理由によるものであった。この名称が多くの論争の後、最後に正しいものと認められるようになった。

メソポタミアの最古の住民はスメル（より正確にはシュメールと読む）人であるが、彼らがどこからきたかは分からない。けれどもわれわれの問題にとって重要なことは、彼らが楔形文字の発明者である、ということである。われわれが辿ってきたセム人とスメル人との関係について言えば、すでに紀元前三〇〇〇年期の前半に両者はメソポタミアの南部に一緒にいたのであった。セム人はその原住地と考えられるアラビア半島の方面からこの地に移ってきたものであることは、今日広く認められている。スメル人はその時すでに多くの都市共同体を形成していた。一番古い刻文は主にスメル語のものであるが、それらの中にすでにセム的な名前が出てくるのである。セム語だけの土板も少しはあるし、さらにスメルの王の表の中にセム的な王名が出てくるのである。少し時代が下ると、スメル語としても、アッカド語としても読める文字で書かれている場合もある。とにかく最古の歴史時代からセム人がスメル人と一緒にいたことが分かる。ただ彼らは少数者であった。ある学者はメソポタミアにおけるセム人の登場は紀元前三〇〇〇年期の始めに遡る、とすらいう。最初のセム人による王朝の建設は前二三五〇年頃のサルゴンによるアッカド王朝の建設であるが、サルゴンによる画期的な出来事は外からのセム人の侵入の結果であるようには見えない。住民の間でのセム的要素がスメル的要素に勝って、セム人の王朝の建設にいたったのであろう。サルゴンも、サルゴンに負けた、と言われるウンマの王、スメル人ルガルザッギシも自分達をセム人ないしスメル人の指導者とは称していないのである。いいかえれば、それぞれの町の王に過ぎないのである。それだけでなくルガルザッギシはその神の神殿にセム語の刻文を立てることを敢《あ》えてし、その王統の中にはスメル人の名とセム人の名が交替しているのである。とりわけ注意すべきことは、後の時代になるまで、セム人とスメル人の間に国民的な敵対感情の痕跡が全然ないことである。それ故サルゴンの勃興はセム人がスメル人に対して優位を占めた結果ではなく、町と町の間の争いの問題であって、双方の町にそれぞれセム的要素とスメル的要素が共存していた、と考えられるのである。

このような歴史的事情が楔形文字をめぐるスメル語とセム語の複雑な関係をよく説明して

くれるであろう。楔形文字のスメル起源の問題は十九世紀の後半に新しい多くの困難にぶつかった。新しい資料が日の目をみるとともに、単純なスメル起源説では説明のつかないことが出てきたのである。楔形文字の音節的な音価として、始めから一方にセム語を予想しなければ分からないものが出てきたからである。たとえば  という文字は語彙表においても、テキストにおいても、セム語で「頭」を意味する rešu を表わしているが、音節的音価では sag と riš となっている。スメル起源説によって sag はスメル語の「頭」と関係する、と考えることが出来ても、riš は始めからセム語が表意文字として用いられたことを予想しなければ説明がつかない。あるいは音節的音価 dan はセム語の dannu（強い）から説明されなければならないのである。このような例が次第に数をまし、少なくとも百の音節的音価がセム語と関係することが分かり、スメル起源論者は大いに困惑したのであった。彼らはこう説明した。バビロニア人はスメル人の楔形文字を採用し、これを表意文字として、さらに音節文字として用いたのだ。しかし彼らはそれにとどまらず、彼ら自身の楔形文字をつくり、それをも表意文字として、また音節文字として用いたのである、と。けれどもまもなくこの説明でも間に合わなくなってきたのである。それは表意文字だけで書かれた多くのテキストが出てきて、学者はこれをスメル語のテキストと断定したが、その中にセム語が出てくるだけでなく、一番古いと思われた刻文のあるものはスメル語でなく、セム語のテキストであったからである。

こうなってくると、そもそもスメル語という言語があったのか、スメル人が楔形文字の発明者だ、というのは本当なのか、という深刻な疑問が起こってきた。それが十九世紀の終わりから二十世紀始めにかけての状況であった。当時の代表的なセム語学者、ジョゼフ・アレヴィ Joseph Halévy はついにスメル語の存在を否定するまでになったのである。彼によると、学者がスメル語と呼ぶものは、アッカド語あるいはバビロニア語を古い表意文字で書いたものに過ぎない。ユーフラテス流域の文化は専らセム起源のものであって、スメル人なる者は存在しなかった、というのである。初期の支配者の土板に出てくる「スメルとアッカド」というのは、ユーフラテス流域の南部と北部を指す地名である、とアレヴィは断じたのであった。この説の反対者もアレヴィのついたスメル起源説の弱点を認めないわけにはいかず、アレヴィ説はアッシリア学の健全な発達のために必要な解毒剤として役立ったことは、今日でも認められている。

今日では当時スメル人の残したと考えられていた多くのテキストは後のセム人の手をへて伝えられており、また楔形文字の発達のためにセム人の果たした役割がかなり大きかったことが認められるようになった。それにもかかわらず、歴史時代の初期からスメル人がユーフラテス流域に、セム人とは異なる人種的特徴をもった民族として住んでいたことも広く承認されている。

スメル語が楔形文字の表意価値からだけ推定されていた間は、この文字をスメル語としてもセム語としても読めるので、スメル語の存在を疑うことも出来たが、スメル語も表意文字によらず、音節文字によっても表記されることが分かってくると、スメル語の言語的特徴がはっきりつかまれるようになってきた。これは古いバビロニア出土のテキストの研究が進むとともに、疑えない成果として出てきた結論なのである。

前にのべたサルゴンによるアッカド王朝の設立はスメル人を排除して建てられたのではなかったが、それにしてもこの王朝とともに、メソポタミアのセム化の度合いが著しく促進されたのは当然である。二十世紀以降のゲルブの研究は、この時期にアッカド語が急速に拡がった状況を示している。アッカド王朝（前二三五〇—前二一五〇年）の二百年間に、アッカド語は南から北へ、広くメソポタミア全土に拡がり、南にだけまだスメル語が残っていた。アッカド王朝の没落とそれにつづくグテア人のメソポタミアの占拠後、スメル人の諸都市の再生《ルネッサンス》があり、それが約百年つづいた。ゲルブの研究によれば、スメル語は再びメソポタミア全土で優勢になった。しかしこの時代のスメル語テキストにセム人の名前が多く出てくることと、スメル語の中にセム語からの借用語の多いことが注意される。しかし間もなくセム人の王朝が盛んになり、こうしてメソポタミアのセム化は決定的となり、セム語が日常語となって、スメル語は宗教用語として残るようになるのである。

以上比較的詳しく歴史の経過を辿ったのは、スメル人とセム人、従ってスメル語とセム語の関係が長い間かなり複雑な相互関係にあり、そのことが楔形文字の問題の背後に横たわっているからである。

その後のアッカド語の解読は資料の増加とともに急速に進められていった。新しい表意文字や音節文字の発見がかさねられ、古い解読の誤りが訂正され、ローリンソン、ヒンクス、オッペール等のおいた基礎の上に、いわゆるアッシリア学はすばらしい発達をとげたのである。言語研究に限っていえば、フリードリヒ・デーリッチは十九世紀終わりから二十世紀の始めにかけて、最初の大きな「アッシリア語文法」と最初の「アッシリア語辞典」を出した。二十世紀の前半には、アッカド語を時間的・場所的に細かく分けて系統的に理解することが可能となり、その師ベンノ・ランツベルガー Benno Landsberger の研究に刺戟《しげき》されて、一九五二年オルフラム・フォン・ゾーデン Wolfram von Soden は「アッカド語文法」Grundriss der Akkadischen Grammatik の大冊を公刊し、一九五九年以後「アッカド語辞典」の公刊を始めている。またシカゴ大学東洋研究所は一九五六年以後大部の「アッシリア語辞典」を編纂刊行し、すでに数冊が発行されている。さらに付け加えなければならないのは、解読史上ですでにふれたいわゆる「字音表」が近年にいたって整理された形で次々に発行されたことである。多くの字を一定の順序に並べ、その左に字音を記し、その右に字名をつけている、いわゆる「字音表a」は一九五九年R・T・ハロック Hallock によって、網羅的な形で公刊された。またスメル語の音価とそれに対応するアッカド語の音価を記した、いわゆる「字音表b」はランツベルガーによって定本がつくられた。さらに字名とスメル語の音価とアッカド語の音価を対応させた、いわゆる「字音表c」もその抜萃《ばっすい》集の原本が、一九五一年ランツベルガーによって整理され、刊行された。これらの文典、辞書、字音表の刊行が、まだ未解読の資料を多く残している楔形文字学の進歩のために、貢献するところが多いことは言うまでもない。

楔形文字解読史上アッカド語と深いかかわりをもったスメル語の研究は、新しい文字の解読の問題ではなく、言語研究にその主な領域を持つものであるから、ここでは立ち入る必要がないが、ペルセポリス刻文の第二類の問題には、最後にふれなければならない。

すでにグローテフェントが最初の論文で、この第二類の問題にふれ、この第二類の文字が、第一類の文字よりは複雑であるが、第三類の文字程込み入ってはいないことに言及した。彼はその後もこの第二類の研究をつづけ、一八三七年に刊行した著書では、一つの垂直の楔形文字が固有名詞の前におかれていることを指摘した。またミュンターはこの第二類の文字が音節文字である、と断定したのである。しかし第二類解読のために決定的な一歩を踏み出したのは、デンマークの学者ウェスターゴール N. L. Westergaard で、彼は一八四四年に発表した論文で、第二類の固有名詞を第一類のと比較し、第二類の文字のうち十八を正しく読んだ。彼はキュロス、アケメネスの人、ペルシア人等を表記する文字を正しく読み、この文字が音節文字とアルファベット文字の混合したものであることを正しく認識したが、母音文字の認識を誤り、また音節文字と子音だけを表わす文字の間の判定を間違えた。それ故彼は固有名詞の解読においても、二十二字の音価を決めることが出来なかった。ここでまたヒンクスが登場し、ウェスターゴールの誤謬《ごびゅう》を訂正した。ヒンクスはa、i、uの三つの母音を表記する字を見つけ出し、町の名前の前に置かれる限定文字を発見して、ウェスターゴールによって正しく読まれた文字の他に、さらに九つの文字を加えた。ローリンソンの写しを用いて、一八五五年にノリスEdwin Norrisはビストゥーンの刻文の第二類を公刊した。またノリスは第二類と第三類の文字の密接な関係を認識したが、これは大きな進歩であった。それによって、第二類の多くの文字がバビロニア・アッシリア文字との比較から分かってきたからである。また後に第三類の文字が第二類の文字に変えられる際の原理が分かってから、第二類文字の音節の組み立てが判明した。このようにしてバビロニア・アッシリア文字の解読が第二類の楔形文字解読の大きな助けとなったのである。ウェスターゴールも一八五四年に発表した論文で、前よりもさらに多くの文字を正しく解読した。オッペール、セイスその他の学者達のたゆまない努力によって一層解読が進められ、一八七九年にオッペールが「メディア国民と言語」を公刊した時には、文字の読み方に関する限り、解読は事実上完了した。一八九〇年にヴァイスバハFranz Weissbachが「アケメネス王朝刻文第二類」を公刊し、解読の詳しい過程を記し、またその正確な成果を附加した。

この第二類の言語の問題は解読の問題よりも困難な問題であった。先ずこの言語をどう呼ぶべきかについて、最初これをスキュティア語と呼ぶべしという提案は受け入れられず、オッペールによるメディア語という名称が用いられたが、これも時がたつにつれて一般には放棄され、新スサ語、新エラム語と呼ばれるようになった。これはこの言葉の話されていた地域からとられた名称である。今では新エラム語が広く用いられている。

第三類の文字との類似から、この第二類の文字はバビロニア・アッシリア文字から変わったものであることが分かった。この類似から第二類の百十三の文字を決定することが出来たのである。また人や神や町や国の名称の前におかれる限定文字のような、第三類にもある記号が第二類にも見られるので、ビストゥーン刻文の第一類と第三類との比較によって、新エラム語の多くの語の発音やその意味を決めることが出来た。これは動詞の形や名詞、代名詞、小辞にまで及んだ。その結果新エラム語は非セム語であることが判明したのである。スサにおいて行われたフランス政府による数年にわたる発掘の結果、多くの刻文や土板が発見された。これらの出土品の言語は第二類の言語に非常に近いことが、ヴァンサン・シェール Vincent Scheil の研究によって判明した。それ故第二類の言語はバビロニアの東、ないし東北のエラムの住民によって話されていたことは明らかである。バビロニアやアッシリアの王達の残した記録から分かるように、エラムは長い間バビロニアの敵であり、時々ユーフラテス流域にまで侵入したのであった。スサの発掘による出土品は紀元前三〇〇〇年期に遡る。文字も長い発展変化を示している。言語史的にも古いエラム語に対して、新エラム語を区別し得るのであり、第二類の言語はこの新エラム語なのである。

第四章　ヒッタイト文書の解読

ヒッタイトは考古学と文献学が近年全くの忘却から呼び起こした偉大な民族である。十九世紀の後半も半ば以上を過ぎるまでは、このかつてエジプトと強を競った、アナトリア奥地の大帝国の存在を誰一人夢想だにしなかった。

一八一七年十月七日、スウィス生まれの東洋研究者、アラビア、シリア、エジプトの旅行者、イスラム教の聖地で異教徒の立ち入ることを許さぬメッカに巡礼し、メディナを訪れ、ハジ、シーク・イブラヒムと尊ばれたヨーハン・ルートウィヒ・ブルクハルト Johann Ludwig Burckhardt（一七八四—一八一七年）が世を去った時に、三百巻に上る写本の外に、自分のノートをケンブリッジ大学に寄贈した。一八二二年、このノートを編集した「シリア旅行記」Travels in Syria and the Holy Land の中に、彼は一八一二年に、ハマト Hamath の町のバザールのある家の一隅に、エジプトのそれには似ていないが、一種の聖刻文字と見える多くの小さな符号や絵のある石がはめこまれているのを見たことを報じているが、その重要性には当時誰も気がつかなかった。

一八三四年、フランスの旅行家で、当時のいわゆるディレタンティ、美術考古品愛好者の

カルケミシュ出土のヒッタイト文字刻文

フランス人テグジエ Charles Félix Marie Texier（一八〇二―七一年）はトルコのアンカラの東方百五十キロ附近にあるボガズケイ Boğazköi の村の附近で古代都市を発見、更に近くに聳《そび》え立つ岩の面《おもて》に刻まれた多くの神々や王の像の間に文字らしいものがあるのを見出し、帰国後出版した三巻の「小アジア旅行記」Description de l'Asie Mineure（一八三九―四八年）で、挿絵入りで、この岩、即ちヤジリカヤ Yazilikaya「刻文の岩」を紹介したが、当時は楔形《くさびがた》文字とエジプト文字解読によって沸き立っていたこととて、小アジアの一寒村の刻文も彫刻も学界の興味をひくに至らなかったのは、是非もないことであった。テグジエ自身も自分の発見した古代遺跡がいかなる民族に属するかを知らなかった。つづいて翌年にハミルトン W. T. Hamilton もこの地を訪れ、一八四二年に報告しているが、やはりこの都市の建設者については、全く誤った推測を行っているにすぎない。彼はこの旅行で、ボガズケイの外に、すぐ近くのアラジャ・ヒュユク Alaja Hüyük でも新しい遺跡を見出している。

一八五〇年代になると、小アジアの遺跡探訪者も多くなり、一八五九―六一年には二人のドイツ人バルトH. Barth とモルトマン A. D. Mordtmann はボガズケイを訪れ、フランスの学者ペロー G. Perrot は小アジアの各地を踏破し、ボガズケイの町の中央部にあったひどく風化されてはいるが、ヤジリカヤのそれに似た刻文のある石「ニシャン・タッシュ」Nişan Taş を発見した。

一八七〇年、アメリカの総領事ジョンソン H. Johnson と友人の宣教師ジェサップ博士 Jessup は、たまたまハマトを訪れ、シーク・イブラヒムが五十八年前に見たバザールの石を再発見したのみならず、住民からこの外にも同じような彫刻のある石が三つもあることを聞き知り、近づいてこれを写そうとしたところ、住民の反対にあって、果たさなかった。この奇怪な刻文のある石は、大昔から何か住民の崇拝の対象となっていたからで、その後もここを訪れた旅行者たち、かの名高いバートン大尉さえも、この石の十分な調査は出来なかった。翌一八七一年にアレッポで発見された同様の、モスクの壁にはめこまれてあった石は、住民によって眼病を治す特別の力があるとされ、その表面は病人がすりつける額によって磨滅していたのである。

ハマトの石を写し取った最初の成功者は当時ダマスコにいたアイルランドの宣教師ライト

William Wrightであった。一八七二年にシリアの総督の更迭があって、新たに総督として、教養のあるスビ・パシャSubhi Pashaが来任した。彼は刻文のことを聞き知り、ダマスコの英領事グリーンKirby Greenとライトとを同行して、視察のためにハマトに赴き、ここで例のバザールの石の外に、四つの石を発見した。パシャは用心深く護衛の兵士をつれていた。怒り狂う民衆を押えて、彼はこれらの五つの石を取りはずして、イスタンブールの博物館に送ったが、その前にライトに石膏のコピーを取ることを許した。その中の一組をライトはロンドンの大英博物館に送った。かくしてハマトの刻文は学界の手に初めて入ったのである。

しかし、北シリアがヒッタイトの一中心であったことが判明したのは、大英博物館のジョージ・スミスGeorge Smithとアレッポのイギリス領事スキーンW. H. Skeeneが一八七六年、ユーフラテス河の右岸のジェラブルスJerablusで発見した大遺跡で、ハマト石と同様の刻文のある石を見出し、更にこの遺跡が楔形文字やエジプトの文書にあるカルケミシュKarchemish（Kargamish）であることを確認し得たことによる。更に同種刻文をデイヴィスE. J. Davisがタウルス山脈中のイヴリズIvriz河岸に聳え立つ岩壁上の彫刻中に認め、この民族の勢力範囲が単に北シリアに限られていなかったことを示した。

このようにして、次第に全く忘れ去られていた民族の存在が、遺跡と彫刻と刻文とによって、数千年の後に再び歴史に登場したのである。オクスフォドの東洋学者セイスA. H.

Sayceがこのヒッタイト文書の研究に取りかかったのは、この頃である。彼はハマト石の刻文、ヤジリカヤその他のアナトリア内部、更にエーゲ海の最東部、小アジアに接するスミルナの刻文などがすべて同じ文字であることを認め、これこそ旧約聖書にあるヒッタイト民族のものであり、この民族が単にシリアのみならず、その勢力の中心がアナトリア奥地に存在していたことを最初に認知し、ヒッタイト刻文の解読に努力した。彼はその中にある文字の数がアルファベットにしては多すぎるところから、これは表意文字や指示文字を含む音節文字であるとし、刻文中にしばしば現われる文字を、文法上の接尾辞と断定したが、これは主格語尾-sである。ヤジリカヤの岩窟の彫刻の中には、壮大な神々の行列があるが、その中の多くのものには短い、常にに始まる刻字がついている。セイスは楔形文字の知識から、これは「神」を示す指示文字であると考えた。

アーチボルド・ヘンリー・セイス

一八八〇年、セイスがヒッタイト文書解読に熱中していた時、十一月、突然彼はドイツの外交官で東洋学者モルトマンが一八七二年にドイツ東洋学会誌に発表した、アルメニアのヴァン湖岸出土の楔形文字文書の研究中に含まれていた銀の、楔形文字を一番外側に、

有名なタルコンデーモス（正しくはタルクムヴァ）印章

その中に文字らしい符号に囲まれた戦士を刻した円板を思い出した。直径四センチの小さなもので、これがヒッタイト聖刻文字解読史上に名高い「タルコンデーモス印章」Tarkondemos で、かつて刀の柄《つか》につけられていたものらしい。

楔形文字の部分は、九つの符号より成り、その中に「人名」、「王」、「国」の指示文字を含んでいる。従ってこれは「某国の某王」を表わしている。かくしてモルトマンはこの刻文を「タルスン王タルクディムミ」Tarsun, Tarkudimmi と読み、彫刻の人物の様子から、これをボガズケイその外発見の彫刻中の人物像に比し、印章の源をキリキアに求め、終《つい》にプルータルコス中に見出されるキリキアの人名タルコンデーモスとタルクディムミとを同一であると断定し、更に悪いことに、タルスンを Zusun とも読めるとして、これを紀元前六〇〇年にバビロン王ラビュネートス Labynetos と結んだシュエネシス Suennesis（ヘーロドトス第一巻七十四節）と同一であるとした。しかしこの楔形文字文書は本当は Tar-rik-tim-me šar mat Er-m-e「エルメ国王タリクティムメ」と読むべきであったので、このモルトマンの誤解はその後ながく尾を引いて、一九三二年まで禍いとなった。

この印章を思い出したセイスは、それが楔形文字とヒッタイト文字との対訳であることに気がついた。しかし、これは一八六〇年頃に商人で古銭蒐集《しゅうしゅう》家のアレクサンデル・ヨヴァノフA. Jovanovがスミルナで手に入れたものである。セイスは印章がイギリスに渡ったことを知り、八方手をつくした結果、大英博物館にこの品が提供されたが、贋物である懼《おそ》れがあったために、博物館当局が購入を拒否した事実が判明した。タルコンデーモス印章の行方はその後まったくわからないのである。しかし幸いにも博物館は断る前に用心深く電気版の写しを取っておいた。こうして印章の写しを研究したセイスは、楔形文字の内側の符号がハマトそのほかの刻文と同一のヒッタイト文字であり、その中に見出されるとなる符号がカルケミシュやハマトの石にもあり、これは印章上の楔形文字のそれと同じく、「王」と「国」を示すものであると考えた。

この間にも新しいヒッタイト文字の碑文が次々に発見報告された。セイスはここに東洋学の一つの新領域、ヒッタイト学の口火を切った。学界のみならず、一般の人々の興味はこの新しく見出された新しい古代の文化に集中した。この時、一八八四年に、ハマト石の発見者ライトの名高い「ヒッタイト帝国」The Empire of the Hittitesが出版された。それには「附　セイス教授によるヒッタイト碑文の解読」with decipherment of Hittite inscriptions by Prof. A. H. Sayceという、かなり行き過ぎた題が付いており、セイスは碑文の言語に関する一章をこの本に加え、その中でこの文書がヒッタイト人のもので、彼らはアナトリアからシリアに来たこと、更に先に彼が論じた符号が主格の -s、は目的格 -n であることの外に、新しい指示文字「町、市」を加えることが出来た。

小アジアに対する学界の関心のたかまりは、相次ぐこの地方への学者の旅行となって現われた。ドイツのオットー・プーフシュタイン Otto Puchstein、小アジアのギリシア古代都市ベルガモンの発掘者カルル・フーマン Karl Humann、オーストリアのフェーリクス・フォン・ルーシャン Felix von Luschan は一八八二—八三年に南トルコ旅行中に、近くのジンジルリ Zinjirli に興味ある遺跡を発見、一八八八年より九二年にかけて、フーマンとルーシャンの二人はここにヒッタイトの巨大な城壁に囲まれた町を掘り出した。またイギリスのラムゼイ Sir William Ramsay とホガース D. G. Hogarth は一八九〇年に同じく小アジアを旅し、これはその後一九一一—一四年のホガース、ウーリ Sir Leonard Woolley らのイギリスの第二回目のカルケミシュ発掘となって実った。この外フランス人シャントル E. Chantre の一八九三年の旅も実り多いものであった。かくて、一九〇〇年にドイツの学者メッサーシュミット L. Messerschmidt が「ヒッタイト碑文集」Corpus Inscriptionum Hettiticarum を編集出版した時には、小アジアと北シリア出土の三十七の長い碑文の外に、短いものをあわせて凡そ百の刻文を集め得、ここにヒッタイト文字による文書の研究の基礎が築かれたのである。研究者はこの本によって、ヒッタイト文字の文書が意外に多いのに驚いたのであって、このように一ヵ所に集められた資料は、この文字の性質をますます明

カルケミシュ出土、アララス王のヒッタイト文字刻文

らかにし、相互的に年代や地方や個人的な差がありながら、同一の文字を確認し、また同一文脈の繰り返しを発見するのに役立った。メッサーシュミットの蒐集以後にも資料は増加していったけれども、現在もなおこれはヒッタイト文字による文書研究の欠くべからざる根底となっている。

しかし、この蒐集以前にも、解読への道は徐々にではあるが切り開かれつつあった。一八九〇年にはフランスのメナン J. Menant が、碑文の冒頭で、自分自身を指でさし示している人物の絵を、エジプト文字中の「私」を意味する絵文字と同一であるとし、古代近東の他の文字による碑文冒頭の一定の形式と比較して、ヒッタイト文字のそれを「私は何某である」と解釈した。

エジプト文字

ヒッタイト文字

ついで一八九二年、ドイツのアッシリア学者パイザー F. E. Peiser が |C は語の切れ目を、一一は表意文字を示す符号であることを発見した。

ここでわれわれは、ライトとセイスの「ヒッタイト帝国」が出版された当時の、ヒッタイト人に関して、学界がもっていた知識を綜合してみる必要がある。シャンポリオンのエジプト文書解読以来、学界の新しい所有となったエジプトの歴史的な記録によれば、紀元前十五世紀の頃に既にエジプト第十八王朝のトゥトモシス Thutmosis 三世は北シリアに侵入、ユーフラテス河を渡り、ケタ Kheta と称する民族と接触している。ついでラメセス Rameses 二世はカデシュ Kadesh でケタとその同盟諸国の軍勢との大会戦に勝利を得た後、ケタの王と条約を結んだが、その条文はカルナク大神殿壁上に見事な刻文となって残っているのである。これだけでも既に紀元前一〇〇〇年代後半に於《お》けるヒッタイト民族の帝国の存在の疑うべからざる証拠なのであるが、更にアッシリアの楔形文字による文書中には、アッシリア王ティグラート・ピレセル Tiglath-pileser 一世（前一一〇〇年頃）が現在のシリアの地方に、カルケミシュを首都とするハッティ Hatti 国と戦って勝利を得て以来、四百年に亙《わた》ってハッティとアッシリアとの交渉が報ぜられている。特に北シリアにはハッティの小王国が群立し、前七一七年、最後にカルケミシュが陥落して、終にかれらの王国はアッシリアに包含されるに至った。従って、このように北シリアに王国を築いていた民族が旧約にあるように、パレスティナに現われても、何の不思議もないのである。しかし、ヒッタイト文字の碑文は北シリアだけではなく、その北方の現在のトルコ、即ちアナトリアの奥地からも、更にエーゲ海に面する諸地からも発見されている。しかもトゥトモシス以来カルケミシュ陥落までには七百年の歴史がある。このように長年月の間、エジプト王とさえ相競った民族は何者なのか。エジプトとアッシリアの謎を解いた十九世紀末葉の学界がこの謎を解こうとしてやっきになったのも無理もないことであった。

ところがここに全く思いがけない幸運がふってわいたようにエジプトの一寒村からもたら

された。一八八七年にカイロの南方三百キロメートル、ナイル河東岸のテル・エル・アマルナ Tell-el-Amarna から楔形文字を刻した粘土板が大量に発見され、カイロの市場に出た。当時カイロにいたセイスの報告によって、学界は沸き立ち、終にイギリスの名高いエジプト考古学者フリンダーズ・ペトリ William Flinders Petrie のテル・エル・アマルナの発掘となった。この地は、かつてエジプトの伝統的な多神的宗教を排して、太陽神ラ Ra 崇拝の一神教を確立しようとしたアメンホテプ Amenhotep 四世、即ちアクナートン Akhnaton「日輪の栄え」（在位前一三七〇—前一三四八年）が、宗教改革の目的のために、僧侶神官の圧力と影響から脱するべく、築いた新都だったのである。この都は王の没後、間もなく見棄てられたために、王の文書がそのまま、そっくりここに残されて、三千何百年後まで保存されていたのである。出土の楔形文字粘土板文書はアクナートンとその父アメンホテプ三世の治世の最後の数年の間に交わされた外交及び行政上の書簡で、大部分はアッカド語であったために、直ちに読むことが出来た。その中の、シリアとパレスティナの従属国からの書簡はしばしばハッティ王及びその軍隊に触れているのみならず、実際にハッティ王スッピルリウマ Suppiluliuma 自身がアクナートンの即位を祝して送った書簡があった。これらの書簡は、ヒッタイト王国がシリアを中心としていたのではなく、むしろシリア、パレスティナは現在のトルコの奥地の中心部からの一つの発展の先端にあたり、ヒッタイトとエジプトの勢力の接触、衝突地点であることを明らかにした。

これだけではなかった。書簡の中には楔形文字で書いてあるので、読むことは出来るけれども、全く知られていない言葉で書いた二通があった。その中の一つがアルザワ Arzawa という国の王の名になっているので、この書簡は「アルザワ書簡」と普通呼ばれている。ノルウェーのクヌートソン J. A. Knudtzon、ブッゲ S. Bugge、トルプ A. Torp はこれを研究し、一九〇二年に発表、クヌートソンはこの未知の言語が印欧語的特徴をもっていることを指摘した。これは正しかったのであるが、当時はヒッタイト楔形文字文書は全く知られておらず、このような事情の下に印欧語民族の王とエジプト王とが書簡を往復するなど到底当時の学界の常識としては考えられない上に、クヌートソンの文書中の語の語源的解釈がまことにあやふやで、単なる外形上の類似による素人的なものであったために、学界は彼の論文を真面目になって取り上げることをせず、クヌートソン自身も四面楚歌の裡《うち》に自説を取り消すはめとなった。恐らく南アナトリアの一国であろうと推測されたアルザワ国の書簡は、それだけであれば大した問題とはならなかったであろうが、一八九三年にフランスのシャントルがボガズケイの村でアルザワ書簡と同じかの未知の言語で誌《しる》された楔形文字粘土板を入手したことによって、局面は一転し、テグジエ以来興味深い数々の文書や遺跡群が報告されているこの寒村がヒッタイト民族の一大中心であったことは今や疑うべからざる事柄となり、この地の発掘が急務となった。

遺跡発掘の計画を最初に立てたのは、外ならぬセイスであった。彼は発掘の許可をトルコ政府から得るために、シュリーマンやそのほかの人々と同じく、例によって長い間の交渉を重ねなければならなかったが、一九〇五年にやっとの思いで許可を得た時に、トルコのスルタン、アブドゥルハミド Abdülhamid 二世が突然この許可をドイツに廻したことを知った。時のカイゼル・ヴィルヘルム二世はベルリン、バグダッドをつなぐ勢力拡張を策し、バグダッド鉄道建設のためにトルコ政府に近づきつつあった。ドイツ皇帝の庇護の下にあるドイツ東洋学会がボガズケイ発掘許可をイギリスを出し抜いて横取り出来たのは当然のなり行きであった。こうしてドイツのアッシリア学者フーゴー・ヴィンクラー Hugo Winckler は一世を驚歎せしめ、ヒッタイト帝国を三千年の忘却から蘇らせた厖大《ぼうだい》なヒッタイト楔形文字文書の光輝ある発見者となった。ボガズケイの遺跡は帝国の首都ハットゥーシャ Hattuša だったのである。

発掘は一九〇六年七月十七日に開始された。やがて楔形文字粘土板文書の夥《おびただ》しい量が続々として出土し始めた。その数は最後には約一万に達し、発掘隊は明らかにヒッタイト王の文書庫を発見したのである。文書の大部分は「アルザワ書簡」と同じ言語によっていて、理解出来なかったが、しかし多くのものはまた当時の国際語であったアッカド語で誌されていたために、直ちに内容が判明した。

ヴィンクラーが発掘し始めてから間もない八月二十日のことである。人夫たちは見事に保存された一枚の粘土板を発見した。その上には、先に述べたカルナク神殿壁上に保存されているエジプトのラメセス二世とヒッタイト王ハットゥーシリス Hattusilis 三世との間に交わされた条約のヒッタイト側のアッカド語の文書が刻されていたのだ。条約はラメセス二世の治世二十一年に交わされたことが知られている。ヒッタイトの年代は確実な基礎をここに得た。すべての文化の淵源をバビロニアに求めようとする汎バビロニア主義者、人づきが悪く、人に愛されたことのない反ユダヤ主義者、年来の持病に苦しみ、ますます敵を多くつくりつつあった不愛想なヴィンクラーも、この文書に接しては、さすがに感慨をこめて、その奇蹟的発見を報じている。エジプト側の文書はヒッタイトから送られたものの翻訳、ボガズケイの粘土板はエジプト側が作製したアッカド語によるものの写しであった。

「このような文書を眺めた時のわたしの感慨は特殊なものであった。わたしがブラク Bulaq の博物館（これは現在のカイロ博物館の前身である）でテル・エル・アマルナのアルザワ書簡に接したのは十八年前のことである。その時わたしはラメセスの条約もまたもとは楔形文字によって書かれたものらしいという推測を立てたが、いまやその交換文書をこの手にしているのだ――いとも美しい楔形文字で立派なバビロニア語の！」

彼はこの奇遇をアラビア夜話に比し、一人の人間の一生の裡には滅多にない事情であると深い感情をこめて語っている。

ヴィンクラーは一九〇七年の報告で既にスッピルリウマから前十三世紀末のアルヌヴァンダ Arnuwanda まで、約二百年間のヒッタイト王の表を発表することが出来た。ところが、粘土板の記録はここでぷっつりと切れている。アッシリアの記録は前八世紀にボガズケイのあるカッパドキア Kappadokia 地方を占有していたムシュキ Muški なる民族を報じているので、恐らくヒッタイト王国は紀元前一二〇〇年の頃にこの地に侵入したムシュキ族の大移動によって崩壊したのであろうと考えられた。しかし、楔形文字によるヒッタイトの記録はここで終わったが、ヒッタイトに特有の文字はその後もなお数百年間つづいて使用されていた。更に楔形文字と共にこの文字もまた古くより併用されていたことも楔形文字粘土板上のこの文字を含む印章によって明らかとなった。

既に死病にかかっていたヴィンクラーは、なお一九一一―一二年の第二次ボガズケイ発掘を行うことが出来た。一方この地の発掘を拒まれた代わりに、カルケミシュ発掘許可を得たイギリスは、ホガース、ウーリ、それに後「アラビアの」の名の下に知られたロレンス T. E. Lawrence の指導の下に一九一一―一四年にこの地を探り、多くのヒッタイト文字の碑文を発見した。

このようにして、そもそもの始めから協力してヒッタイトの秘密を解くのに努力してきた英独の学界は、一九一四年の第一次大戦の勃発によって、突然敵味方に分かれ、共同の研究は不可能となった。ボガズケイの文書はこの時ベルリンとイスタンブールの両博物館にあり、イギリスの学者には近づくことが出来なかったのである。

一九一四年、ヴィンクラーの没後、ドイツ東洋学界は、フロズニー Bedřich Hrozný とフイグラ H. H. Figulla の二人の若いアッシリア学者を、イスタンブールへ、ボガズケイ文書を写すために送った。これはヒッタイト楔形文字文書校訂刊行のためである。

フロズニーは一八七九年ボヘミアのエルベ河岸のリサ Lysá で新教の牧師の子として生まれた。家系は代々農夫である。プラハの古典科学校に在学中、父を失い、故郷の近くコリン Kolín の普通の学校に転ぜざるを得なかった彼は、幸いにもここで歴史地理の先生をしていた、プラシェク Justin V. Prašek の教えをうけ、大きな影響を蒙《こうむ》った。一八九七年、フロズニーは亡父の遺志に従って、ウィーン大学の神学科に入学して籍をおいたが、東洋語の魅力にとりつかれ、僅か一学期の後に、神学を棄てて、哲学科に移り、ここで東洋語と歴史とに専念し、ミュラー教授 D. H. Müller の下にアラビア語とアッシリア語を研究、一九〇一年に卒業したが、当時ウィーン大学には専門のスメル・アッシリア学者がおらず、フロズニーを満足させることが出来なかったので、一年間の奨学金を授けられたのを幸いに、偉大なアッシリア学者デーリッチ F. Delitzsch の下に学ぶべく、ベルリン大学に赴き、翌年にはロンドンの大英博物館でスメル・バビロニア語対訳のニンラグ Ninrag の神話のテキストを研究した。この年の秋にウィーンに帰った彼は、初めは図書館の司書として働いていたが、一九〇五年には講師、一九一五年には員外教授として、アッシリア語を担当することとなった。彼は多くの東洋語に関する驚くべき知識をもち、単に言語やテキストの解釈のみならず、文書の背後にある社会に深い関心をもち、バビロニアの貨幣制度や穀物に関する研究で既に名をなしている少壮学者であった。

一九一四年四月、イスタンブールのオットマン博物館に来たフロズニーは直ちに刊行予定の碑文を写し始めるかたわら、楔形文字粘土板上の未知のヒッタイト語解読のために必要な外の多くの板をもローマ字に転写し、昼間の博物館での仕事を終えると、自分の部屋に帰ってヒッタイトの記録から転写した語をアルファベット順に整理した。この際、彼はまた語を逆引き、即ち普通のアルファベット順の時のように、語を語頭からの綴り順とは反対に、語末からの綴りの順に並べた索引をも作った。これは言語の文法的性質を知るためには欠くことの出来ない方法であって、このように語頭と語末の両方からの索引は、語の変化が語頭或いは語末にある言語ならば、同じ変化形が一ヵ所に集まって現われる。例えば英語で過去を示す -ed をもっている動詞形は、この方法によれば、すべて de ＋動詞（dekool＝looked）の個所に集められることとなり、このように多くの語の語末に現われる形は、何か文法上の形であることを直ちに推測し得る。

フロズニーの仕事は、しかし、サラエヴォの運命的な一発によって、中断された。彼は同年八月ウィーンに帰らざるを得なかったが、既にその時には研究に十分な資料を集めていた。

彼が解読しようとしていた未知の言語は幸いにして楔形文字を使用している。だからこれは最初から読むことが出来た。更にこの文書は多くのスメル・アッカド語の語や指示文字や表意文字を含んでいる。そのために、ある種の、スメル・アッカド語の要素の多いものは、自《おのずか》ら意味内容が明らかであった。また一九一四年にデーリッチが発表したヒッタイト・スメル・バビロニア三語の対訳語彙集のような資料もなかったわけではない。しかし、この最後の資料は、内容が難解な珍しい語ばかりに限られているために、実際の文書にはその中の語は殆んど現われず、解読には余り役立たない。

　アッシリア学者フロズニーが未知の文書に接した時の有様は、丁度漢字は読めるし、その発音もわかっているし、仮名の読み方も知っているけれども、仮名で書いてある部分が未知の言語によっている場合にそっくりである。漢字の部分は表意文字で、例えばは「神」の意味で、スメル語では「ディンギル」dingir、アッカド語では「イル」ilu、ヒッタイト語では「シウナ」šiuna と読んだことは、「神」を「シン」とか「カミ」と読むのと同じである。現在では印刷の便宜上、このような表意文字を小さな頭文字でDINGIRと綴っているが、これはまたヒッタイトの文書中で、音節文字組織の楔形文字で、ši-u-na- とヒッタイト語で書いていることもある。また丁度漢字仮名まじり書きの送り仮名式に、表意文字にヒッタイト語の語尾変化を付けていることもある。例えば walḫ-「撃つ」（表意文字GUL）の過去の一人称単数形 walḫun は、ある時には音で wa-al-ḫu-un「ワルフン」と仮名のように、ある時は GUL-un と送り仮名式に書いてある。またある時には、EN^{MEŠ}-eš（EN「主、君」、^{MEŠ} スメル語の複数主格形、-eš ヒッタイト語の複数主格形）のように、御丁寧にもスメル語とヒッタイト語の両方で文法形が書き誌してあることもあり、これは実際にはヒッタイト語で iš-ḫi-e-eš＝išḫēš と読んだに違いない。ヒッタイト人は、また、アッカド語の語や句を音節文字で書いたヒッタイト語の間に挿入していることもある。アッカド語の部分をイタリックの頭文字体で書き写すこととすると、例えばヒッタイト語の先にあげた išḫēš は *BE. LU*^{MEŠ} となる。更にスメル語の表意文字に DUMU^{RU}「息子」（DUMU スメル語で「息子」、māru アッカド語で「息子」）のように、アッカド語の送りをつける場合もある。指示文字は、ある固有名詞や普通名詞がどういう種類（「神」「男」「女」など）に属するかを示すための符号で、例えば 𒀭 DINGIR「神」は、転写で小文字のdで表わすとすると、^{d}Telpinu、LÚ「男」は ^{LÚ}westara-「羊飼」、^{LÚ}KÚR「敵」、URU「町」は ^{URU}Ḫattuša, ^{URU}Ḫalpa「アレッポ」と書かれる。更に複雑なのは ^{I}Mu-ur-ši-DINGIR^{LIM}, ^{I}Ḫa-at-tu-ši-DINGIR^{LIM} のような妙な書き方で、語頭の数字の I は数詞の「一」の文字で、固有名詞を示す指示文字、スメル語の表意文字 DINGIR「神」はアッカド語で ilu（単数所有格 ili ⟨m⟩）であるから、これを Mu-ur-ši-*ILI*(M), Ḫa-at-tu-ši-*ILI*(M) と読ませて、ヒッタイト王 Muršili, Ḫattušili を表わすに用いている。

ヒッタイトの楔形文字文書はこのように複雑かつ怪奇なものである。その代わり表意文字、アッカド語、指示文字によって、内容の推察は他の未解読の文書に比して遥かに容易である上に、資料が豊富で、上にあげた例でもわかるように、同じ言葉がある時にはスメル語、ある時にはアッカド語、ある時にはヒッタイト語で書いてあることがあり、同一またはこれに近い内容と語順或いは表現の文や句で、違った書き方の文書を発見すれば、ヒッタイト語の意味を知ることが出来る。また実際にこのような、いわゆる「組み合わせ法」によってはじめてヒッタイト文書の謎は解明することが出来たのである。

フロズニーの最初の出発点もまたここにあった。彼が同一の語の変化、特に語尾のそれを研究しているうちに、彼はヒッタイト語が不可思議にも印欧語と共通の文法形をもっているらしいことに気がついた。しかし彼はクヌートソンがアルザワ書簡に関して同じ見解を発表し、学界の非難の矢面《やおもて》に立ったことを知っている。彼は躊躇し、疑い、恐れた。しかし彼はなおも新しい材料を蒐集《しゅうしゅう》しつづけた。終に最後の確信を与えたのは、nu 𒃻 -an e-iz-za-at-te-ni wa-a-tar-ma e-ku-ut-te-ni なる一句であった。𒃻 NINDA は、スメル語の「パン」を表わす表意文字である。フロズニーはここから、e-iz-za-at-te-ni をドイツ語の essen、古高地ドイツ語の ezzan、ラテン語の edere などと比較して、「食べる」と解し、-ma「しかし」のついている第二の句を古代近東諸言語中にしばしば見出される同種の表現と句との比較

ベドジフ・フロズニー

によって「水を飲む」とすると、忽《たちま》ちにして wa-a-tar（フロズニーはこれを vādar と読んだ）は英語の water、古低地ドイツ語の watar を想起せしめる。nu「今や」-ma「しかし」及び二人称複数語尾 -teni は、フロズニーは既に外の例によって知っていた。かくして彼はこの一句を解読し、しかもその大部分を印欧語語源によって解き得たのである。彼はこの外にも名詞の語尾変化、人称代名詞や疑問代名詞、動詞の語尾変化など、かなりな数の疑うべからざる印欧語語源の形を例証することが出来た。とはいえ、紀元前一五〇〇―前一二〇〇年という古い古い時代に、小アジア奥地に、印欧語族に属する一言語を話していた民族が一大帝国を形成し、高度の特有の文化を所有していたとすることは余りにも当時の学界の常識に反する。これを発表するのは危険きわまりないことであった。信念に支えられた勇気と決断力とが必要である。フロズニーが終に一九一五年十一月二十四日、ベルリンの近東学会の席上でこの説を発表した時、人々はこれを大いなる疑惑をもって迎えた。ヒッタイト語解読の競争相手であるベルリンのワイドナー Ernst F. Weidner はこの未知の言語をコーカサス系の言語であると考え、バルトロメー Bartholomae やボルク Bork のような有力な教授達も彼に反対した。やがて戦局が苛烈になると共に、ベルリンのワイドナーは重砲兵として戦場にあり、フロズニーはオーストリア・ハンガリー軍の下士官として軍務に服することとなった。一九一五年十二月一日である。しかしフロズニーは幸いであった。上官のカムマーグルーベル A. Kammergruber は部下の若い教授をいたわり、ひどい近視のフロズニーは戦争の終わりまで書記の仕事に従い、ヒッタイトの研究のために時間を割《さ》くことを許されたのみならず、イスタンブールに行って資料にあたるために、何週間も滞在する自由をさえ与えられたのである。かくして彼はヒッタイト語解読に決定的な礎石となった名高い「ヒッタイト人の言語、その構造と印欧語族への所属」Die Sprache der Hethiter, ihr Bau und ihre Zugehörigkeit zum indogermanischen Sprachstamm を一九一七年に発表することが出来た。

しかしフロズニーはアッシリア学者であって印欧語族の専門家ではない。最初にイスタンブールに行った時に、彼が携えていた印欧語比較文法の参考書は、ゲッシェン版の凡そ粗末な時代おくれの印欧語比較文法の入門書だけであった。彼は印欧語族の比較文法の領野ではその厳しく規制された語源学的な訓練を経ていなかった。従って彼が折角正しくヒッタイト楔形文字文書を印欧語の一つの言語によるものであることを知り、その証拠と解明とに努力しながら、素人の悲しさで、ただの外見上の相似による語源解釈にしばしば陥ったのは、無理ならぬとは言え、不幸なことであった。かくして彼はヒッタイト語の動詞 dā- をラテン語 dare「与える」と比較して、同じ意味をこの語に付したのであるが、これはその後の研究によって、反対に「取る」の意であることが確実となった。ヒッタイト語 appa「元へ、逆もどりに」を彼はギリシア語の apo に比して、「……から」と、piran「前に」をギリシア語 peri に比して、「……をめぐって、……の廻りに」と、nāwi「未だ……ぬ」を「新しい」(英語 new、ラテン語 novus)と誤って解した。

このような素人語源が専門家の疑惑を招くのは当然である。楔形文字ヒッタイト語文書の言語は印欧語であるとは言え、土着の民族の言語の影響が甚しく、かつ文法的形態も従来のわれわれの知っていた印欧諸言語とは著しい差がある。そこへフロズニーがその根本は正しくとも、このようなただ外形だけが似ているにすぎないものを基礎にして、素人の語源を提唱したために、その全体が疑われるに至ったのは当然であった。

最初に彼の正しさを認めた印欧語学者はノルウェーのマルストランダー Marstrander(一九一九年)であった。しかしフロズニーの解読のあとをうけて、真の意味でヒッタイト学の基礎を打ち立てたのは、ドイツのフェルディナント・ゾマー Ferdinand Sommer である。彼は当時既に高名な印欧語学者であったが、ボガズケイ出土の碑文を扱うためには必須のアッシリア学を改めて修得し、ヒッタイト研究にむかった。彼は印欧語の研究の最も進歩したテクニックをこの新しい領域に応用し、単なる外見上の相似によるだけの語源を基とする意味づけに強く反対した。印欧語族、ロマンス語、スラヴ語、ゲルマン語などの領域で長い年月の中に出来上がった言語研究の方法を知らなかったフロズニーのやり方は、印欧語族の専門家から見ると全くなっていなかった。これが彼の輝かしい解読にもかかわらず、最初は大部分の学者の不信をかった理由である。ゾマーの方法は、あらゆるテキストの中の同一類似の個所をすべて集めて、相互に比較し、文脈それ自身の間から意味を明らかにしようとする最も健全な道である。既に紹介したように、幸いにもヒッタイト楔形文字文書には同じ語や事柄を或いはスメル、或いはアッカド、或いはヒッタイトの形で書いたり、同じ内容の異なる言語による記録がある。これらを丹念に整理して、比較すると、ヒッタイト語の語や文法形態の意味や用法を明らかにすることが出来る。しかし中には、非常にしばしば使われながら、DUMU-aš「息子」、SAL-za「妻」、I-aš 数詞の「一」のように、いつも表意文字で書いてあって、一度もヒッタイト語の形が出てこないものがある。このような場合には、ヒッタイト語の形は未だにわからない。しかしゾマーの方法によってある程度のヒッタイトの語彙や文法形態が明らかになると、やがてこれを基礎として、ヒッタイト文書は正確に理解出来るようになった。こうしてゾマーの外に、ドイツのエーヘロルフ H. Ehelolf、フリードリヒ J. Friedrich、ゲッツェ A. Goetze、スウィスのフォッラー E. Forrer やアメリカのスタートヴァント E. H. Sturtevant らの努力によって、テキストの出版と研究、更にヒッタイト語の比較文法的研究が行われ、ヒッタイトの記録は確実に解読することが出来るようになったが、宗教その外のものには未だ不明の点が多い。

このようにして楔形文字によるヒッタイト文書の解読は急速に進捗したが、ヒッタイト特有の文字による碑文の解読は遅々として進まなかった。

そしてここにも、外の未知の文字と言語の解読に際して、しばしば認められるように、一人の学者の悲劇的な頑固と失敗の例を見出すのである。それはマールブルク大学のアッシリア学の教授ペーター・イェンゼンPeter Jensenである。彼は片意地な偏狭な学者であった。彼は旧約も新約の物語もギリシア神話もローマの初代諸王伝説も、いやモハメッド、仏陀、北方神話、インドの英雄叙事詩までも、すべてメソポタミアの英雄ギルガメシュ伝説に源を有する変形であるとかたく信じていた。彼は近東のすべての言語に興味を抱き、既に一八九四年にヒッタイト文字の碑文の解読を試み、シリア・ヒッタイトの首都カルケミシュを表わす文字を正しく読んだほか、幾つかの符号の意味決定に成功した。しかし一八九八年に発表した「ヒッタイト人とアルメニア人」なる本の表題が示すように、彼はヒッタイト刻文の言語は、紀元後五世紀頃のアルメニアのキリスト教文献と同じ姿のアルメニア語であるとかたく信じていた。その上彼の勝手極まる符号の読み方には何らの文字としての組織がなかった。彼は刻文そのものよりは、先ず内容を恣意的にこうと推測して、それを無理矢理に刻文から摑み出そうとしたのである。従って彼が個々の符号に与えた音価は全く統一も組織もない。こうして折角の彼の努力は、却って不信の念を抱かせるのみであったことは、晩年のフロズニーのクレータ文字やインドのインダス文字による文書解読のまことに不幸な試みと全く同じである。その後の彼の辿った道はますますひどいものであった。彼はセイスが発見した∩の符号は、名詞の主格を示すだけであって、この符号のない場合はすべて所有格であるとし、あらゆる刻文はすべて王の称号の連続にすぎず、ただ表意文字が並んでいるだけで、それ以外には一つの動詞もなく、歴史的な記録もなにもないとした。イェンゼンはこの説を死に至るまで頑固に守り通したのである。そして折角自分が正しく読んだカルケミシュを表わす音節文字まで自分で後で否認してしまった。

しかしボガズケイ出土のヒッタイト楔形文字文書の解読は、ヒッタイト文字刻文解読にも一つの光明を投じた。もし刻文が真にヒッタイト人のものであれば、われわれは今やその言語を知っている。一九一九年に、スウィス生まれのアッシリア学者で、当時ドイツにあったフォッラーはベルリン学士院紀要中に「ボガズケイ碑文の八つの言語」と題する論文で、この粘土板文書中には、スメル、アッカド、及びキクリ Kikkuli の馬の調教に関する書中の僅かなインドのサンスクリット語系と思われる語の外に、印欧語族のヒッタイト語、ヒッタイト人侵入以前の先住民族たる民族の言語など五つの異なる言語が見出されることを論じた。そしてその中にはヒッタイト語と同じく印欧語族に属し、ヒッタイト語と極めて近い関係にあるルヴィ語やパラー語があることを明らかにした。

一九二〇年にイギリスのカウリー A. E. Cowley は、フォッラーや、独自の研究で間もなく同じ事を発見したフロズニーから、ヒッタイト文字刻文が楔形文字文書と近い言語によっているらしいということを知っていながら、わざとこれを無視し、メッサーシュミットの資料とカルケミシュ出土の刻文だけによって解読を試み、という符号がラテン語の -que と同じく「……と」を表わす接続詞であること、符号の横に突き出ている、俗に「刺」と呼ばれている符号は、=me-r(a) のように、r と読むべきであることを正しく見出した。

次にこの難問にいどんだのはドイツのアッシリア学者フランク Carl Frank である。彼は暗号解読の方法を応用して、資料を入念に分析し整理し固有名詞を人名、神名、都市名、国名にわけてそのリストを作製したが、しかし彼はフォッラーの八つの言語中のフリ語を誤って刻文のそれとした。これは印欧語系でもセム語系でもない土着の先住民族の言語である。この彼の一九二三年の解読の試みにイェンゼンは猛烈な勢いでくってかかった。その結果たる両人の論争は、論争というよりは喧嘩であった。イェンゼンは自分の領分のヒッタイト刻文を侵されたと憤り、フランクはイェンゼンの例の表意文字と称号の羅列説を攻撃し、それでは長い刻文中にしばしば見出される驢馬《ろば》や牡牛の頭の絵もまた君主の称号なのかと嘲笑した。

この両人の実りのない口論の後、イェンゼンの剣幕に恐れをなしたか、暫くは誰もヒッタイト刻文に近づかなかったが、一九二八年を境として、新しい輝かしい解読への試みが伊、独、米の学者によって開始された。その先頭を切ったのが、イタリアのメリジ Piero Meriggi である。パヴィア大学でギリシア語、印欧語比較文法を学び、小アジアの古代リュキア語を博士論文の主題とした彼は、イタリア語の講師として、ハンブルク大学にあった間に、ヒッタイト刻文に興味をもち、一九二八年、ボンで開かれたドイツ東洋学会の会場でその成果を発表した。彼は個々の符号の統計を取っただけではなく、最初に「息子」を表わす表意文字を確認、ここにカルケミシュ、ハマト、マラシュの王家の系譜を解く鍵を握った。

次の登場者はポーランド生まれのアメリカのアッシリア学者ゲルブ Ignace J. Gelb である。彼は二ヵ年の研究の成果を一九三一年のライデンにおける東洋学会で発表した。彼は、∩↑∩なる符号群（彼はこれを a-wa-a と読んだが、正しくは a-i-a である）の意味を「なす」と解した。これはこの刻文の言語が、楔形文字のヒッタイト・ルヴィ語と同語派であることの証明への道を開いた。というのはルヴィ語でも aia は全く同じ意味をもっているからである。彼が確認し得た第二の事実は、多くの表意文字の外に、六十に近い音節文字があるが、これらは日本の仮名のように子音＋母音の結合だけをもっていること、キュプロス島音節文字と同じであることであった。

第三の登場者は、既にアッシリア学者、楔形文字ヒッタイト語文書の研究者として名高く、ベルリン大学教授、ついでシカゴ、後にサン・サルヴァドルに移った東洋学者フォッラーである。一九三二年彼は「ヒッタイト絵文字」なる研究をシカゴから発表した。彼の方法は絵文字とその内容の推測と、いま一つは、古代近東の既に解読されている文書中の、王の碑文の冒頭の定型（これは既にメリジが系譜発見に利用した）、呪いの句の定型（これは、「……する者は、……神々によって破滅に陥るべし」のように、先ず関係代名詞によって導入され、現在または未来の動詞を含む句と、神々の呪いの命令形を含む句より成る）、書簡の冒頭の定型と並行的な類似のヒッタイト刻文中の定型の推測である。このようにして彼は名詞の格、代名詞、指示代名詞、関係疑問代名詞、動詞などを、一言にして言えば、文法の基礎を、発音は不明のままに、この不可思議な文字の中に見出すことに成功したのである。その上彼は幾つかの符号を読むことが出来た。

第四の登場者はドイツ人ボッセルト Helmuth Theodor Bossert である。彼は元来の東洋学者ではなく、大学では美術史、考古学に専心し、博士論文もまた中世美術の研究であった。第一次大戦に参加し、戦後三十歳ではじめて彼は楔形文字の学習を始めた。彼は最初はクレータ島のミノア文字に興味をもち、この文字とヒッタイト文字との間に何らかの関係のあることを、当時の他の多くの学者と同じく、信じ、その研究の結果発表したのが一九三二年の「シャンタシュ Šantaš とクパパ Kupapa、クレータとヒッタイト絵文字解読への一寄与」であった。彼は大英博物館所蔵のエジプトのパピルス文書中の「ケフティウ」Keftiu 即ちクレータ人の言葉として引かれている一文の中の sa-n-ti ka-pu-pu の中に男神シャンタシュと女神クパパを認め、この名をヒッタイト刻文中に求めようとし、更に古文書学的にヒッタイト刻文の書体の研究から、刻文の符号の年代的変化を決定しようと試みたのであるが、これはまことに見事な研究であった。更に彼は小アジアの、ギリシア名で「テュアナ」Tyana と呼ばれていた都市を楔形文字文書と同じく Tu-wa-nu-wa と正しく読み、更に彼はこの市の王の名が、イェンゼンの言うように Suennesis ではなくて、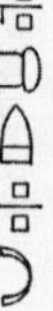は Wa-r-pa-la-wa-s と読むべきであるとし、これをアッシリア楔形文字記録中のティグラート・ピレセル三世と戦ったテュアナ王ウルバルラー Urballā に比定した。かくしてイェンゼンの迷妄は終に破られたのである。

彼の光輝ある研究は、プロシア学士院の新しいヒッタイト文字刻文集編纂の仕事をボッセルトにもたらした。一九三三年の夏、そのためにトルコに旅した彼は、ビッテル Kurt Bittel に招かれてボガズケイの新しい発掘に参加し、帰途アンカラで時の文部大臣に会い、終にその要請に応じて一九三四年四月以来イスタンブール大学の文学部の小アジア諸言語並びに文化の教授となり、トルコに永住し、帰化し、トルコの婦人を妻とするに至ったのである。

最後にフロズニーもまたこの陣営に加わり、特に楔形文字ヒッタイト語文書とヒッタイト文字文書との間に存在する相似の指摘に成功し、ここに後者の言語がヒッタイト語と同じく印欧語で、近親関係にあることがますます明らかとなった。

資料そのものの整理と新しい刻文の発見が、こうなると、ますます急を要する。ゲルプその他の人々はトルコを旅して、新しい刻文発見に努力し、フロズニー、ゲルプ、メリジは刻文テキストを蒐集刊行した。

ボガズケイ、即ちヒッタイト帝国の中心たるハットゥーシャは、未だ汲みつくされない宝庫であった。ヴィンクラーの発掘は、言わば、素人のそれに近かった。彼自身考古学にも発掘にも訓練を経ていない半病人であったために、ボガズケイの第一次発掘は残念ながら遺憾な点が多かった。一九三一年以降ドイツの学者ビッテルとギューターボック H. Güterbock

a）ミラのタルクムヴァ

b）インディリムマ

c）ハッティのタバルナ

d）ハッティのパドゥヘパ女王

ヒッタイト絵文字と楔形文字の二様の表記のある印章

の下にボガズケイの再発掘が行われたが、この発掘によって、王宮址中《しちゅう》に三百あまりの印章を蔵した部屋を発見（一九三四—三七年）、そのうちおよそ百は、先に紹介したタルクムヴァ印章と同じく、楔形文字とヒッタイト文字の二様の文字によるものであり、ヒッタイトの大部分の王たちのヒッタイト文字による名前の書き方が判明したが、残念なことに大部分が絵文字で書いてあって、音節文字を用いたのはムタリ Mu-ta-li 即ち楔形文字の Mu-（wa）ttali だけで、そのほかの王たちの名の発音の解明には役に立たない。しかし王妃のパドゥへパ Paduḫepa とタヌへパ Tanuḫepa の名は音で書いてあったし、更にヤジリカヤ岩窟神殿壁上には女神ハバトゥ Ḫa-ba-tu、楔形文字の He-bat の名を読むことが出来た。

　このようにして既に一九三九年には大部分の音節文字の読み方が確定、またはほぼ確かとなり、語の変化についても、とにかくある程度は知ることが出来るようになったが、語の意味については、何分にも資料が少ないために、楔形文字ヒッタイト語文書のようには異なる文脈による研究をすることが出来ない。

一九三七年にメリジは当時知られていたあらゆる符号の完全なリストを作製したが、音節文字はすべて仮名式の子音＋母音の型をもっていることには研究者は一致している。しかしこれに比較して遥かに多い絵文字の読み方はわかっていない。しかし絵文字にはしばしば変化語尾が、丁度スメルの表意文字についている楔形文字と同じく、音節文字で書き表わされている上に、時々どういうわけかわからないが、表意文字の表わしている語の外の部分も音節文字で書いてあることもある。これらから推測されることは、ヒッタイト文字の裏にひそむ言語は、楔形文字ヒッタイト語に近い印欧語族のある言語であるらしいということであった。

ヘルムート・テオドール・ボッセルト

運命の女神は、しかし、突然、思いがけない幸いを下した。一九四五年、ボッセルトはイスタンブール大学から派遣されて、古代文化の遺跡を尋ねて南東トルコを旅行中、タルソスの近くで、牧人からカディルリ Kadirli 市の附近にあるという「獅子石」の噂を耳にした。獅子は、言うまでもなく、ヒッタイトの象徴として好んで用いられた動物である。ボッセルトは一九四六年二月、その石を求めてカディルリを訪ね、いろいろと人に尋ねた結果、ただ一人、トルコ人の学校の先生エクレム・クシュジュ Ekrem Kuşçu だけが石とそのあり場所とを知っていることが判明した。彼は既に幾度かその場所を訪れたことがあり、案内を申し出た。こうして長い騎馬の末に、ボッセルトがそこに行ってみて、見出したのがヒッタイト文字刻文とセム語系のフェニキア語との対訳刻文だった。この場所はカラテペ Karatepe「黒い山」と呼ばれ、古代のキリキアを流れるピュラモス川、現在のジェイハン Çeihan 川岸の紀元前八世紀末のアシータワッダ Asitawadda 王の宮城址だったのである。この城塞には南北に二つの入口があり、共に廊下を通ってそこに達するようになっているが、この二つの廊下の両側は刻文のある石板によって蔽《おお》われ、左側にはフェニキア文字、右側にはヒッタイト文字が彫ってある。刻文の内容は両者共に同一であって、更にフェニキア文字の刻文は地上に倒れていた像の上にも発見された。

一九四七年秋のこの発見の報告はまことに学界を震駭《しんがい》させた。人々は終にヒッタイト文字のロゼッタ石を発見したと思ったのである。これほどの長い刻文が、七十年間の学者たちの絶えざる努力にもかかわらず、発見されなかったことは、まことに不思議であったが、更にこの場合には、このカラテペの貴重な刻文は、ロゼッタ石とは全く異なり、ヒッタイト文字の謎を解く鍵というよりは、長年月の多くの学者の努力の結果が正しかったことの喜ばしい証明者となったのである。しかしこの石は十五の音節文字の音価と二十五ばかりの表意文字の意味を新たに教えた。更にこの石は音の表わし方に色々なわれわれの知らなかった方法があることを教えた。丁度楔形文字の場合のように、ヒッタイト文字も同じ音節を色々な符号で書き表わすことが出来る。また語の結合の仕方についてもこの石は新しいことをわれわれに伝えた。

この城塞の建設者アシータワッダは自らダナニイム Dananiyim 王で、キリキア王アワラクス Awarakus の支配下にある領主と称している。アワラクス王はアッシリアの楔形文字文書中のアッシリア王ティグラート・ピレセル王に降参したウリッキ Urikki またはウリアイク Uriaik のことである。アシータワッダは「しかして余は Mpš 家に害をなせる匪賊の主領なる悪人共のある東方の境のあらゆる端々《はしばし》に堅固なる城塞を築き、余、アシータワッダは彼らを蹂躙せり」「しかして余はこの都市を築き、これにアシータワッディヤ Asitawaddija なる名を与えぬ」と碑文の中で誇らしげに言っている。碑文の言うダナニイムの王国はアダナ Adana 平野、即ちシリアとキリキアの境にあった。

ここで直ちに気付くのは、ダナニイムなる名がギリシアのホメーロスの叙事詩の中で、トロイア包囲のギリシア人を呼ぶ総称の一つ「ダナオイ」Danaoi に酷似していること、テル・エル・アマルナ文書中にカナンの民族ダヌナ Danuna、更に紀元前十二世紀にエジプトに侵入した「海の民族」と呼ばれる外敵の中に dnwn と、エジプト流に母音なしで表記されている民族の名もまた同じ子音をもっていることである。アシータワッダ王は自分の家をMpš 家と呼んでいる。かつて古代に、ジェイハン川岸、タルソスからイソス Issos に通ずる道にモプスーヘスティアー Mopsuhestia「モプソスのかまど」と称する一市があり、しかもモプソス Mopsos はギリシア神話ではキリキアのマロス Mallos 市を建設した名高い予言者である。このような類似の名は或いは偶然の一致かも知れない。ダヌナ－ダナオイの関係にしても、未だ確実とは言い得ない。しかし、ここにも、ヒッタイト楔形文字文書の中に見出される Aḫḫijawā 国とギリシアの Akhaiwijā（ホメーロス中のギリシア人のいま一つの一番一般的な総称アカイオイ Akhaioi, Akhaiwoi から作った女性形容詞）国の関係と同じく、確証はないが、このように比定すべき相当な根拠があると言ってよいであろう。

以上にその解読の歴史を辿ってきたヒッタイト文字は、普通ヒッタイト聖刻文字 Hittite hieroglyphs と呼ばれているけれども、これはエジプトの聖刻文字とは全く別物で、われわれの知り得る限りでは、どの系統にも属さぬ、ヒッタイト独特のものである。

ヒッタイト文字碑文最古の確かな例は小アジアのボガズケイよりも更に奥の、かつて非常に古くからアッシリア商人の根拠地となり、多くの楔形文字文書が出土したキュルテペ Kültepe の遺跡出土の甕上に見出されたもので、紀元前一八〇〇年に帰することが出来る。ソロイ Soloi 出土の印章もまた同時代、或いは更に古いかも知れない。ヒッタイト王テレピヌシュ Telepinuš（凡そ前一六五〇年）時代のイシュプタフシュ Išputaḫšu の印章がこれにつづいて古いものである。ヒッタイトの全盛時代（古帝国紀元前一六〇〇—前一四七〇年頃、新帝国紀元前一四四〇—前一二〇〇年頃）には、この文字は楔形文字と並んで記念碑や印章に使用されていて、小アジア奥地の高原地帯から西方は海に至るまでの各地で発見されているが、大部分の碑文はヒッタイト帝国以後の年代に属し、最新層は紀元前八世紀にまで降る。従って碑文間には年代的に大きな開きがあり、例え同じ言葉で書かれてあっても、相当な年代的な差があると考えなくてはならないのであるが、大帝国時代の碑文は未だに殆んど全く読めていない。

ヒッタイト文字は楔形文字やエジプト文字と同じく、表意文字、音節文字、指示文字とから成っていることは、既に述べた通りである。表意文字には、時には簡単に様式化されて、例えば「神」、「家」のように、絵としては全くわからない形になっている符号がある。また斜に書かれた短いひと筆でもって、楔形文字と同じく、人名を指示している。

書く方向は、例えば第一行目が横に右から始まっていると、第二行目は左から右へ、三行目はまた右から左に向かい、文字の向き方もまた交互に変わっている。これはかつて古代ギリシアにもあった書き方で、これをギリシア語で「ブーストロペードン」bustrophedon「牛の方向転換式」、即ち牛に鋤《すき》をつけて耕作する時と同じ方式、と呼んでいる。

この文字の解読が進むにつれて、この文字で誌した言語がヒッタイト楔形文字文書中のルヴィ語に非常に近いことがますます明らかとなりつつあり、中には「東ルヴィ語」という名を与えている研究者もある。動詞の変化はルヴィ語と全く同じく、名詞や代名詞のそれは多少の相違はありはするが、酷似し、また多くの同じ語がルヴィ語とヒッタイト刻文の間に認められる。例えば harmahi-「頭」、tada-「父」、usa-「年」、aia-「なす」などは、この例である上に、楔形文字ヒッタイト語の同じ意味の言葉とは異なる点で注目に価する。

紀元前八世紀までルヴィ語或いは同じ系統の言語が北シリアからキリキアにかけて話されていたこと、紀元前一九〇〇―前一二〇〇年の頃にアナトリア奥地の高原に、バビロンにまで攻め寄せて、その王朝を倒し、シリア・パレスティナでエジプト王と覇を競った強力なヒッタイト王国があり、同じ印欧語族のルヴィ語やパラー語が同時に存在していたことの発見は、古代におけるこの地方の言語に関するわれわれの考え方を一新した。その後の研究では、更に、古代ギリシア人の歴史の初期に彼らの小アジア西海岸の植民地と接していたリュキアの言語もまたこの同じ言語群に属することを証明した。この言葉はギリシア文字から借用して、それに必要な幾つかの文字を加えたアルファベットによる百五十ばかりの碑文によって知られているが、その動詞や名詞の変化語尾がヒッタイト語のそれと一致するだけではなしに、例えばリュキア語の aiti「彼はなす、作る」(ルヴィ語、ヒッタイト刻文の aia-)、prñnawati「彼は建てる」(ヒッタイト語の parna「建築物」)など、語彙にも明らかに共通なものが認められる。

リュキアに隣接するリューディアの言語も五十余の同じくギリシア文字起源の文字を用い

た碑文によって伝えられているが、これもまたヒッタイト・ルヴィ系統の言語の一つであるらしい。これらのアナトリア諸言語は、古くヒッタイト語がそうであったように、土着のハッティ語やフリ語の影響を甚しく蒙っていて、その語彙は外の印欧語族の言語とは比較にならぬくらいに土着の言語が入っていて、その印欧語的な様相が失われているけれども、なお文法形態や代名詞、接続詞などに疑うべからざる印欧語族の形が残存している。

ヒッタイト文字刻文の大部分はヒッタイト帝国崩壊後の年代に属し、楔形文字ヒッタイト語とは違った方言により、前十二―前八世紀の近東に歴史的記録がとぼしい時代に属しているので、カラテペ碑文が発見された時の研究者の期待は大きかったが、一地方の小大名の残した記録は、到底かつての強大なヒッタイト帝国の支配者たちが残した文書のようには歴史の解明には役立たなかった。しかし、ルヴィ語がこのようにアナトリア西部にまで拡がっていたことは、ヒッタイト文字刻文によって証明されたのであって、ここに再び学界ではルヴィ語と第六章で紹介するクレータ島文字の中の線文字Aの言語との関係、ひいてはギリシア先住民族ルヴィ人説まで提起されている。もちろんこれは未だ試験的な全くの仮説にすぎないけれども、この説が生まれる歴史的な根拠の一つにヒッタイト文字刻文とその言語が存在している。アナトリアには未発掘の古代遺跡が未だに無数にあり、いつ何時《なんどき》新資料が出土するかわからない。かのアルザワ書簡の国の言語資料はないものかと、学界は発掘をかたずをのんで見守っているのである。

第五章　ウガリット文書の解読

十九世紀にメソポタミアとエジプトで多くの考古学的発見が重ねられた後、考古学者たちが、両地域の中間に位置するパレスティナとシリアの土地にその注意を向けるようになったのは当然である。もっともこの地域では、メソポタミアやエジプトとは違い、大きな建造物を発見しうるとの期待は始めからなく、旧約聖書の傍証になるようなテキストの発見が望まれたのであった。そして事実紀元前九世紀の中頃に由来するモアブの王メシャの石柱、エルサレムにおけるシロアム刻文の発見についで、いわゆるサマリアの陶片《オストラカ》やラキシュにおける貴重な土板の出土をへて、一九四七年の死海文書の発見にまで至っている。以上はトランス・ヨルダン地方を含めてのパレスティナにおける主な発見だけをあげたのであるが、シリアにおいても一九二〇年以後のビブロスの発掘はフェニキア・アルファベットのテキストを出土した。その中では有名なアヒラム王の石棺刻文が最も古いものとされるが、正確な年代は争われている。いずれにしても紀元前十世紀以前に遡る、と思われる。しかしシリアにおけるこの種の発見で、量質ともに最大のものは、この章でわれわれが詳しく取り扱いたいと思う北シリアにおけるウガリット文書の発見であった。

シロアムの池で発見のヘブライ語刻文

キュプロス島にあい対するシリアの海岸にラスシャムラと呼ばれる旧址《きゅうし》があり、それはこの地方の中心地ラディキエー（フランス名ラタキエ）の北十二キロの地点にある。ラスシャムラとは元来「ういきょうの高処《たかみ》」の意であるが、二つの廃墟を持ち、一つは「ミネト・エル・ベイダ」（白い港、後のギリシアの地理書でもリューコス・リメーンと呼ばれる）といわれる自然港のすぐ近くで、海岸に沿い、他はそこから東に九百メートル程へだたった所にあって、これが本来のラスシャムラの地点である。

一九二八年の春、この地方の一人の農夫がミネト・エル・ベイダで土地を耕していたとき、その鋤《すき》の先が石にぶつかったのがきっかけで、そこに多くの土器が発見され、同様の発見が本来のラスシャムラの旧址でもなされた。一九二九年になって、フランスの考古学者クロード・シェファ Claude Schaeffer とジョルジ・シュネ Gorge Chenet によって、この

ミネト・エル・ベイダの湾とラスシャムラの発掘場所
（飛行機上からとったもの）

ラスシャムラの発掘は本格的に始められ、第二次大戦勃発の直前まで続けられ、戦後も一九四八年以後再びシェファによって再開された。その後十数年、この地の発掘はまだまだ完了してはいないのである。

すでに一九二九年に本来のラスシャムラの主な旧址で神殿の跡が発見され、それがバールの神殿であることが間もなく分かった。この神殿の東側から数多くの土板が発見され、その上に楔形《くさびがた》文字が書かれており、この場所は年とともにますます明らかに、中心的な「図書館」いわゆる記録保管所《アルシーヴ》であったことが分かってきた。戦後の発掘はこの中心的なアルシーヴ程大きくはないが、なお三つのアルシーヴを掘り出した。

アルシーヴで発見された多くの土板がラスシャムラ研究の中心になったことは当然であるが、シリア古代局の長であったフランスのセム語学者、シャルル・ヴィロロー Charles Virolleaud は当初からこの土板の研究にたずさわり、一九二九年九月にパリの刻文学士院で最初の報告をし、雑誌「シリア」誌上に土板のテキストを次々に発表していった。この土板の楔形文字にはわれわれが第三章で接したメソポタミアの楔形文字の土板も少しはあったが、大部分は三十字程の未知の楔形文字であった。

なおこのラスシャムラの地が、アマルナ土板その他の古代の記録にでてくる「ウガリット」の町であったことは、すでに一九三〇年にスウィスのE・フォッラー、アメリカのW・F・オルブライト Albright によって明らかにされ、すべての人の認めるところであるから、われわれもこれから「ウガリット」とよぶことにする。

ウガリットの楔形文字の解読は土板の発見後驚く程すみやかに行われた。ヴィロローの発表した最初のテキストは「シリア」誌の第十号（一九二九年）に掲載されたのであるが、これは実際には少しおくれて一九三〇年四月に世に出た。これらの最初のテキストは「ラスシャムラ一九二九」の略称で知られるものである。ところが一九三〇年四月の終わりには、ハレ大学のセム語学の教授ハンス・バゥアー Hans Bauer（一八七八—一九三七年）は「シリア」の編集者ルネ・デュソー René Dussaud に、解読が大筋において成功した旨を書き送

ウガリット土板（出土の状況のまま）

り、それから二、三日たって、具体的な個々の成果を書き送っているのである。それに基づいてデュソーは一九三〇年五月二十三日のパリの刻文学士院の例会でそれを報告した。学士院の記録には次のように記されている。「ルネ・デュソー氏は学士院に次のことを報告する。ハレ大学教授バゥアー氏は、一年前にシェファ、シュネ両氏によりラスシャムラで発見され、その公刊がヴィロロー氏にまかせられた謎にみちたテキストを解読することに成功した。一部は非常に断片的なこの土板はヴィロロー氏によって編集され、非常に正確に筆写された。同氏はそこにセム語のテキストを認めた。バゥアー氏

ハンス・バゥアー

は注目に値する鋭さをもって、この言語がフェニキア語であること、ビブロス、シドン、ツロで用いられていた方言とはかなり違うフェニキア語方言であることを発見した。この楔形文字の含む二十六ないし二十七字の中、バゥアー氏は約二十を決定することが出来た。だから全部の問題が解けたわけではないが、決定的な一歩はふみ出されたのであり、ラスシャムラのアルファベット文字は紀元前十二世紀に、本来の意味のフェニキア文字の模型に従って造られたものであることは、もはや疑いをいれない」。この報告でバゥアーの業績は明瞭であるが、ヴィロローがこの楔形文字の言語が始めからセム語であると認識したようになっているのは必ずしも正確ではない。一九二九年九月二十日の刻文学士院への報告において、また一九三〇年四月に出た「シリア」誌上の詳論において、ヴィロローは、この楔形文字の言語はミタニ語かキュプロス語であるかも知れない、といっているが、セム語であろうかとはどこにも述べていないのである。

聖刻文字の解読の場合にヤングとシャンポリオンの間に争いが生じたことをわれわれは見たが、ウガリット文字の解読の場合にも独仏の学者の間に何かすっきりしないものが残ったのは遺憾なことである。さきに引用したデュソーの報告で、ハンス・バウアーが最初に解読に成功したことは明らかであり、フランスのエドゥアール・ドルム Edouard Dhorme とシャルル・ヴィロローはバウアーの成果を用い、その上でバウアーの足りなかった所を補ったのだ、と思われるが、フランスの学者――例えばエドモン・ジャコブ――のみでなく、イギリスの学者――例えばジョン・グレイ――、アメリカの学者――例えばサイラス・ゴードン――の如きも、ウガリット楔形文字の解読は、バウアー、ドルム、ヴィロローが三者おのおの独立に、これを成しとげたように書いているのである（E. Jacob, Ras Shamra-Ugarit et l'Ancien Testament, 1960, p.23; J. Gray, The Legacy of Canaan, 1957, p.3; C. H. Gordon, Ugaritic Manual, 1955, Part I. p.1）。それ故ここで最初に先にみたデュソーの刻文学士院への報告の後の外側の経過を簡単に辿っておこう。

一九三〇年六月四日に、バウアーは「フォス新聞」Vossische Zeitung――これはナチの時代に廃刊になった当時の有力な新聞――の附録に「新しい楔形文字の解読」を発表した。

つづいて八月二十日附の「研究と進歩」Forschungen und Fortschritte に、解読の方法について報告した。これらの内容はさきにデュソーに報告したものと大体同じものであった。この「フォス新聞」の記事によって、エルサレムにあるフランスの「聖書考古学学院」の院長であったドルム神父は仕事を進めることが出来、バゥアーの決定できなかった多くの文字の音価を決定することが出来た。その成果をドルムはその編集する「聖書評論」Revue Biblique に論文の形で発表したが、この論文の校正刷を一九三〇年九月の終わりにバゥアーに送った。ドルムは「フォス新聞」の六月四日附のバゥアーの報告に負う旨を自分でも記しているから問題はない。バゥアーはドルムの論文の校正刷を入手したとき、丁度ハレのマックス・ニーマイヤー社から、「ラスシャムラの楔形文字土板の解読」Entzifferung der Keilschrifttafeln von Ras Schamra を出版しようとしていたので、ドルムの仕事を「重要な追加」としてこの書物に附加することが出来た。さらにバゥアーは「東洋学文献新聞」Orientalistische Literaturzeitung の一九三〇年度十二月号と「ドイツ東洋学会雑誌」Zeitschrift der Deutschen Morgenländischen Gesellschaft 一九三〇年の最後の号に解読の現状について報告した。ヴィロローにも六月四日の「フォス新聞」のバゥアーの報告はバゥアーのいうところによれば知られていたはずであるが、ヴィロローはそのことには少しもふれないで、彼の用いることの出来た未発表の新しいテキストによって、バゥアーの解読と違う解読の結果を公表したのである。すなわち一九三〇年十月三日の刻文学士院の報告——

議事録では一九三〇年の二七六頁以下——でヴィロローは次のように述べた。「私はシェファ、シュネ両氏が上部シリアのラスシャムラで発見したアルファベット式楔形文字の土板を解読したことを学士院に報告する。私はメレク、バール、ベン、ベート、シャーローシのようなセム語の特徴を持つ語を多く解読した。H・バゥアー教授も同様の結果に達し、ラスシャムラの言語がセム語のグループに属すると結論した。しかし今までのテキストは余りに少なく、また断片的だったので、不明な点が多かった。今年になって出土した記録は価値が高く、それにより今までの困難が解決されたのである。私は三つの重要な字を確定しえた。kmsは私のように読むべきで、バゥアーのようにvkmと読むべきではない。私はまたpをsに、qをpに改めるように導かれ、またṭの正確な音価を認識した。今日二十八字中二十六字が確定的となった」というのである。この報告でヴィロローがバゥアーの研究成果を全然用いなかったかのようにいっていることは事実に反すると思われる。勿論ヴィロローがバゥアーとは独立に同様の結果に達していたことが不可能とは言えない。しかしヴィロローは六月四日の「フォス新聞」の報告を見なかったとはその後もいっていないのである。バゥアーの言うところ、さらに一九三一年九月の国際東洋学者会議のバゥアーの講演に対する消極的反応からみても、ヴィロローはバゥアーの六月四日の報告を知っていた、と思われるのである。その点ヴィロローの態度は明朗さをかくように思われる。彼がバゥアーとは独立に同じ成果に達していたとしても、「フォス新聞」の記事についての何かの言及があるべきであった、と思われるのである。解読の先後ということはかなり微妙な問題であり、バゥアーも一九三二年の著書の巻末に、ドルム、ヴィロローを含めての解読の経過を細かく報告しているのである。彼はドルム、ヴィロローの解読に対する寄与を認めつつ、解読の先鞭をつけたのは自分であることを主張している、と思われる。それは上にふれた一九三一年九月ライデンで開かれた第十八回国際東洋学者会議の席上バゥアーの行った講演でもすでにいわれたことであった。すなわちこの講演でバゥアーは自己の研究成果を語り、ドルム、ヴィロローのそれへの寄与を語った。ウガリット楔形文字解読の最初の主な仕事がバゥアーによってなされたものであったことは、この会議の友好的な空気自身がそのまま認めたことであったのである。

一番微妙な問題はヴィロローが「ラスシャムラのアルファベット字土板の解読」Le Déchiffrement des tablettes alphabétiques de Ras-Shamra と題し、「シリア」の一九三一年の最初の号に発表した論文をめぐっているように思われる。彼は一九三〇年十月の学士院の報告の前にバゥアーの「研究と進歩」の「予備的覚書」を見て、自分のそれまでになしとげていた解読の結果と比べ、をバゥアーはk w g z mと読んでいたが、自分はm k ḫ ṣ sと読んでいた、といっているのである。つまり十月までにヴィロローはバゥアーと独立に、バゥアーより正確な解読をなしとげていたことになる。しかし「フォス新聞」の記事についてはヴィロローはふれない。バゥアーはそれをヴィロローは見た、という。ここに最後の問題があり、われわれはバゥアーのいうところに従い、ヴィロローは「フォス新聞」の記事に示唆《しさ》されてその解読を具体的に始めたのだ、と考えたいのである。

以上のような見解はハレ大学におけるバゥアーの同僚、現代におけるフェニキア研究の第一人者である旧約学者オットー・アイスフェルト Otto Eissfeldt が「ハレ新報」Hallische Nachrichten の一九三一年九月十九日附の紙上に公表したバゥアーのためのアポロジーとも一致するもので、この新聞の記事が仏英米その他の学者に充分注意されなかったのは残念なことである。勿論わたくしもドルム、ヴィロローがバゥアーと独立に仕事を進めていた部分がなかった、と断定しているのではないが、彼らの仕事がバゥアーの仕事を知らずになされたとは信じないのである。

このような立場に立って、以下に解読の経過を具体的に辿ってみよう。

最初はシェファとシュネによるラスシャムラの最初の土板の発見で、それは一九二九年五月十四日のことであった。ヴィロローがそれについてパリの刻文学士院に最初の報告をしたのが、同年九月二十日で、その内容についてはある程度前述したが、補っておくべき点は次のことであろう。ヴィロローはこの土板は紀元前十四ないし十三世紀のものとし、バビロニア語及び他の未決定の言語による記録であり、後者は十二の土板と二十程の断片を含む、と報告している。また青銅の斧がいくつかあり、それに短い銘が刻まれている。未知の文字はアルファベット文字であろう。語は垂直の線で分けられているが、この文字の解読は非常に困難であろう、といっている。

ヴィロローは一九三〇年二月十四日にも前年九月二十日の報告と大体同じような報告を「アジア協会」で行ったが、ここでは文字は二十六ないし二十七字である、といい、語は短いから母音は表記されていないであろう、という正しい観察を下している。また解読は困難な状態にあるが、多分キュプロスやエーゲ海の世界の方に研究の方向を向けるべきであろう、といっていることは注意してよい。

一九三〇年四月に一九二九年出土のテキストが「シリア」誌上に発表されたことは前述の通りであるが、バゥアーはそれを入手して数日後に解読の大筋をなしとげ、四月二十八日にはデュソーに最初の通告を行った。

発表された楔形文字テキストはロゼッタ石のような、他の既知の言語による同文テキストを持たず、ペルセポリスの刻文のような、外側の理由から分かるような固有名詞をも持たなかった。何語であるかすら分からなかった。土板の発見された地方から考えれば、ミタニ語、キュプロス語であるか、とも思われた。あるいは一言語に限らないかも知れず、事実また後で分かったようにそうであった。テキストの内容を知るための何らの手がかりもなかった。このような状態であったが、バゥアーが解読に成功したこと、しかも極めて短時日の中に解読に成功したことは驚くべきことで、それは彼の特別な才能とセム語全般の深い造詣《ぞうけい》、ことにバゥアー自身のいっているように、かつてシナイ刻文の解読を行った時の経験が大いに物をいったのである。バゥアーの「新発見のシナイ文字の解読とセム文字アルファベットの成立について」は一九一八年に出ており、シナイ文字の解読は材料が少ないためにその成果が確保されないとしても、バゥアーの用いた「帰納的方法」の可能性は今度のウガリット文字解読によって示されたと言えるであろう。いずれにせよバゥアーがウガリット楔形文字解読に用いた方法も、外証によらず、彼が「純粋に組合わせによるもの」rein kombinatorischとよんだ方法によるものであった。それが何を意味するかは、以下にのべる解読の過程から知りうるであろうが、この組合わせの方法の成功はアイスフェルトも指摘するように、バゥアーの数学的才能と無関係ではない、と思われる。

バゥアーは先ず新しいテキストが、前述したアヒラム刻文と同じように一つの垂直の楔《くさび》によって語と語を分けていることに注目した。この分離記号は間違った位置に置かれている場合もあったが、概して正確であった。この記号によりバゥアーは一語の長さを知ることが出来た。それによると語は多く三つないし四つの文字からなり、五つの場合は稀であった。五つ以上のときは、分離記号が落ちたものと考えられた。二つあるいは一つの文字からなる語もあった。また接頭字、接尾字が多く用いられているらしいことにもバゥアーは気付いた。そこで彼はこの未知の言語の構造がセム語の構造に非常に似ていることを認識したのである。そこでこの言語がセム語である、という作業仮説をたてて、解読にとりかかった。

バゥアーは先ず分離記号に助けられて接頭字、接尾字、一字語を確定した。

先ず接頭字として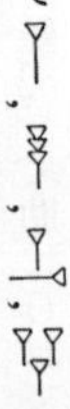（この最後のものには異字としてがある）、、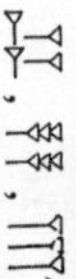、接尾字としてが取り出され、一字語として（または）、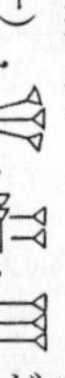が確定された。この言語が西部セム語であると想定すると、西部セム語の接頭字としては、y m n t（さらにb h w k lも可能）の音価が問題になりうる。接尾字としてはh k m n t（w yも可能）が問題になりうる。一字語としてはl m（b k wも可能）が問題となりうる。

このように接頭字、接尾字、一字語という三つの系列に一定の可能性が配分され、三系列を比較して考えると、次のようなことが分かった。三つの系列に共通なのは（）というウガリット文字と、w k mという音価である。それ故と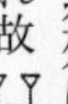はw k mの三つの可能性に限られるが、この二つのウガリット文字は非常に多く出てくるので、西部セム語の類推で考えると、kは先ず問題にならない。そこで、

は、wかm
も、wかm

ということになる。

次に前述の三つの系列から（この二つは非常によく出てくる）、（この二つはそれ程出てこない）が接頭字および接尾字として出てくること、一字語としては一度も出てこないことが分かる。音価からいうとk n tが問題になりうる。しかし西部セム語でも出てこないことが分かる。

はntが多く、kは比較的少ない。そこで、

𐎚は、nかt

𐎐も、nかt

となる。

以上を綜合すると次のような可能性が生じてくる。

w＝𐎆または𐎎

m＝𐎎または𐎆

n＝𐎚または𐎐

t＝𐎐または𐎚

ここでバウアーははじめて外証によってlを推定する。より正確にいえば、ヴィロローが「シリア」誌（一九二九年、三〇六頁以下）でもたらした成果を用いる。ヴィロローは最初に発見されたいくつかの斧に六字の一群が同じように刻まれており、しかも同じ一群が土板第十八の始めにも出てくる。しかしここではこの六字の前に𐎍という一字がある。ヴィロローはこの六字は固有名詞を表わし、土板第十八はこの人にあてた手紙である、と考えた。そこで𐎍は「誰々に」の「に」を意味し、東部セム語の前置詞anaに対応する、とヴィロローは推定した。バウアーはこれから𐎍を西部セム語のlと見た。それと二つの文字の可能性に狭められているmとを結びつけ、セム語に普通のmlk（王）という語をテキストの

中に探した（セム語では普通母音を表記しない）。これらのテキストに「王」が出てくるだろう、と考えたからである。すると事実テキスト一の中程に 𐎎 𐎍 𐎋 があり、三の終りにも ml 𐎋 が見出された。そこで 𐎋 はkだ、とバゥアーは推定した。同時にこれによってmとwが決められた。すなわち 𐎎 がmで 𐎆 がwということになった。

次にバゥアーはテキストの中に「子」（セム語 bn）という語を長い間探した。そしてついに土板十に 𐎁 𐎐 が十五回程分離記号なしにであるが、出てくることを発見した。これは名前のリストらしく、他の色々にちがう文字——これは恐らく名前——の前に出てくるらしい（「誰々の子」という意味になる）。前にみたように 𐎐 はnの可能性がある。𐎁 は接頭字として、また三の三十八行には単独にも出てくるが、接尾字としては出てきていない。そこでバゥアーは 𐎁 をbと推定し、𐎐 はnであるから、𐎚 はtということになった。この推定は全部正しかった。

bとlが分かったとなるとbaʿal（旧約にも多い「バール」の神、普通名詞で「主」）という語を見つけうる充分の見込みが生じてくる。事実テキスト十四の二行目から八行目の始めに七回もb 𐎓 lbt が出てきて、これが「バール」らしいので、𐎓 が・ということになる。「バール」の他に女性の bʿlt、複数の bʿlm を九の三行、六行に見出しうる、とバゥアーは考えた。

また一の九行には 𐎋𐎍 𐎍 klbʿlk とあり、「汝の神、汝の主」とバゥアーは考え、他のセ

ム語から ʾlhk|bʿlk とよみ、𐎍＝l、𐎅＝h と推定した。このうち前者は半分正しく、後者は正しかった。

次にバゥアーはこのような広範なテキストには数詞があるに違いない、と考えた。数字らしいものが特に見つからないから、数詞も普通の文字で書いてある、と考えられた。そこでセム語の šlš は l が分かっており、š がその前後にくるので見つけやすいと思い、探してゆくと、六つの個所に 𐎌l𐎌 とあり、三の二行目には b𐎌l𐎌t が、次の行には b𐎓𐎗bʿt があった。三と四とその前の前置詞 b であるらしい。四はセム語で ʾrbʿt である。故に 𐎌 は š、𐎓 は ʿ、となり、𐎗 は r となった。ここで四の ʾrbʿt の ʿ と「神」ʾlh の ʾ とが違う字で書かれていることの理由は分からなかったが、バゥアーが contra factum non valet argumentum（事実に対しては推論は役立たぬ）という態度をとったことは正しかった（以後 𐎓 は ʿ と転写された）。

以上のような多くの文字の解読は高度の確からしさを持っていたが、まだ仮説的性質のものであり、更に多くのテキストでその有効性を試してみなければならなかった。この段階で五の一行目に ʿštrt（女神「アシュタルテ」）を見出し、二の十二行、十八行の終わりに、khnm（祭司達）を見出したので、バゥアーは解読が正しい道程にあることを知り、他の文字の決定ももはや時間の問題である、と考えた。

このような確信に達した後バゥアーは前述の斧の一つの上に書かれている文字に向かっ

た。ヴィロローがすでにそれが「斧」を意味する語を表わすものと推定していた。それは、𐎃𐎗𐎕𐎐の四字であって、二番目と四番目はrとnであり、「斧」の普通の名詞はgrznであるから、バウアーは𐎃はg、𐎕はzとしたのであった。しかし本当はウガリット語の「斧」はヘブライ語 garzen と、アラム語 ḥassīnā の中間の如きもので ḫrṣn（母音を入れてよむと ḫarṣin とすべきか）であった。

次に十九の十六行のʾ𐎈 tḷ ʿštrt から𐎈が分かった。先行する行及び続く行にもʾ𐎈 tḷが他の名前と一緒に出てくる。それで「一つはアシュタルテのため」の意であろう、と考えて、「一つ」の女性形 ʾḥt から𐎈はḥとされた。なおこの土板十九には三回もこの女性形があり、二十九の一、二、三行の終わりにはそれぞれʾḥ𐎄というその男性形ʾḥdらしきものがあるので、𐎄はdと推定された。これは二の二十四行その他に𐎄bḥ|n𐎄bḥとあり、dbḥ|ndbḥ（われわれの犠牲をわれわれはほふる）と読めることで確かめられた。

次に𐎕はz𐎕n (9,$_{4.7.14}$) z𐎕nm (1,$_{10}$) 𐎕r𐎕ʿ (6,$_{12}$) n𐎕m (1,$_{12}$) 等からバウアーはqと考えた。しかしこの𐎕については問題があった。ラスシャムラで、神の像とエジプト語の刻文をもった石柱がみつかり、エジプト学者のピエール・モンテ Pierre Montet は「Ḍpn のセツ」という神名と見なした。そこでデュソーは手紙でbʿl|z𐎕n (9,$_{14}$) の場合もbʿl|zpnと読むべきではないか、とバウアーに書いてきた。同じように、ʾl𐎕もデュ

ソーによると'lpすなわち「牛」と読める、というのである。バゥアーは五の六行以下で、この語につづき、wšlš z'n（「そして三匹の羊」と解される）とあるので、デュソーの読み方が一層確からしくなると思った。しかしバゥアーは𐎔をpと見ることが出来なかった。それは先にqを想定させるものとしてあげた多くの語がpでは意味不明となるからであった。しかしこの点はデュソーが正しかった。

𐎊については土板十六の各行の始めに接頭字としてこれが出てくる（十、十一行目では第一根字かもしれない）。y以外の接頭字はすでに決まっているから、𐎊はyであろうとされた。これは正しかった。

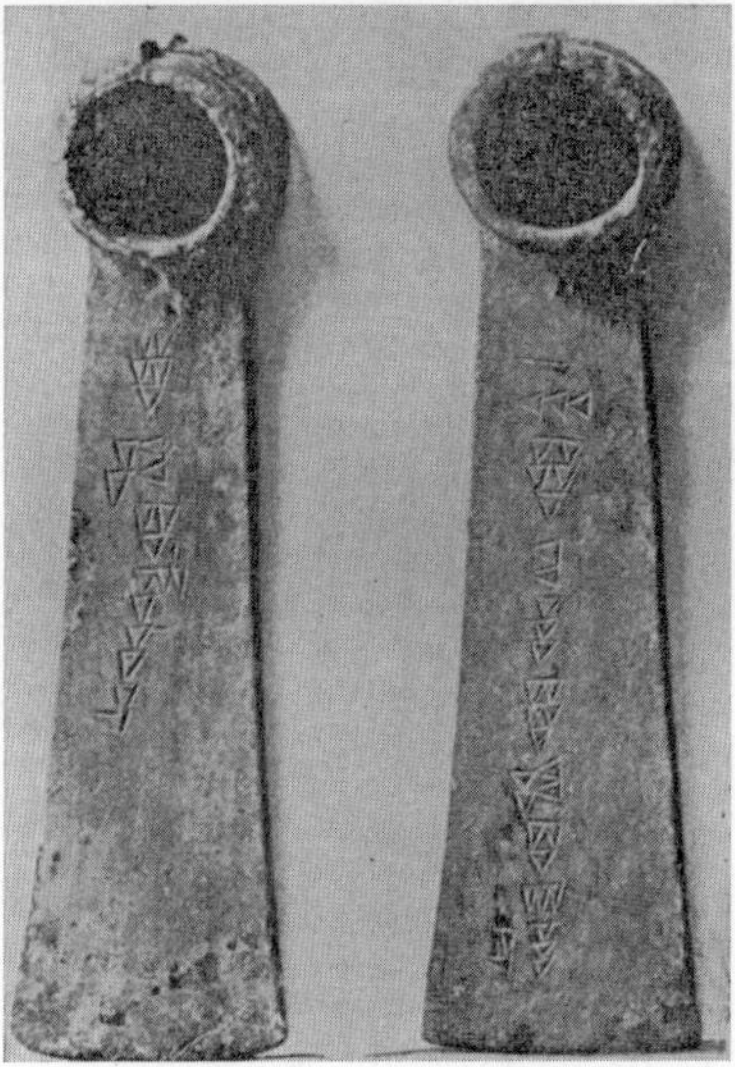

刻んだ文字をもった斧
(解読の手がかりになったもの)

𐎔をきめるのはむずかしかった。土板十の人名表の始めで三行目にbnw𐎔lnと、十一の十一行でbn𐎔l〔n〕（括弧内のnは補ったもの）とあるが、𐎔をpとすると、ヘブライ語 pelônî、アラビア語 fulân（「ある人」）に応じて意味がとれる、とバゥアーは考えた。

このようにしてバゥアーは二十の字を一応決めたのであったが、残った文字については特殊な困難を感じた。というのは未決定の文字はそのまま他の欠けている音価にそれぞれ応ずる、というようなものではなく、丁度ʿに対してとという二つの文字があるように、特定の一つの音でなく、多くの類似の音を二つ以上の文字が表わすのだ、とバゥアーは考えたからである。このような正書法における不正確という事はバビロニアの楔形文字からも知られていることだ、と彼は思ったのである。しかしこのバゥアーの考えは一部は当たっていたが、決してそのままに正しいものではなかった。というのは、後で分かったように、ウガリット語の音韻はヘブライ語――少なくもその正書法における――の場合などよりはるかに正確に原始セム語の音韻を保っていて、その点アラビア語に近く、決して正書法の不正確ということではなかったからである。例えばウガリット語はヘブライ語と違い、ḥとḫに別々の文字を持ち、ʿとġを区別して書くのである。バゥアーが、ʿに二つの書き方がある――事実は後述のように三つある――ということ、しかもその区別の理由が不明ということから、他の文字に対しても、正書法の不正確という風に考えたことは、残った文字の決定にあたって当初から彼に禍いした謬見《びゅうけん》であった。

例えば彼は後に第三のʿと判明したをと同じ音価であるらしいといい、zb 

(3,$_{47.53}$) は zbḥ だろうから、といっている。さらに同じような交替を と（k）（これは実はmである）との間にすら認め、w（37,$_{7}$ 46,$_{4}$）=w（1,$_{6}$）と考えている。否さらに（q）（これは実はpである）とも交替する、とすら考えた、ḡr (2,$_{19}$) を ḡr（1,$_{12.17}$）と同じと考えた（ともに「祭司」というような意味を持つ外来語を想定した）。そして結論として をアラビア語の خ（ḫ）と同視する理由はないので、これをḫと転写する、といっている。をḥとしたのと、文字の相違を示すためにḫとしたのであって、音価を区別しているのではない。

についても dl（12,$_{1}$ 48,$_{3}$）dlm（1,$_{11}$）dlt（1,$_{3}$等々）dn（19,$_{5}$）などでgが一番よく合う。ところがgはすでに で表記されているからġとしたい、といっている。この二つの文字も交替するらしい、としてqr（1,$_{12.17}$）とqr（17,$_{7}$）をあげている。

に対しては明確にきめられない、としてzn（3,$_{50}$）などから、一応ġとした。

わずかに三回でてくる はp に近い音らしく、g wn（12,$_{1}$）はg wn（12,$_{3}$）に応ずるものとし、p̄と転写している。

と に対しては今までの材料では不明である、として、ただ前者は歯擦音《しさつおん》、後者は破裂音であろうか、という。

最後に と はともにwだが、前者は接続詞のw、後者はその他の場合にでてくる、といい、後者をw̄と転写している。

以上がバウアーが独力で一応到達した解読の成果であり、デュソーへの報告、「フォス新聞」の発表はこれに基づいており、ことに、一九三〇年十月初めに公刊された「ラスシャムラの楔形文字土板の解読」の本文の内容であった。「フォス新聞」の記事で、バウアーは二十七字のうち二十は確実に、四つは恐らく確かに、決定された、と述べているが、実際には十七字が正しかった。十月公刊のバウアーの著書の出る少し前に、ドルムはその解読の成果をバウアーに知らせた。このドルムの成果は「聖書評論」の三十九巻に掲載され、九月末にでたのであるが、ドルムは校正刷をバウアーに送ったのである。ドルムは秀れたセム語学者、旧約学者であり、すでに解読の仕事を多くやってきたヴェテランであった。ドルムのウガリット文字の解読はバウアーとは独立になされていたが、バウアー程進んではいなかった。彼も例の斧の名前と土板十六の名前の一致、その土板の名前の前の一字をlとすることから出発し、土板十四にしばしばでてくるb'l（バール）を見つけ出した。このbからbtとよむべきところをbnとよみ、逆にbnをbtと読んでいたが、アメリカのオルブライトから六月四日の「フォス新聞」を受け取り、その間違いを正すことが出来た。また彼自身いうように、バウアーに助けられて、土板十八の始めをl rb khnm (au chef des prêtres) と読んだ。ドルムはバウアーの成果を知らないでも、独力で解読をなしとげ得たかも知れない。しかし幸か不幸か「フォス新聞」を彼の仕事の中途で入手したので、彼の仕事は主として、バウアーの仕事の訂正という意義を荷《にな》うことになった。勿論彼はある程度バウアーと独立に正しい成果に達していた点もあった。バウアーにとって非常に不幸であったのは、一九二九年のテキストで、接尾字に注目した彼の方法にとって極めて運の悪いことがあった。というのは一字語の（š）（羊）が少なくも十二の個所でその前に分離記号を持たず、そのためバウアーはを始めから接尾字として取り出さざるを得なかった。北セム語の接尾字にはšはないので、バウアーはをšとすることが出来なかった。一九三〇年のテキストを見ればが接尾字でないことはすぐ分かったろう、と後でバウアーは一九三二年の著書で書いている。ドルムは接尾字に注目する、という方法をとらなかったので、を「羊」として正しくšと読むことが出来た。ドルムはその論文の後書《あとがき》で、彼とバウアーとの差はkmšである、と述べている。ドルムはkmをバウアーとは逆に読んだのであるが、この点はドルムが正しかった。

バウアーはドルムの校正刷によって、その著書に「追加」をした。

さらに整理された形で一九三〇年十月のアルファベットが出来上がった。「東洋学文献新聞」一九三〇年一〇六二欄以下に発表されたもので、ドルム神父の業績に基づいて訂正されたアルファベットである。

それによるとバウアーはドルムによって，，，，をmp（これはデュソーの提案でもあった）kšsとした。もドルムによりqとした。はṣとした。さらにbyr（3,$_{1}$）（月の中に）、šqlrṣ（5,$_{10.13}$）（一シェケルの金）などからみて＝ḫとし

た。šql|ksp|b（5,12）（一シェケルのよい銀）などからをṭとした。はと交替するのでsに似た音とされた。以上のようなことで次の表が出来上がった。これはバウアーのいわゆる「一九三〇年十月二日のアルファベット」で、これをバウアーは一九二九年の不完全なテキストだけに基づいて作ったことを、われわれは改めて注目しなければならない。

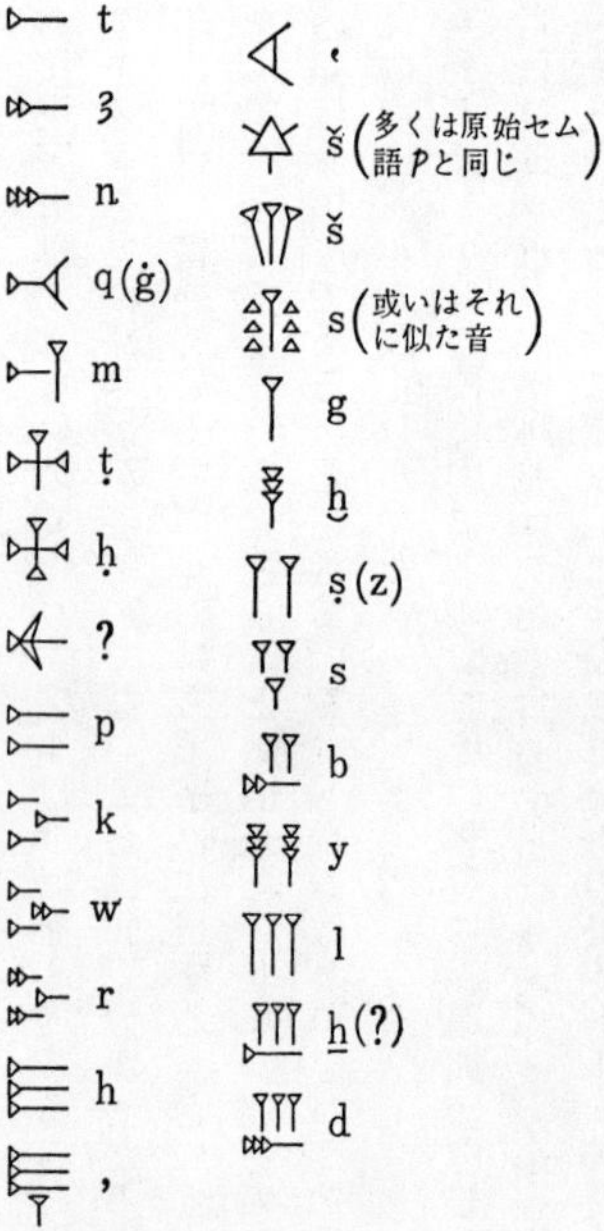

最後にバウアーは今年（一九三〇年）の出土品は広範囲のもの故、このアルファベットが少し変えられるかも知れない、と付け加えている。

一九三〇年の出土品をも用いて、ヴィロローは十月三日刻文学士院で解読の報告を行った。それについては前述したが、直接新たに解読された文字についてのべるとは三番目の，であり、はの異字ではなく、まだ欠けているzである。さらに（p）のほかがあり、fとされた。

ヴィロローは十月二十四日にも刻文学士院で報告し、解読の方法についてのべ、また新たに解読された言語はフェニキア語に近いが、アラム語の影響がある、とのべている。彼はさらに十二月十二日「アジア協会」でも解読の報告をし、バゥアーとドルムはそれぞれ部分的に正しい結果を得ただけである、とのべていることは著しい。ヴィロローは自身のべたように、一九三〇年四、五月の新しい出土品により、解読を一応完成に導いたことは確かであるが、バゥアーより出足がおくれたことも確かである。

彼の解読の方法としてのべていることも、lから出発してmlk（王）、bʿl（バール）、šlš（三）を見出し、šlšの出てくるテキストで、同じく数詞四、五、六、七、八、十の語を解読した、というのであり、バゥアー、ドルムと同じような方法なのである。テキスト出土以来最初にそれを見ることのできた彼が長い間全然解読できなかったこと、バゥアー、ドルムの後につづいたことは彼が解読の方法を他から示唆《しさ》されたのではないかと推定させるのである。

翌三一年の一月には有名なセム語学者ハリス・トルツィーナー Harris Torczyner が「ドイツ文献新聞」Deutsche Literaturzeitung 紙上で、ウガリット文字「解読」についての全般的批判を行った。彼はこの解読はその基礎作業においても、その結果においても成功したとは考えられぬ、とのべている。解読が北セム語の指示代名詞を度外視していることを指摘し、一字語の多いことは、北セム語を想定することを疑問とさせる、といい、さらに北セム語に一番よく出てくるべき語彙を発見できない点を問題にしている。しかしこの最後の点はバゥアー自身一九三〇年の著書の終わりでふれたことでもあった。すなわち彼は解読の困難が、日常的なカナン語の語彙がそれまでのテキストに欠けている点からくることを訴えているのである。バゥアーのあげたのは npš（魂）、šlm（平安）、ywm（日）、šmym（天）、ʼrṣ（地）、šmš（太陽）、ʻbd（働く）、rʼh, ḥzh（見る）、šmʻ（聞く）、ṭwb（良い）等であった。これらはバゥアーの見落しもあり、その後のテキストで出てきたものも多い。また šmš は špš となっており、「見る」には rʼh はなく、ḥdy が出てくる。トルツィーナーのあげた反論は今日では問題にならない。彼はテキストがよく通ずる意味を与えない、というが、バゥアーは当初文字の解読に集中し、意識的にテキストを読むことを避けたのであった。

一九三二年一月終わり、ヴィロローは「シリア」十二巻に次のようなアルファベットの表を発表した。

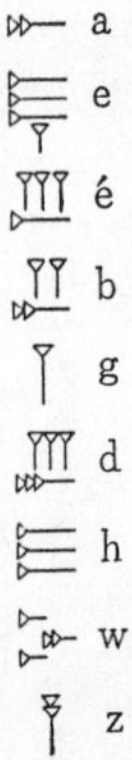

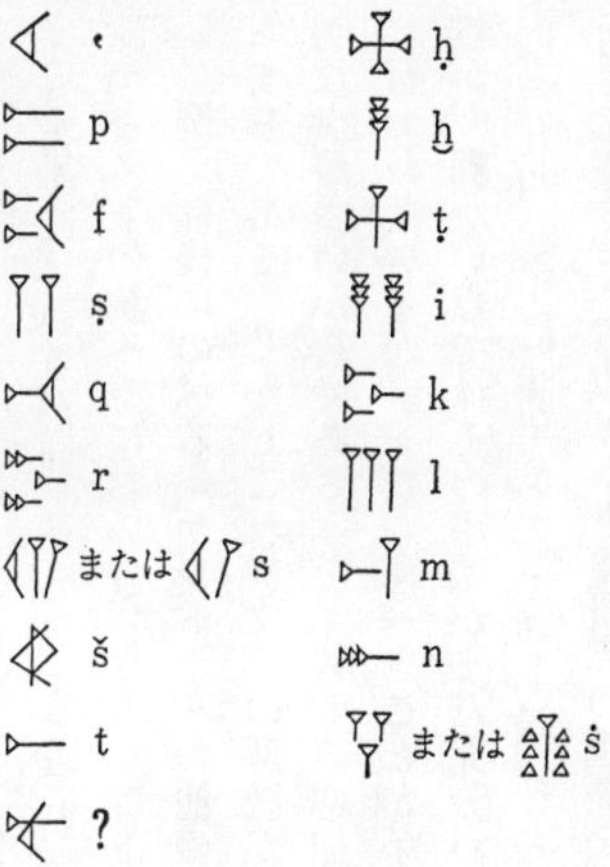

このヴィロローの発表を見た上で、バウアーはその一九三二年の著書「ラスシャムラのアルファベット――その解読と形態――」Das Alphabet von Ras Schamra. Seine Entzifferung und seine Gestalt, 1932 を書いて、自分とドルム、ヴィロローを含めての解読の経過を詳細に報告したのである。ことに附録一の「解読の日附と記録」において自分の解読とドルム、ヴィロローの仕事の関係をその日時の関係から客観的に明らかにしているが、その暗に意図するところはヴィロローの僭越な態度に対して、問題を明白ならしめようとしていることは、疑いない。

バゥアーが最初にその基本的な部分をなしとげ、ドルム、ヴィロローがこれを補充して一応完了したこの解読が正しいものであったことは、その後の大きなテキストの解読で実証された。またバビロニア語の楔形文字とウガリットの楔形文字で書かれた町の名前のリストが出土し、それによってもウガリット文字の解読が正しかったことが示されたのである。

一九三二年ヴィロローが不明として残した 𐎙 はその後ヴィロロー自身により ġ とされ、アラビア語の غ に応ずることは、アラビア語と対応する多くの語彙がこれを示す。なお異字として 𐎙 とも書かれる。またその後 𐎏（異字 𐎏 とも書かれているが同じ字）は ḏ（アラビア語 ذ）に、𐎑 は ż（アラビア語 ظ）に訂正された。また 𐎘 は ṯ とされ、𐎌 が š と決定された。

勿論テキストの読み方において、ウガリット文書の解読は充分な成果に達しているとはいえない。例えば後にのべる「ケレト」その他の有名な文書においても解釈はまだ多くの個所でまちまちである。しかしこれは文字の解読が不充分だからではなく、語彙や文の構造がまだ不明な点が多いからである。テキストの増加とともにウガリット語研究はその後ますます盛んに行われているが、まだなすべきことが多い。例えば，に三つの字が区別してつかわれているが、細かい点ではその用法がまだ充分わかっていないのは、その一例である。しかしすでに一九四〇年にサイラス・ゴードン Cyrus Gordon は「ウガリット文法」Ugaritic Grammar を書き、ウガリット語研究の基礎をおき、一九四七年、一九五五年の再度の改訂

数	文字	音価	転写
1		'a,　'â	*a*
2		'i　'î　'ê	*i*
3		'u,　'û,　'ô	*u*
4		b	*b*
5		g	*g*
6		d	*d*
7	 1)	d̲	*d̲*
8		h	*h*
9		w	*w*
10		z	*z*
11		ḥ(ح)	*ḥ*
12		ḫ(خ)	*ḫ*
13		ṭ	*ṭ*
14		ẓ(ظ)	*ẓ*
15		y	*y*
16		k	*k*
17		l	*l*
18		m	*m*
19		n	*n*
20		s	*s*
21		s	*ś*
22		ʿ	*ʿ*
23	 2)	ġ(غ)	*ġ*
24		p	*p*
25		ṣ	*ṣ*
26		q	*q*
27		r	*r*
28		š	*š*
29		t	*t*
30		t̲	*t̲*

異字　1)  と 
　　　2)  と 

版を出している。一九五五年の版により、ウガリット・アルファベットの形とその音価、転写を掲げておこう。この他にも筆記者により、テキストにより色々に変わった書き方をしている場合があるが、その詳細はここでは省略しなければならない。

付け加えておきたいことはウガリット語の帰属の問題である。これがセム語族に属することは全然疑いがない。ウガリットの地理的環境からして、セム語以外の言語の影響があることは別の問題である。しかしセム語の中でどこに位置させるべきかは未決定の問題である。

アヒラム刻文の一部

ヘブライ語と一緒にしてカナン語として総括することが正しいか。しかしアラビア語、アッカド語に近い面もあり、問題はそう簡単ではない。最近モスカティはセム語の分類を主に地理的規準で行うべきものとし、北東セム語（メソポタミア）、北西セム語（シリア、パレスティナ）、南西セム語（アラビア、エチオピア）に分け、ウガリット語を北西セム語中の「紀元前二〇〇〇年期の諸言語」中に入れ、一応カナン語、アラム語と区別している。地理的規準の外歴史的尺度をも併用しているのである（S. Moscati, Lezioni di linguistica semitica, 1960, p.10）。ウガリット語テキストが紀元前十五―前十四世紀の短い期間に限られているため、この言語の歴史が詳細には不明であり、それ故ウガリット語のカナン語その他との関係が正確に辿れず、帰属の問題が片づかないのである。ゴードンが最初カナン語の一つと見、ついで独立の語派とし、最後に西セム語の一つとしているのも問題の困難を示している。

なおウガリット楔形文字の由来については、これをメソポタミアの楔形文字から由来した、とする考え方は今では放棄された。ビブロスのアヒラム石棺刻文に見られるフェニキア文字は数も二十二字で、ウガリットの三十字よりはるかに少なく、年代的にもウガリットの方が古いと思

最初期のフェニキア刻文とその文字（ビブロス出土）

われる。しかしテル・エッドゥヴェール（昔のラキシュ）で出土した水差しに記された文字がアヒラム刻文の文字とよく似ており、これは紀元前一六〇〇年に遡りうるとされるので、フェニキア文字とウガリット文字との関係は複雑である。ウガリット文字𐎀はある少数のテキストでは円の中に𐎀とかかれ、ゴードンは第六章で扱われる線文字Bとの関連を示唆しているが、原フェニキア文字にもこれに似た文字があるのである。他方シナイのセラビット・エル・ハデムで発見されたいわゆる原シナイ文字をフェニキア文字の前身とし、原シナイ文字はウガリット文字を簡易化したものだ、という人がある（バラムキ）。原シナイ文字は一方エジプト聖刻文字から由来し、他方セム語のアクロフォニー（頭音書法）により出来たもので、これをウガリット文字と関係させるのは疑問である。またラキシュ文字の古さを考えると問題は複雑であって、カナン地方で、紀元前二〇〇〇年期前半あるいは紀元前三〇〇〇年期後半（ドライヴァー）に恐らく同時にいくつかの新しい文字をつくる試みがなされ、メソポタミアの楔形文字からもエジプトの聖刻文字からも離れた簡易な文字が成立したのであろう。ウガリットのテキスト三百二十と四百一などはウガリットの書記がアルファベットをどのような順序で学んだかを明らかにした。それはa b g ḫ d h w z ḥ ṭ y k š l m ḏ n ẓ s ʿ p ṣ q r ṯ ǵ t i u s̀の順であり、終わりの三字は追加であり、セム語以外のテキストの表記のために用いられたものであろう。この三字を除くと、後のヘブライ語及びフェニキア語のアルファベットの順序と一致するので、カナン語のアルファベットがウガリット語のアルファベットと関係することはもはや疑いを入れない。

ウガリット文字の使用はウガリット王国の領域内に限られていた。フェニキアの最北端に位置するウガリット王国はオロンテス川の河口とラタキエの南を流れるカビル川に囲まれる地域に限られた都市王国であった。フェニキアは海岸にそう狭い平野で、いくつかの川に境された諸都市王国に分かれ、相互の連絡が困難だったのである。ウガリット以外ではエルサレムの西のベッシェメシでウガリット文字によく似た楔形文字を記した土板が見つかり、またガリラヤのタボル山の附近で、十三のウガリット文字と思われる文字をもった短刀が発見されただけである。これらはパレスティナでこの文字が用いられていたことを示すものではなく、ウガリットから直接何かの理由で持ち出されたものであろう。時間的にもウガリット文字は二世紀にわたる王国の滅亡後は用いられた形跡がないのである。

このように地域的・時間的に頗《すこぶ》る限られたこの文字はウガリットで出土した多くの興味深

い文書の故に、非常に重要な意義を荷うことになった。ここではその意義を各分野にわたって述べることは出来ない。またその場所でもないであろう。ただ最近の研究の方向にそいつつ、ウガリット文書のもつ文化史的意義を一つの中心問題を通して述べることにしよう。

すでに一九三四年にオットー・アイスフェルトはウガリット文書のもつ宗教史的意義を論じ、ウガリット文書が一方聖書の世界の背景を明らかにするとともに、他方ギリシア世界と深くつながることを指摘した。アイスフェルトはウガリットの神々がホメーロス、ヘーシオドス等に見られるギリシアの神々と頗る類似することに言及し、ギリシアのヘーファイストス神がその役割において、ウガリットのコサルの神にあい応ずることにも関説《かんせつ》した。このアイスフェルトの洞察は、ほぼ三十年後の今日新たな角度から見直されつつあるウガリット研究の中心問題にふれるものと思われる。

第二次大戦後ギリシア古典学とセム語学（ここではエジプト学をも含めて）は従来の相互の孤立から脱却して、相互の連関の中に新たに多くの問題を見直すようになった。こうして聖書の世界とホメーロスの世界を正面から関係させて論ずる研究が数多く現われてきたのである。

その中でも最も聖書とホメーロスの関係づけに積極的なのは、ウガリット学者として第一線に立つサイラス・ゴードンである。彼はすでに過去十数年にわたって多くの著書・論文でこの問題を論じたが、その主張を一九六二年後半に出した「聖書以前・ギリシア文明とヘブライ文明の共通の背景」Before the Bible. The Common Background of Greek and Hebrew Civilisations, 1962で総括した。ゴードンの主張によると、聖書もホメーロスも東部地中海文化圏という共通の地域をその背景にもち、従ってこの東部地中海世界こそ西欧文明の真の発祥の地である、というのである。そしてこのようなホメーロスの世界と聖書の世界の連関を新たに示したのは実にウガリット文書の発見であり、ウガリット文学はギリシア文学とヘブライ文学を結ぶリンクである、というのである。

ウガリットの神々の世界がホメーロスの神々の世界につながることはアイスフェルトの指摘するように明らかであろう。ウガリットの神々の世界で、神々は天にあって、地上の人間の運命をつかさどっている有様はそのままホメーロスに通ずる。ウガリットの神々が愛や憎しみのような人間的感情を具有することもホメーロスの神々と通じ、ミュケーナイ時代の宮廷文化の反映であるホメーロスの神々の宮殿と同じような宮殿に住むことも看過しえない類似である。神々の宴会の有様も両者に通ずる。鍛冶と技芸の神コサルの故郷はカフトル、すなわちクレータ島であって、その点からみてもこの神がギリシアの神話につながることは明らかである。またウガリットのテキストに多くでてくる「海のアシェラ」は海の泡から生まれた（ヘーシオドス）アフロディーテーに関係するとも見られよう。

しかし他面ウガリットの神々の世界が旧約聖書と密接に関係することも指摘しなければならない。ウガリットの神々のパンテオンの最高神エールはたんにエールとして、あるいはエール・エルイォーン、エール・オーラーム、エール・カンナーその他の名前でしばしば旧約聖書に出てくることは言うまでもない。またエールの子としてウガリット文書で一番大きな役割を演ずるバールの神は、これまた旧約の世界で一番多く出てくるカナンの神である。このようにウガリットの神々が一方ギリシアに、他方旧約聖書につながっていることは明らかである。さらに、三者に共通の考え方として「神々の集い」「天の宮廷」があることに言及しておこう。ホメーロスの θεῶν ἀγορή はそのまま旧約聖書の ʻadhath ēl に意味上あい応ずる。ただしウガリットの mphrt bn il さらに phr ilm はそのままアッカド語の puḫur ilāni と同じで、この表象が古代に広く通ずることも一面否定しえない。ただわれわれが指摘したいことは砂漠の伝統に従って唯一神をつよく前面に出す旧約の宗教がこの「神々の集い」の表象を直接表現としても残していること、さらに旧約の中に「天の宮廷」の考え方が広く前提され、これは矢張り、イスラエル人がカナン人から受けついだものと思われる点である。

このようにウガリットが一方ギリシア世界と他方旧約の世界とつながっていることは、その地理的条件によるところが多いと考えられる。ウガリットはフェニキアの最北に位置し、キュプロス島とあい対している。それ故ウガリットをただそのカナン的背景からだけ見ようとする——例えばドゥ・ラングのように——ことは一面的であろう。戦後の発掘によりウガリットでミノア・キュプロス文字のテキストが出土したことを考え合わすべきである。バラムキはフェニキアのギリシアとの地理的条件の類似を指摘する。海岸線は多くの入江や湾を持ち、港として用いられるに適し、陸地は背後に山をせおい、人々は自然に海を一番容易な通路として用いるようになった。殊にウガリットはその位置上一番容易にキュプロス及び遠くエーゲ海方面と連絡し、ギリシア世界とつながることになった。線文字Bの解読はいわゆるアマルナ時代にギリシア人を東部地中海の重要な人種的要素として確立した。そしてこの時代が丁度王ニクマドを中心とするウガリット王国の黄金時代であった。さらに最近ゴードンの主張するようにクレータで用いられていた線文字Aの記録がセム語であるとすれば、セム人が古くから地中海に進出していたことが知られるのである。このようなわけで地理的・歴史的にウガリットがギリシア世界のカナンへの一番重要な入り口となったことは当然であろう。ウガリットでミノア式、ミュケーナイ式のつぼや器が多数発見され、ある人はウガリットにアカイア人のコロニーがあったと考えているのである。しかしミュケーナイ文化の影響がウガリットのみならず、シリア・パレスティナに広く及んでいることは考古学的にはすでに確定していることで、問題はそれを文献的にも確かめうるか、ということであり、ウガリットが新たな文化史的意味を荷うにいたったのも、主としてそのためである。

その点で第一に取り上ぐべきはわれわれの主題であった文字のことである。ウガリットのアルファベットが主として子音を表わし、またそれが楔形文字であることでセム人の世界につながることはいうまでもない。セム語においては子音によって表わされる三つの根字が第一次の意味の荷い手なのである。しかしウガリット文字が，と関連して母音の表記を試みて

第１欄　第２欄　第３欄

ケレト土板の一部

いること、われわれのみたように'ă'ĭ'ŭの表記が三つの違った字でなされていることは非セム語のためであることは一応明らかであろう。ハーグはそれをさらに限定してこの三つの母音の表記はセム人のギリシア人への譲歩である、という。もしこの見方が当たっているとすれば、ウガリットはすでにその文字においてセム人の世界とギリシア人の世界との橋渡しをしている、ということになる。

文献的にゴードンの主張で一番注目に値するのは、ウガリットの「ケレトの叙事詩」がホメーロスの「イーリアス」の元の形、いわゆる「原イーリアス」を示し、さらに同じモチーフが旧約にも見られる、という主張である。

「ケレト伝説」は「アクハト伝説」とともに一番大きな、注目すべきウガリットの文学作品である。「ケレト伝説」は三つの土板からなり、第一のものは一番よく保存され、六欄、約三百行からなり、そのうち二百五十行は色々な解釈の可能性はあるが、一応読むことができる。他の二つは断片的である。第一の土板に書かれていることの前に何かあったかどうか確かでなく、その点でこの伝説の解釈があいまいになる。

この叙事詩の主人公はケレト、あるいはクレトである。この名前が「クレータ島」の名前と関係することは一応明らかである。ケレトはエールの神を父とする正しい王であったが、多くの不幸に見舞われ、妻と子らを失う。ここでテキストの解釈が色々であるが、ゴードンはケレトの妻が去ったと書いてあるのは、原語の用法から死んだという意味ではない、と主張する。死んだのだ、とすると後で出てくるこの叙事詩のヒロインは別の女性だ、ということになる。ケレトがその失われた幸いを床の上で歎いていると、深い眠りにおち、夢でエールが現われて、何故泣くのか、お前は父エールの王国が欲しいのかと問う。ケレトは妻と子が欲しい、と答える。そこでエールはケレトに犠牲をささげてからウドムの地に遠征し、その地の王ペベル（パビル）の息女フリヤ（フライ）を得てくるように命ずる（ゴードンは取り返してくるように、と解する）。こうしてケレトはエールの命令の通りにし、三日間進軍して、四日目の夜明けにウドムに達する。王ペベルは銀や金や奴隷やその他のものを提供するから、フリヤへの要求をやめて、帰国するようにとたのむが、ケレトは「アナトのように美しく、アシュタルテのように可愛い」フリヤだけを求める。こうしてケレトはフリヤを得て帰り、七人の息子、八人の息女を生む。長男のヤシブは女神アシェラとアナトの乳によって育てられ、父と同じように秀れた者になる。ケレトが病気になると、ヤシブは王位を要求する。叛《そむ》いた息子を罰し給うようにとホロンとアシュタルテの助けをケレトが願い求めるところで、この叙事詩は終わっている。

この叙事詩を神話的・祭儀的に解し、ケレトは元来死んで蘇る植物神であり、この元来の神話の神が王朝建設の主人公になったのだ、というのがモーヴィンケルの解釈である。グレイはこの詩をウガリット社会におけるセム人的要素とフリ人の要素の共存を説明するためのもので、王朝の建設に関する社会的要素と王の結婚と多産とに関連する自然的・祭儀的要素とを含むと見る。その他にこれを歴史的な叙事詩と解し、何かの歴史的事件を背後に持つと見る人がある（ドゥ・ヴォー）。

ゴードンは歴史的解釈に傾き、ウドムをエドムと想定する。しかし彼が何より強調するのは、この「ケルトの叙事詩」とホメーロスの「イーリアス」の連関である。失った妻を遠征して取り戻してくる「イーリアス」の主題がそのまま「ケレト伝説」の主題である、とゴードンは見るのである。

フリヤが一度失われた妻であるかどうかはテキストの解釈上かなり疑問のように思われる。しかし遠征により、王の息女を獲得してくる、という点は確かに「イーリアス」と「ケレト伝説」に共通であって、後者を「原イーリアス」に近いものと見、クレータ島に発するモチーフである、と見ることは可能であるかも知れない。この「原イーリアス」のテーゼを旧約学者の中ではハーグがかなり積極的に、古典学者の中ではウェブスターがある程度承認している。

ゴードンは一九五五年の論文「ホーマーと聖書」では同じ失われた妻の獲得というテーマをダビデとその妻ミカルの故事に認めたが、後に「創世記」の族長伝説がこの主題に貫かれていることを主張する。アブラハムやイサクの妻がエジプトやゲラルの王に奪われ、族長達がこれを取り返すという物語（「創世記」十二、二十、二十六章）が「イーリアス」「ケレト伝説」と同じモチーフだ、と見るのである。これはまたかなり大胆な想定であるが、ギルガメシュ叙事詩や中王国時代のエジプトの物語に欠けている具体的な一人の女性に対する「ロマンティク・ラブ」の問題が「ケレト伝説」以後はじめて出てくる、という意味で、ホメーロス、ウガリット、旧約の間にある関連を認めることは可能ではないかと思う。ここでもわれわれはゴードンそのままではないが、ホメーロスと旧約の間にウガリットをおき、三者の連絡をつけうるように思う。遠征のモチーフは「イーリアス」と「ケレト」に通じ、子孫の確保に重点があることは「ケレト」と族長物語に共通である点をわれわれは指摘したい。ことに右のロマンティク・ラブないしロマンティク・マリジのモチーフは旧約では族長時代からダビデ時代（ダビデの子らを含んで）に限られ、その後の時代には出てこないことをここに考え合わせるべきであろう。ゴードンはアキレウスとブリセーイスの愛、シムソンとデリラの愛に言及する。その他の点でも族長時代からダビデ時代はその後の時代と違って地中海世界と共通する点が多いのである。

さらに「創世記」に描かれた族長が商業と関係する王、merchant king であり、それがヒッタイトやクノーソスの merchant king ないし merchant prince と関係するか、イスラエルの士師がホメーロス的な王と共通するか、ダビデ時代の多くの地中海的要素等の問題は文献を中心に問題をみるわれわれの主題からはやや外れるのでここでは立ち入らない。

むしろ詩形の問題に最後に言及したい。ウガリットの詩が旧約の詩と同じように一句の前半と後半の併行法を特徴とし、ホメーロスの詩のような韻を中心にしていないことは明らかである。しかしウガリットの詩が他方ホメーロスと通ずる点は命令とその実行、プランとその実現等の場合に詳しく二度繰り返すという文体的特徴である。ゴードンはホメーロスの詩形のダクティリック・ヘクサミタ dactylic hexameter において、いわゆるセージュアラ caesura（行の中間の切れ目）が中央にくるのは上にのべたセム語の詩の併行法の影響である、というが、これは少々大胆すぎる断定であろう。

個々の語彙、表現、言いまわしにおいてもホメーロス、ウガリット、旧約に共通するものがかなり多いが、「手を上げて祈る」などのような共通の宗教観念に由来するもの、「ももを打つ」（悲歎の表情）などの表現の共通なもの、事物・制度の輸入によって共通なものなど色々である。さらにホメーロスのギリシア語には文法的にも西部セム語に何かの程度で共通する二、三の特徴が見出されるようにわたくしには思われる。たとえば「プリアモスの力」で「力強いプリアモス」を表わす語の結合はセム語に通ずる。これらの観点からも東部地中海世界という共通の基盤を想定することは可能である、と思われる。

勿論この共通の基盤は今のところかなり漠然としたものであり、また問題の性質上いつまでもそうであるかも知れない。しかしギリシアや地中海世界の先史時代が線文字BやAの解読でより明らかにされ、さらにウガリットの発掘が一層進むことによって、今以上に東部地中海世界の真の姿が明瞭に浮かび上がってくることは、決して不可能ではないのである。その際ウガリット文書が世界史的な脚光をあびて、新たに多くの人に見直される時がこない、とは誰も言えないであろう。

第六章　ミュケーナイ文書の解読

古代ギリシアの歴史は紀元前八世紀に始まる。その歴史と神話伝説の境界に、先史の小暗い影の世界に燃えさかる炬火《きょか》のように、ホメーロスの二大叙事詩「イーリアス」と「オデュッセイア」があかあかと輝いている。それ以前の時代はハインリヒ・シュリーマンのトロイアとミュケーナイ発掘までは全くの闇であった。

古代ギリシアには、もちろん、ホメーロスの詩や悲劇が示すように、歴史の前に英雄時代に関する伝承があった。それは神々の誕生から、英雄諸家の祖に始まり、個々の英雄の物語を経て、全ギリシアの人々を集めたアルゴナウタイの冒険、トロイアの攻防戦とその後日譚に及ぶ厖大《ぼうだい》な物語群であり、その伝承は歴史時代の個々の土地と結びついていた。またヘーロドトスやトゥーキュディデースなどの歴史の中にも、伝承や伝説に関する合理的な、また歴史的な解釈が散在し、特に後者の歴史の最初の幾章かは、経済的な観点からした英雄時代の見事な展望にあてられている。トゥーキュディデースはトロイア遠征を明らかに史的事実としているのであって、アガメムノーンがミュケーナイを王城とし、ギリシア軍の総帥であったことを何ら疑っていないように見える。古代ギリシア人にとっては、英雄の時代は、決

ミュケーナイ出土線文字
B粘土板文書

して荒唐無稽の物語の世界ではなくて、実際の歴史だったのである。

しかし、十九世紀前半のギリシア学にとっては、これは要するに古代ギリシア人の単なる夢想、或いは文学的創造に過ぎなかった。当時の機械文明、物質的ポジティヴィズムの世にあって、余りにも自己の判断を信じていた学者たちは、このような物語は要するにお伽噺《とぎばなし》としか受け取らなかった。紀元後二世紀頃にギリシアの名所旧蹟の正確な案内記を書いたパウサニアース Pausanias の言うことまで、まるで信用しなかったのである。

ところがホメーロスやパウサニアースをそのままに信用した男が現われた。それがシュリーマンである。ドイツの貧しい牧師の子として生まれた彼は、ロシアで産を成し、富豪となってギリシアに移り住み、少年時代の夢を実現すべく、トロイア発掘の事業に遮二無二取りかかった。一八七〇年に始めた彼は、七三年にかの名高いトロイアの黄金を掘りあて、七六年にはパウサニアースの記事に従って、アガメムノーンの居城ミュケーナイ Mykenai の獅子門内右手にある五つの先史時代の墳墓から莫大な量の黄金の細工品を発見、「黄金に富めるミュケーナイ」とホメーロスが呼んだのは、まことに当を得ていたことを実証したのであ

ミュケーナイの獅子門

ミュケーナイ城内竪穴式墳墓

る。

シュリーマンが狂喜してホメーロスのトロイア、ミュケーナイを発見したと考えたのは誤りであった。これらの黄金の出土した層は、ホメーロスよりは何百年も遥かに古い時期に属する。しかしシュリーマンは、ギリシアの先史時代の門を開いた。彼によって一度何千年の眠りからさめたこの世界の遺跡遺構はその後各国の学者によって相次いで発掘され、古代ギリシアの古い伝承が架空の物語ではないことが次第に明らかとなった。

このように絢爛たる文化の所有者が文字をもっていたかどうかは当然のこと起こる疑問である。これは既に十八世紀末にホメーロスの二大叙事詩の作者が単数か複数かが問題となった時に、直ちに提起された質問である。「イーリアス」と「オデュッセイア」の作者は文字を使用して作詩したか。それとも全く口頭による作なのか。この興味深い質問には、ホメーロス自身は答えてくれない。二つを合わせて二万数千行に上る長大な叙事詩中、文字らしいものに言及があるのは、「イーリアス」第六巻、百六十七行にある、プロイトス王が自分の妃と密通していると疑って、妃の父親にこれを持参した者を殺害するようにとの依頼を畳んだ板にかきこみ、ベレロポーンに与えた「おぞましき符《しるし》」だけである。

これが果たして文字を意味するのか、或いは単にある符号なのか？　しかしシュリーマンの発掘からは文字らしいものは一つも出土しなかった。それでは既に文字を知ってから千年以上に及ぶエジプトやメソポタミアや小アジアの国々に取りまかれていた、あれほど高度の文化をもっていた、トロイアやミュケーナイやティーリュンスTirynsの人々が文字を知らなかったと考えてよいであろうか？　先史エーゲ海域での文字の問題は学界の大きな興味の中心となった。

一八八六年、当時オクスフォドのアシュモリアン博物館の館長であったアーサー・エヴァンズArthur Evans（後にサー、一八五一—一九四一年）は、グレヴィル・チェスターGreville Chesterから、楕円形をした四面に奇怪な絵文字らしいものを刻みこんだ瑪瑙《めのう》石の印章の寄贈を受けた。その出所はスパルタとなっていたが、エヴァンズは印章上の舌を長く出した狼または犬が当時小アジアで発見されて問題になっていたヒッタイト絵文字と酷似していると感じた。一八九三年、ギリシアに赴いたエヴァンズは、アテーナイで同様な文字らしいものをほった三面または四面を有する印章を幾つか発見、その出所がクレータであることを知り、更にベルリンの博物館も同様な印章を所蔵していることが判明した。その上ミュケーナイ出土品中にも文字のある二つの土器があった。翌春再びギリシアを訪れ、クレータを旅した彼は、クレータの女たちが「ガロペトレス」galopetres「乳石」または「ガルセス」galouses「乳をもたらす石」と称して、孔《あな》をあけて特に妊娠時に護符やお守りとして身につけている石が前述の印章と同じものであることを知り、村々を廻り、家から家へと足をはこんで、石を買い集め、女が手ばなさぬ時には、その捺印を型にとった。かくしてエヴァンズは、絵文字式の文字の外に、更にその発展と見なされる、後代の線文字、或いはアルフアベットに類した別個の文字のシステムが存在していたことを発見した。一八九五年、九六年と旅を重ねるに従って、蒐集《しゅうしゅう》はますます増大した。

かくしてエヴァンズは神話に名高いクレータ島のクノーソスの遺跡発掘を決心した。クノーソスは、古代ギリシア伝承によれば、かつて英雄時代に海洋に君臨したミーノース王の居城のあった地である。アテーナイの若い王子テーセウスがミーノース王の姫アリアドネーの助けを得て、名匠ダイダロスが建てた迷宮ラビュリントスに住む牛頭人身の怪物ミーノータウロスを退治した所である。テーセウスの妃で、継子ヒッポリュトスへの不倫の恋に自ら縊《くび》れて死んだパイドラーの故郷である。

ギリシア神話の一大中心であったこの地がどこにあるかは既に十五世紀のブオンデルモンティ Buondelmonti によって知られていた。それはクレータ島の首都カンディア、現在のイラクリオンの南方六キロの谷間の、渓流に臨むマクロティホ Makrotikho、またはマクリティホス Makritikhos「長い城壁」の村である。一八七七年にカンディア生まれのスペイン領事ミノス・カロケリノス Minos Kalokairinos がケファラ・ツェレムビ Kephala Tselempe「領主の岡」で小発掘を行った際に大きな甕《かめ》が並列している倉を掘りあて、文字をしるした粘土板一枚を発見した。一八八〇年にはアメリカ考古学界の名の下にアメリカ人スティルマン W. J. Stillman がトルコ政府の臨時許可を得て、発掘に着手したが、終《つい》に正式の許可書は下りず、中止せざるを得なかった。シュリーマンも一八八六年この遺跡の重要性を認め、一八八九年にこの岡を所有者たちから買い取ろうとしたが、かれらの貪婪《どんらん》とオットマン政府の妨害の前に匙《さじ》を投げた。彼は、しかし、なおこの、彼の発掘家としての栄光の冠となるべき地をあきらめなかったが、一八九〇年の死によって、ミノア文化発見の名誉はエヴァンズの手に残されたのである。

一八八九年十一月クレータはギリシアのものとなり、一九〇〇年の正月エヴァンズは岡を手に入れることが出来た。かくて一九〇〇年三月二十三日に彼の画期的な発掘の最初の鍬《くわ》が下ろされ、一週間の中に最初の夥《おびただ》しい数の文字をしるした粘土板（線文字B）が出土した。エヴァンズは更に倉庫に接する階段の下から先に述べた「乳石」式の絵文字を刻した粘土板をも発見した。彼の六期に亙《わた》るクノーソス発掘と並行して、一九〇二年以来島の南側のアヤ・トリアザ Agia Triada「聖三位一体」の地の小宮殿の遺跡を発掘していたイタリアの考古学者たちは、後に線文字Aと称された、多少違った様式の文字を刻した粘土板（一九四五年まで未発表）を発見した。

一九〇九年にエヴァンズは待望の「ミノア文書」の第一巻 Scripta Minoa I. Oxford を出版した。しかしそれは印章、絵文字（彼はこれをヒエログリフィク hieroglyphic というエジプトの文字に与えられた名称で呼んでいる）及びクノーソス出土の線文字A Linear A の外には、僅かに十四の線文字Bの粘土板を含むだけであった。彼は第二、第三巻で、更にAとBとの全文書を発表することを序文で約束したが、三千に上ることが知られているB文書の発表は終に彼の死に至るまで行われなかったのである。彼の興味は文書からこの絢爛たるミノア文化の他の面に移った。この文化はクノーソスを中心として、紀元前二五〇〇年頃、先ずクレータに起こり、前一五〇〇年以降はギリシア本土に主力は移りはしたが、エーゲ海を蔽《おお》ったもので、トロイア戦争はこの末期、前十三世紀頃の出来事とされている。クレータの文化はクノーソスを中心に、マリア Mallia、フェスト Phaistos、アヤ・トリアザの諸宮殿や村落、小都市など主として東と中部クレータに、ギリシア本土は南のペロポネーソスのミュケーナイ、ティーリュンス、ピュロスを中心として、中部ギリシアのボイオーティアのテーバイ、オルコメノス、アッティカなど、広くギリシア全土に及んでいる。これら本土の遺跡はギリシア神話の諸英雄の活動の中心地であることは、英雄伝説が単なる架空の物語でないことを如実に物語っている。文字への興味からクレータに目をつけたエヴァンズの関心がクノーソス宮殿の余りにも壮麗な遺構と出土品へと移ったのも無理もないことであった。生前彼が発表したのは、「ミノア文書」第一巻以後はそのクノーソス発掘報告「ミーノースの宮殿」The Palace of Minos 第四巻（一九三五年）中の僅か百二十枚のB文書粘土板にすぎなかった。自ら線文字B文書解読を志していた彼は、その整理編纂と発表とを他の人に委任することも、他の学者にこの文書の研究を許可することもしなかった。研究者は一九五二年にエヴァンズの弟子サー・ジョン・マイアズ Sir John Myers が戦後の困難な時期に、不完全なエヴァンズのノートをもとにして、クレータに保存されている粘土板を直接に見ることの出来ないままに、編纂した「ミノア文書」第二巻を出すまで、五十年の間待たねばならなかった。一九三二年と三六年にイラクリオンで調査して三十八枚の文書を発表したフィンランドのスントヴァル Johannes Sundwall は、ためにエヴァンズの不興を招いたのである。一方B文字はクノーソスの外に、ギリシア本土からもこの間に僅かであるがアッティカの密教の中心エレウシース Eleusis、ボイオーティアの英雄時代からの古都テーバイ Thebai などからも発見され、発表された。

以上のエーゲ海文化の中心であるクレータ島その他から発見されたミノア文字と呼ばれる特殊な文字によって書かれた文書は、大体書体によって三つに大別出来る。

(1)　ヒエログリフィクAと呼ばれる、文字が明らかに色々な実際の物（太陽、山、手など）を表わしているもので、これはやがてもっと簡単なヒエログリフィクBへと発展した。エヴァンズによれば、Aには九十一個の符号があり、AB両方で百三十五、そのうち四十二はAのみに、四十四はBのみに見出される。他は両者に共通である。この文字の最新層は大よそ前一六〇〇年である。

(2)　線文字A――これは前一六〇〇年頃に既にクレータの大部分に通用していた文字で、クノーソスでの最新層は前一五〇〇年頃であるが、クレータ南部のフェストやアヤ・トリアザの宮殿では前一四五〇年頃まで使用されていた。しかし最近のフェストの発掘の結果では、この文字は既に前一八五〇年以前にここで使用されていたらしいことが推測され、ヒエログ

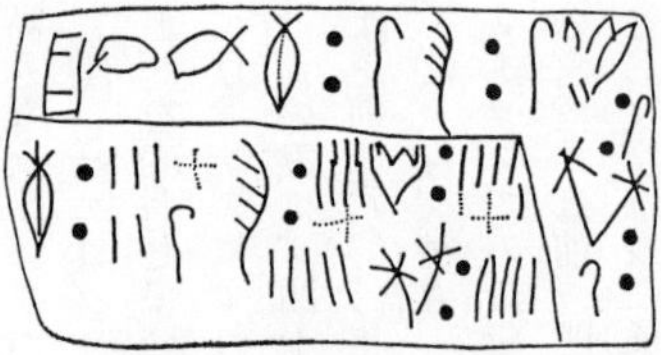

クレータ島フェスト（古代名パイストス）出土の絵文字粘土板文書

リフィクBとの並行的発達も考慮に容れなければならないことが判明した。この文字はヒエログリフィクBよりももっと簡単で書きやすいもので、石や金属に彫られている外に、粘土板や土器にもきざまれている。文字数は七十六—九十の間で、この文字とヒエログリフィクB及び次に述べる線文字Bの文字との間に、多くの類似の或いは同じ形のものが認められる。

(3)　線文字B　これは一番新しい、一番簡単な書体で、上述の如くクノーソスで大量に出土したが、未整理のまま発表されずにあった。この外ギリシア本土のエレウシース、テーバイ、ティーリュンスなどからも僅かな数の短いものが発見され、発表されたが、ギリシア本土からは余りにも僅かしか出なかったので、この文字もまたクレータ特有のものであると考えられていた。

以上が大よそ第二次大戦以前の状態であった。

B書体文書は粘土板上に、未だ柔らかいうちに彫りつけられたもので、その点はメソポタミアの粘土板と同じであるが、文字は先が非常に細く尖ったもので細い線できざみこまれ、この点ではメソポタミアの楔形《くさびがた》文字とは全く異なる。板は細長い葉状で、表だけが平らで、裏はかまぼこ形にふくれているものの外に、方形で、深い横溝で行を引き、必要に応じて線に沿って板を折ることが出来るものとがある。図版には判るように、語の切れ目は短い縦棒で示され、絵文字式の男、女、馬、車など明らかにそれと認められる文字があり、その後には数字が書いてあるので、エヴァンズは最初からこれは何か財産目録の如きものであると推測していた。というのはこの文書と同時代のエジプトやメソポタミアの文書にも、これとよく似た方法で、音節文字で書きしるした語を今一度絵文字またはそれが更に簡単になった、漢字式の、表意文字でその内容を示すやり方が行われていたことがわかっていたからである。

一つの語は二または七の符号から成り、文字の全数が九十ばかりしかないところから、これは普通のアルファベットにしては多すぎるし、漢字式の表意文字（これならば一つ一つの語に対して、日月星馬車男女のように別々の文字があるはずである）にしては少なすぎるので、日本の仮名式の、アイウエオなどの母音だけか、カ行、サ行のように子音と母音とを結合した色々な音節を一つ一つ別の文字で表わす音節文字であろうとエヴァンズは考えた。

しかし、この文字で書かれた文書は、

(1)　何語か不明
(2)　文字の発音が不明
(3)　二語対訳の文書が全くない

という、解読には最も悪い条件を備えている。グローテフェントが楔形文字で書かれた古代ペルシア語の碑文の謎を解いた時には、それがダーレイオスの王朝の碑文で、ペルシア帝国の王たちのものであることをあらかじめ知っていた。古代エジプト語への鍵は、ギリシア語との対訳のついたロゼッタ石にあった。暗号の解読に際しても、それが何語で書かれているか推察出来ない時には、成功はおぼつかない。現に一九一五―一七年までフランスの暗号の専門家が如何にしても解き得なかったドイツ語或いはトルコ語と考えていた通信が、実はフランス語で書かれていた例がある。もし未解読の文書の内容がわれわれが知っているある言語であることが判れば、文書が漢字式の表意文字でない限り、また資料が相当量ある限り、どんな文書も解読出来るはずである。しかも上にあげたように、線文字Bの場合には、幸いにして内容らしいものが、絵文字様の符号によって示され、語が区切ってある。

最大の困難は、B文書が何語で書かれているか不明である点で、しかも、資料が一九五一年以前には殆んど発表されていなかったことにあった。

クノーソスの発掘者として、エーゲ海文化考古学の最大の権威者たるエヴァンズは、この文化の所有者はギリシア本土のミュケーナイ文化の所有者をも含めて、非ギリシア人であり、本土の文化もクレータからの移住者によるものとした。従って線文字Bの文書もまたギリシア語ではない、それ以前にエーゲ海域で話されていた、何語ともわからぬ言葉で書かれたものとする説が圧倒的であった。このために数十に及ぶいわゆる解読が発表されたが、それらはヒッタイト、エジプト、バスク、アルバニア、スラヴ、フィン、ヘブライ、スメルの諸語をその中に見出したのである。

この外、エーゲ海域で話されていたギリシア語以外の言語で確実に知られているものに、クレータ島の東部プライソス Praisos 出土の、ギリシア文字で書かれてはいるが、ギリシア語でも他の印欧語族の言語でもない、かなり古い時代に属する三つの碑文（アメリカのセム語学者ゴードン C. H. Gordon は一九六二年三月一日附の手紙でこれはフェニキア語であると主張している）、エーゲ海北東部のレームノス島 Lemnos のカミニア Kaminia 出土の、前六世紀頃のギリシア文字で書かれた、イタリア中部にかつて強大を誇ったエトルリア語に酷似した言語の碑文、キュプロス島出土の、文字はクレータ島の線文字に酷似しながら、同一ではないキュプロス文字で書かれた未解読の言語の碑文がある。キュプロス文書は一部ギリシア語で書かれてあったために、十九世紀に既に解読され、読み方がわかっている。それは音節文字で、母音の長短を示さず、子音には清濁、有気無気の別がなく、子音を単独に表わす法もなく、従って子音群を表わし得ず、ギリシア語を写すには極めて不便であるから、ギリシア人の発明とは考え難い。解読不可能の言語は今日われわれの知っている如何なる古代語とも結びつけることが出来ない。しかし、とにかくこの文字がクレータ島の文字とある種の関係にあることは両者の間に多くの相似があることによって推察される。この外に古代ギリシアの伝承は、ギリシアに古くペラスゴイ Pelasgoi と称する民族が居住していたことを伝え、史家トゥーキュディデースやヘーロドトスによれば、エーゲ海の北辺の地にはペラスゴイ人の都市が歴史時代になお存在していたという。

一方言語学者たちもこの問題をギリシア語の語彙の面から解こうと試みた。既に一八九六年にパウル・クレッチマー Paul Kretschmer は、ギリシアの古い地名や植物名の中にギリシア以外の接尾辞をもつ多くの語を認め、この方法はその後の多くの言語学者によって追求された。一九二五年にクレッチマーはエーゲ海域にはギリシア人以前に更に古い「原始印欧語族」が居住していたとした。ブルガリアのゲオルギエフ V. Georgiev は一九三六年以来、従来ギリシア語によっては語源的説明が不可能とされていた多くの古代ギリシア語の中の言葉がイリュリア語という、殆んど知られていない一古代語のものであるとして、語源的解釈を下し、これによってギリシア先住民族の言語が「原始イリュリア語」であると証明しようと試みた後に、クレッチマーの「原始印欧語」説を採用して、次第にギリシア先住民族の言語を再建した。これはベルギーのヴァン・ヴィンデケンス van Windekens のいわゆる「ペラスゴス語」と似たものであるが、それは要するに正当なギリシア語の語源解釈によっては解決不可能な語彙から創り出した、古代ギリシア語に酷似した一種の架空言語にすぎない。また一九一五年にヒッタイト語の楔形文字文書を解読して、それが印欧語族の一言語で書かれたものであることを証明したチェコのフロズニーは、その後、老年に及んで、当時解読不可能であったあらゆる文書の解読に取りかかり、その中には線文字Bの解読と称するものもあったが（一九四〇—四九年）、これは文字の組織も音価も、またその言語も何ら組織的に研究せず、ヒッタイトやバビロニア語による無方法なあてずっぽうな表面的類似による独断的な解釈で、同じ文字が色々に読まれたり、同じ文脈であるべきものが全く違った風に解かれたりするでたらめなもので、この大阪の大著を見、そのフランス語への翻訳を読んだわれわれは、大学者が、老衰によるとはいえ、晩年に至って過去の名声をこのような不幸な著書の発表によってけがすのを、かつ驚き、かつ歎いたのであった。

しかし、一方には、本土のミュケーナイ文化の所有者がギリシア人であると考えた人々があった。既に古くからギリシアの考古学者ツンダス Tsountas や名高いホメーロス学者リーフ W. Leaf はこの説であったが、スエーデンの神話学者ニルソン M. Nilsson はギリシアの神話と言語が既にミュケーナイ時代、即ち紀元前一四〇〇―前一二〇〇年頃に既にギリシアで確立していたと信じ、また特にドイツの考古学者は、ギリシア民族の要素がかなり早くから本土に認められること、またクレータ島に於《お》いても後期ミノア時代、即ちミュケーナイ時代の初めにはあったと考えていた。わたし自身もまたはやくから、言語的・考古学的な見地から、少なくともミュケーナイ文化の所有者はギリシア人であり、その言語は歴史時代のアルカディア方言の祖先であったに相違ないと思っていた。

しかしエヴァンズの権威は圧倒的で、彼の説に反対して、ミュケーナイ文化ギリシア人説をとなえたイギリスの考古学者ウェイス A. J. B. Wace の如きは、一九二三年にはアテーナイの英考古学会の長たる位置を追われ、発掘することさえ許されなかったのである。

とは言え、ミノア文字と呼ばれる文字による資料は、僅かではあるが、本土のティーリュンス、エレウシース、テーバイ、ミュケーナイ、オルコメノスのような、ミュケーナイ文化の中心地から出土した上に、一九三九年に至って、ペロポネーソス半島の南西岸、ホメーロスの叙事詩中に活躍する老ネストール王の居城と想定されているピュロス Pylos、現在のアノ・エングリアノ Ano Engliano で、アメリカの考古学者ブレーゲン C. W. Blegen が、同地発掘の初期に、試掘溝を掘った時に、幸運にも六百枚の線文字Bの粘土板を蔵した部屋にぶつかった。これはアテーナイで補修をほどこした後、大戦の切迫と共に、写真にとった後、地下に埋め、写真は一九四〇年六月、イタリアの宣戦と共に、ウェイス夫人が最後のアメリカ船でアメリカに持ち帰った。一九三九年にブレーゲンによって発表された七葉の粘土板上の文字と言語は、明らかに疑いもなくクレータ島の線文字Bであった。しかし、ピュロスの文書はミュケーナイ時代の終わり、外敵の侵入によって焼き払われた家屋から出土し、大よそ前一二〇〇年、またはそれより僅か遡る時代に属すると考えられる。火勢が強かったために、中には粘土が磁器様に半透明になったものさえある。クノーソス出土のものは、エヴァンズによれば、この大宮殿が最後的に破壊されたのが大体前一四〇〇年頃であるから、この地出土のものはすべてそれ以前に属し、最古のものは前一五〇〇年に近いと考えてよいであろう。

ピュロスに於ける大量の線文字B文書の発見は大きな反響を呼び起こした。これは、しかし、エヴァンズのクレータ島中心説の裏付けであり、ミノア語がこのようにおそい時期までエーゲ海の共通語として広く使用されていた証拠と一般に解され、この文書の内容がギリシア語であると考えた者は殆んどなかった。

この間に、単なる推察とか推量とかを排し、純粋に内的証拠による地味ではあるが堅実な道を進んでいる少数の人々があった。フィンランドのスントヴァル、ドイツのジッティヒ E. Sittig などがそれであったが、その中で最も厳密にこの道を進んだのがアメリカのアリス・コーバー Alice J. Kober であった。

彼女は一九三二年に自然科学関係の論文で博士となったが、生まれながらの語学者で、サンスクリット語、ヒッタイト語、古代ペルシア語などの印欧語族の諸言語の外に、セム語、スメル語、バルハ語などをも研究し、その晩年には、一九五〇年五月十六日の早逝《そうせい》に至るまで、線文字Bの研究に没頭した。

「未知の文字によって未知の言語で書かれた文書解読を試みるにあたっては、その第一歩は入手し得る文書の点検による明白な事実を確認することである。第二歩は周到な分析と論理的推論によって、これらの基本的事実より如何なる結論が引き出され得るかを発見することである」と考えた彼女は、先ず符号の正確なリストを作製し、ついで文書中の語の比較に至った。ここで彼女は先ず第一に、この文書の中の言語は文法的な変化を有することに気付いた。

既に述べたように、この文書の文字は仮名式の音節文字であることが推測されていた。語の切れ目は短い縦の線によって示されていて、語頭語末は確実に知ることが出来る。コーバーは当時発表されていた材料の中で、幾つかの文字からなる語で、最後の一または二文字だけが異なる幾つかの例を発見した。語末のみが違っているこれらの符号群が同一の語の変形であることは、これらが同一のリストに同時に、または同種類の粘土板上の全く同一の場所に現われることによって確認し得た。コーバーが解読への最初の鍵を見出したのは、次の三つの組をなす幾つかの同じ変化の型であった。

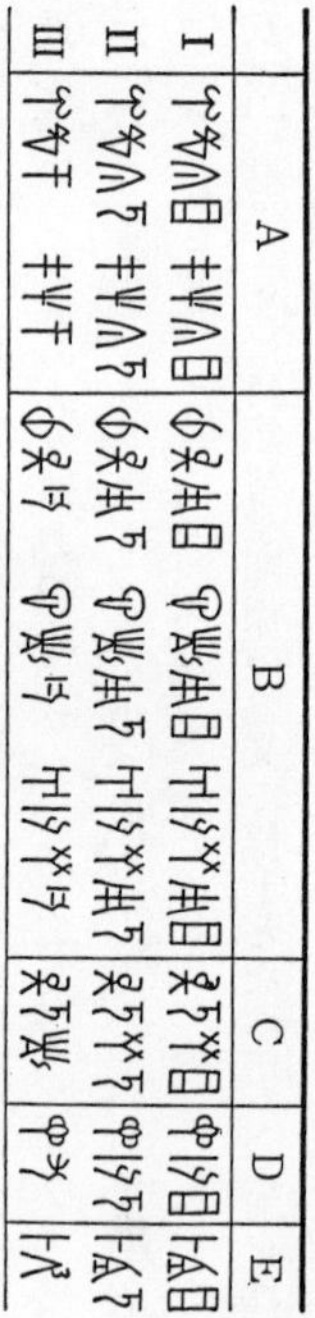

これらの三つの組の中、Iはすべてに、IIはすべてに終わっているが、常に一文字だけ短いIIIは、A型ではがに、Bではがに、Cではがに、Dではがに、Eではがになっている。コーバーはこのような変化をラテン語の語尾変化を音節文字で書き表わした際のそれとよく似ていることを指摘した。かりに

ラテン語の第二名詞変化と称するものと比較してみよう。

ser-vu-s「奴隷は」　a-mi-cu-s「友人」　bo-nu-s「よい」
ser-vu-m「……を」　a-mi-cu-m　bo-nu-m
ser-vi「……の」　a-mi-ci　bo-ni
ser-vo「……に」　a-mi-co　bo-no

線文字Bは音節文字であるから、これを仮名で書き改めれば、更に近い形を得る。

セルヴス　アミクス　ボヌス
セルヴム　アミクム　ボヌム
セルヴィ　アミキ　ボニ
セルヴォ　アミコ　ボノ

かりに「アミクス」をA型の最初の語としよう。そうすると、

ア　ミ　ク　ス

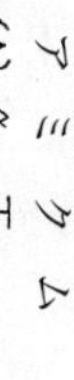
アミクム
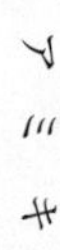
アミキ（またはアミコ）

によって直ちに明らかなように、第三番目の文字は、すべて同じ行（この仮説ではカ行）の文字でなければならない。同様にBからEに至る型のI、IIの終わりから二番目、IIIの最後の文字も同じ行、即ち同じ子音に母音を加えたものとなるはずである。上記のラテン語の例で言えば、ク・コ、ヌ・ノの如き対を成さなければならない。われわれはそれが実際にはどんな子音と母音との結合か知らないが、少なくとも同じ子音をもつ異なる母音を表わす符号と考えてよいであろう。クを第一母音、コを第二母音と称すると、

母音I　母音II

子音I 

という、同じ行の文字をここに仮説することが許される。こうして、線文字B解読の重要な糸口がコーバーによって見出された。上掲のAよりEに至る型は次の如き一聯《いちれん》の母音を異にする同じ行の文字の仮説を与えたのである。

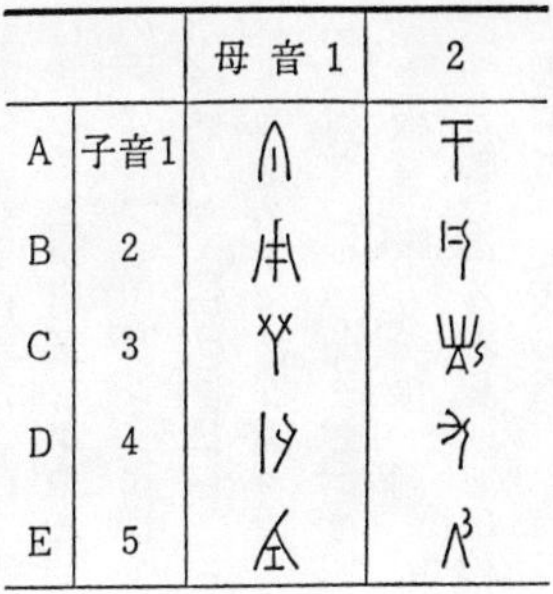

これが解読者たちの間で、好んでよく使われる「格子」grid と称されるものの始まりであった。もし同様の、同じ行に属することが仮定出来る例がこの外にも発見されれば、この格子はこの言語の有する子音と母音の数だけ拡大されて、終《つい》には、たとえ音価は不明でも、縦には同じ母音を、横には同じ子音を有する、丁度仮名の五十音図のようなものを得ることが出来るはずである。

コーバーは更にその死の前年一九四九年に、線文字B文書中に、しばしば数字の前に現われる、即ち「計、いくつ」の「計」を表わすらしい二つの語   が、一九二七年にカウリーが既に   が少女、少年を表わしていると考えたと同じく、同じ語の男性

と中性を示していることを証明した。これは重要である。われわれの知っている同時代の古代語の中で、男女性の別が、語末の母音をかえることによって、同数の音節の数で、言いかえれば、音節の数を増すことなしに（例えばラテン語の bono, bona「よい」（男・女性）のように）女性形を造るのは、ギリシア語もその中の一つである印欧語族の言語以外にはない。更にこの時代に小アジアで強大を誇り、印欧語族の言語を公用語としていたヒッタイト帝国の言語は、既にこの古い時代に、例外的に、印欧語族に一般に認められる男女中の三性別のうち、男女の性別を行っていない。従って、コーバーのこの断定が正しければ、以上の諸言語は線文字Bの場合には考慮の外においてよいこととなる。

しかしコーバーは未だこの文書が何語で書かれているのか全く知らず、一語といえども確実には読むことが出来なかった。

この間に、ブレーゲンによってピュロスで発見された資料の編纂を委任されたアメリカの若い学者ベネット Emmett L. Bennett は一九四七年の博士論文に於いてピュロス文書を、コーバーのクノーソス文書を取り扱ったのと同じように、研究し、一九五一年には、「ピュロス粘土板」The Pylos Tablets. A Preliminary Transcription, Princeton で、五百五十六枚の粘土板を、男女、馬、剣、戦車、穀類のような明瞭にそれと判る、また意味が不明でも、同一と解し得る表意或いは絵文字によって、正確に詳細に分類し、最初の信頼すべき符号の表と共に、発表した。

ベネットが一九五〇年にピュロス文書中の容積と重量の単位の研究を発表した折に、附加した七枚の粘土板は、既に古くからB文字文書に深い興味を抱き、熱心に研究していたイギリスの若い建築家マイクル・ヴェントリス Michael Ventris（一九二二―五六年）に新たな刺《し》戟《げき》を与えた。

ヴェントリスがミノア文書に最初に関心を抱いたのは、一九三六年にイギリス考古学会が行った記念講演会で、ミノア学の長老サー・アーサー・エヴァンズの講演を聞いたことに由来する。ヴェントリスはこの時いまだ十四歳の少年であったが、既に言語に対して深い興味をもつ小さい学者であった。彼は幼少の頃から著しい語学の才能を示し、彼の死を惜しんで書かれた各国の学者の追憶はすべて彼の驚くべき語学に敬意と讃辞を呈している。彼は学会で会ったあらゆる国の人々と自由にその国の言葉で話して、かれらを魅了したと、チューリヒのギリシア語学者リッシュ E. Risch は書いているし、チャドウィクもまた、語学に対する耳と目との普通両立しない才能をヴェントリスは兼ね備えていたと言っている。

マイクル・ヴェントリス

十四歳の時以来、彼のミノア文書に対する関心は彼を離れず、一九四〇年には十八歳の時に、既にこれがエトルリア語ではないかという仮説のもとに一論文を発表した。

彼は建築家になるために、大学に行くことをやめて、専門的に勉強しようとしはじめた時に、第二次大戦が勃発した。四ヵ年の間、彼は英空軍のパイロットとなって従軍、一時は英占領軍に属してドイツにあったが、この間にも常にミノア文書の写しを持ち歩いていた。一九四六年除隊となり、再び建築家としての道を歩んだ彼は、文部省の学校建築にあたり、将来を嘱望されていた少壮建築家となった。

しかし彼は、ミノア線文字Bの解読後数年で一九五六年九月、ロンドンからスコットランドに通ずる「大北道路」Great North を夜をついて帰路の途中、ハットフィルド Hatfield 近傍《きんぼう》でトラックと衝突して、三十四歳の若さで世を去った。

ヴェントリスの解読への最後の段階は、彼が一九五一年一月から一九五二年六月に至る間に二十余人の同じ興味を抱く学者に配布して批判を仰いだ二十の謄写版刷の Work Notes と称する一聯《いちれん》の研究によって発表された。これは後に、彼自身の書いたところによると、次の如きものであった（Michael Ventris and John Chadwick, Documents in Mycenaean Greek. Cambridge, 1956, pp.17-23; Ib. Evidence for Greek Dialect in the Mycenaean Archives, The Journal of Hellenic Studies. LXXIII, 1953, pp.84-103）。

「ノート」2と10は  が「……と」を、また  が「そして……ぬ」を表わす接続詞であることを論じたもので、これはその時はわからなかったが、B文書が印欧語であれ

ば、-𐀤はラテン語の -que、サンスクリット語の -ca、ギリシア語の -te＜*-k^{w}e にあたることが直ちに推定される語であり、ギリシア語ならばその次の語は当然 oute＜*ouk^{w}e と解すべきものである。

「ノート」8はベネットが全く別個に行っていたと同じ、ピュロス出土のB文書の文字の語頭、語中、語末の位置に於《お》ける頻度の統計で、これは暗号解読の場合に常に重要な手続きの一つである。暗号には色々と複雑な手のこんだものもあるが、未解読の文字は、要するにある言葉を未知の符号で一回だけ書き変えた一番簡単な暗号と同じである。例えば英独仏露など、どんな言語でも、文字にした場合には、相当量の資料を基として調査すれば、文字の頻度数は大よそ一定している。従って一回しか書きかえてない暗号であれば、資料さえ相当にあれば、暗号の中の文字の頻度数をグラフにして、暗号にされていると推測される言語の文字の頻度数のグラフと合わせれば、暗号のどの文字が普通の綴りのどの文字にあたるかほぼ見当がつく。線文字Bのような音節文字の文書では、大ていの言語で語頭に一番多く現われるのは頻度数の順にア・エ・オである。音節文字では、子音も、子音の後に来る母音も、カキクケコのように、kで始まる場合には、五つに別々の文字で書かれるから、一つ一つの文字数は少なくなるからである。ヴェントリスは、𐀀- 𐀁- 𐀃- が語頭で一番多いところから、これらは母音で、最初の二つはそれぞれa（これは既にコーバーもチャドウィクもギリシアのクティストプウロス K. Ktistopoulos も推定していた）とiではないかと考えた。

「ノート」11は男女性の語尾、12はピュロス文書中の文字群の、その内容による分類の試みである。そして先にあげたコーバーの三つの組は地名或いは役所名を内容とする板上にのみ見出されることが指摘された。

「ノート」1、13、14は〔ミュケーナイ文書の〕語尾変化の研究で、男性にはそれぞれ、主格、属格、前置格を示す六種の格変化があり、それは男女の職業または称号、或いは一般的な語彙らしい内容の場合に限られ、また数字が示されている時には、単数複数の別があることが判るが、その中のあるものは複数で一音節長くなっているのに、あるものでは単複数の形が全く同じである。この後者の場合が、B文書の言語が印欧語であるとの推定に対する大きな障害となった。というのは、例えば先にあげた、少年、少女を意味するらしい𐀒𐀷 𐀒𐀺は形の上では単複全く同じである。ところがこれは印欧語のギリシア語の古い形であるとすると、korvos korvoi「少年」（単・複数）、音節文字式に書けば、コルヴォス、コルヴォイと少なくとも最後の文字だけは変化すべきである。この事実がまたB文書の内容をギリシア語とする考え方を否定する材料となった。

「ノート」9は同じ語と思われるものの間に見出される綴り方の相違を取り扱っている。それは𐀂𐀋𐀩𐀄 𐀂𐀁𐀩𐀄（後に判明した読み方ではi-je-re-u/i-e-re-u）のような例で、これは上述の格子の中で、このような変化を示す二つの文字を接近して配置するための一つの有力な手がかりとなった。

「ノート」1、15、17は格子作成の試みで、一九五二年二月、解読直前のヴェントリスの「ノート」17中の格子は次の頁の如きものであった。

この図で明らかなように、幾つの母音を設定すべきか未だ不明である上に、幾つかの文字は異なる場所に重複しておかれているし、二つの文字が同じ場所におかれている場合もある。ここに特に注目すべきことは、この格子は線文字B文書の与える、上に述べたような内的証拠にのみよって、忍耐強い慎重周到な検討の末、幾度も幾度も配列を修正しつつ得られたものであって、この文字がかくしている言語に関する臆測は全く考慮の外にあることである。

同じ年の一九五二年二月に終にエヴァンズが五十年前に約束した、クノーソス出土の線文字Bで書かれた大量の粘土板文書がオクスフォドのマイアズ教授によって発表された。これは甚だ不完全不満足なものであったが、それはエヴァンズの死後残された、中には五十年も前の「ノート」の混乱、戦後のために現物を見ることが出来なかったことなど、まことにマイアズにとって気の毒な事情によるものである。しかし、不満足とは言え、この新資料はヴェントリスの格子の正しさを裏書きするものであった上に、解読への決定的な考えを与える新しい語彙を含んでいた。

既にこれより先に、ヴェントリスはとは母音であり、はたしかにaで、コーバーのは、ギリシア語、リュキア語、エトルリア語でも女性に -ia なる形があるか

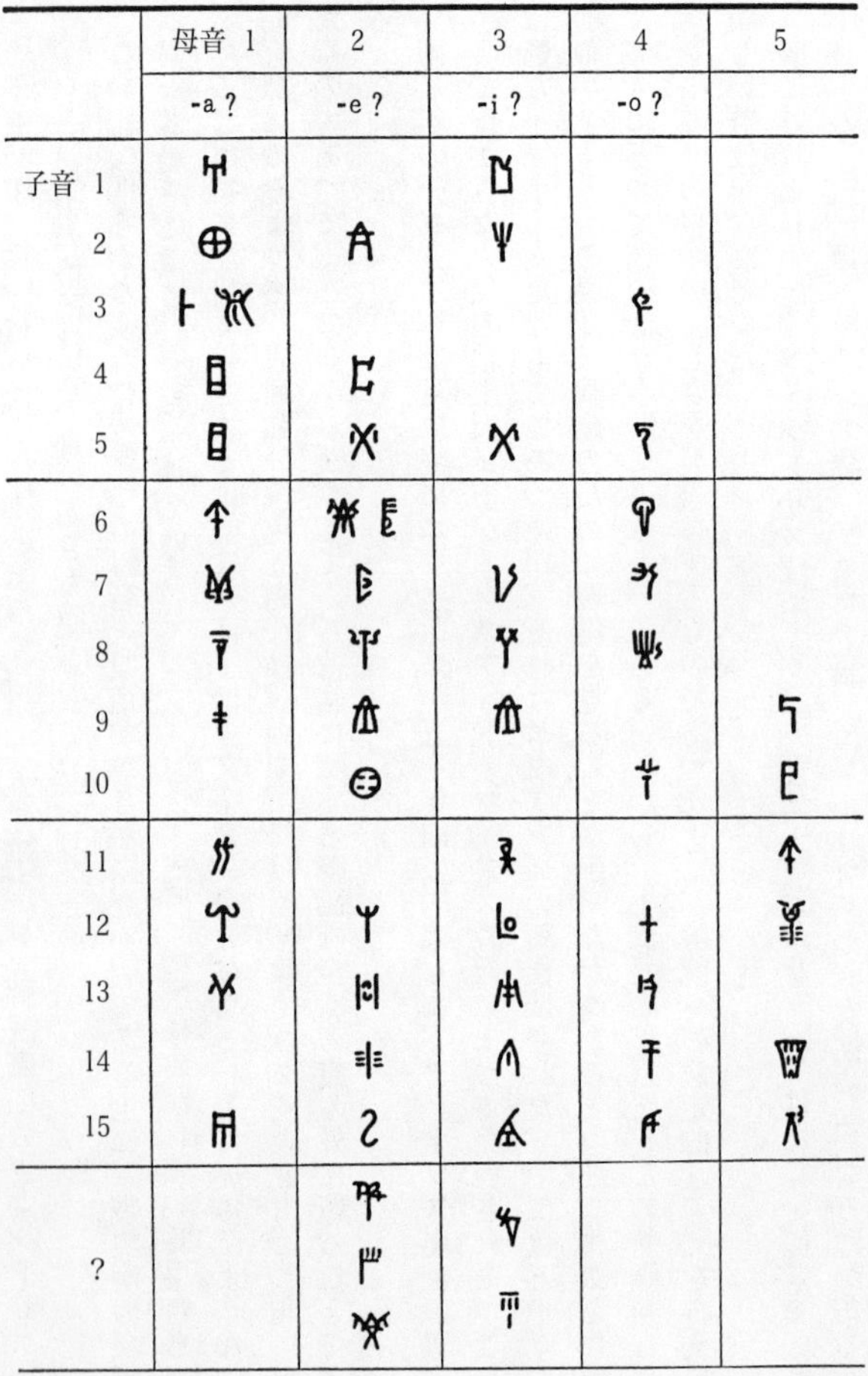
母音 1
2
3
4
5
-a ?
-e ?
-i ?
-o ?
子音 1
2
3
4
5
6
7
8
9
10
11
12
13
14
15
?

ら、-i-ja かも知れないと考えていたが、クノーソス出土の文書中のある語は同じように語末で -𐀀 (-a ?)/ -𐀊 (-ja ?) の綴り上の変化を示している上に、更に同じ種類の -𐀃/ -𐀍 の変化が認められる。𐀃 を i と考えていたヴェントリスは、これは -i/-šo?? の如き変化かと思ったが、更に調和のとれた形を自分の格子に与えられはせぬかと考えあぐんだ彼は、「ノート」9で一応否定した 𐀍 =jo を再び取り上げて、

𐀀 a　𐀊 ja　𐀃 o　𐀍 jo

という型を想定してみた。するとこれは次のような重大な結果を生む。しばしば男の名前の語末に現われる -𐀍 -𐀍𐀍（「ノート」14）は -(o)jo, -(i)jojo となり、これはホメーロス中の Autolykoio「アウトリュコスの」、Ikarioio「イーカリオスの」の語末を想起させる。「ノート」11で検討した女性の複数属格形 -𐀊𐀃 からは gaiāōn「土地の」、theāōn「女神たちの」の如きギリシア語の古い女性複数属格語尾に似た -(i)-ja-o を得る。更に格子が正しいとすれば、コーバーの三つ組は、不明の子音を前にあげた格子の数字で、母音の前に加えて示すと、例えば、

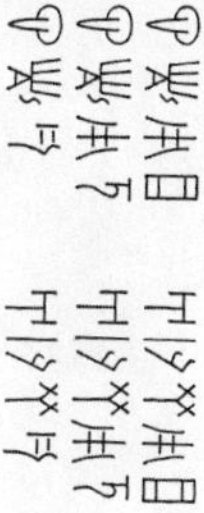

^{6}o-^{8}o-^{13}i-ja　　A-^{7}i-^{8}i-^{13}i-ja

^{6}o-^{8}o-^{13}i-jo　　A-^{7}i-^{8}i-^{13}i-jo

^{6}o-^{8}o-^{13}o　　A-^{7}i-^{8}i-^{13}o

のようになる。

この中、は既にカウリーが臆測した「少年」「少女」を表わす korvos, korvā の語頭の文字である。このような従来前後関係からおぼろげながら推定されていたり、線文字Bと形が酷似しているキュプロス島文字の音価から、上記の子音を 6＝カ行, 8＝ナ行, 13＝キ行, 7＝マ行とすれば、コーバーの例の中の語は地名らしいことが、前後関係から明らかな上に、ミニシはイ、コノソはオを共通にもっているから、上に示した「ノート」17の中の格子から、

コノシヤ　アミニシヤ

コノシヨ　アミニシヨ

コノソ　アミニソ

ではないかとの推測が容易に成り立つ。かくして、ヴェントリスはコーバーの三つ組の最初の五つの中に、クレータ島の、クノーソスを含む名高い地名 ルキト＝Lyktos, パイト＝Phaistos, トゥリソ＝Tylisos, コノソ＝Knosos, アミニソ＝Amnisos を見出した。

しかしヴェントリスはなおB文書がギリシア語であるとは信じられなかった。彼は長い間これがエトルリア語関係の言語を表わしたものという自分の古くからの考えにこだわっており、上記のような地名も、またギリシア先住民族からギリシア人が借用したものと考えてい

た。特に文書の綴り法の不備、男性主格語尾の -s や複数の -oi, -ai の -i などが表記されていないことは、これもまたギリシア語を表記するには甚だ不適当なキュプロス音節文字による不完全なギリシア語表記法に比べても、遥かに不備であることが、B文書ギリシア語説への障害となった。

一九五二年六月一日の「ノート」20は、次第にB文書がギリシア語ではないかの疑いを現わしたものである。しかしヴェントリスは未だクレータ島のミノア文化の中心地たるクノーソス出土の紀元前十五世紀のB文書の内容がギリシア語で、こんなにはやい時代にギリシア語がこの地で行われていたこと、即ちこの時代のクノーソス宮殿の住人がギリシア人であったと断定することが、大部分の専門家から如何なる抗議を招くかをよく心得ていたし、彼自身もこれは信じられなかった。

しかし、ヴェントリスは、純粋に粘土板上の絵文字や数字や、繰り返し僅かな変化を伴って現われる同一の符号の続きから、男女の職業名と思われる常にを語末にもっている一聯の語彙は、その前に十三の異なる文字があることを既に知っていた。

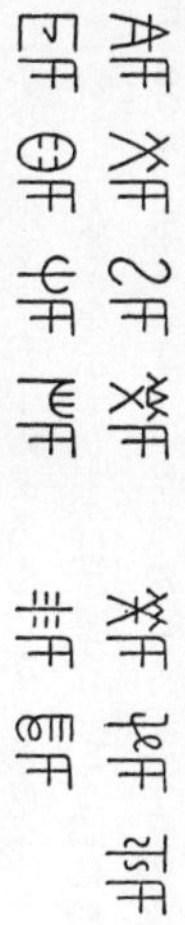

これらは先に挙げた内的操作によって分類した同じ母音を有すると思われる音節を表わす

十三個の文字、即ち上掲〔註：二六八頁〕の表の中の第二母音の系列に見出されるものである。しかしこの文字の中のあるものが、複数形らしい語の語末にも現われることを発見した時、このような型を示す語末は、ギリシア語に於ける -e-u -je-u -we-u -de-u -ke-u -me-u -ne-u -pe-u -qe-u -re-u -se-u -te-u -z(?)e-u のような -eu- (basileu-s「王」、hiereus「神官」等）に終わり、主格 -eus、他の格は -e-we -e-wi -e-wo (-je-u, -we-u, -de-u: -je-we, -we-we, -de-we: -je-wi, -we-wi, -de-wi 等）のように変化する語尾に違いないと考えられた。しかしここでも語末の -s は表記されていない。それに -eu- は以前からギリシア人が先住民族の言語から借用した語尾だとされていた。ヴェントリスは ka-ke-u＝ギリシア語 chalkeus「鍛冶屋」、ke-ra-me-u＝karameus「陶工」、ka-na-pe-u＝gnapheus「洗濯屋」、i-je-re-u＝hiereus「神官」などの語形を、上掲の格子によって見出した。これは、例えばコノソによって、カ行とナ行がわかれれば、カキクケコ、ナニヌネノの五つの文字が直ちに断定出来るから、容易に推測されるのである。このようにして彼は自分の研究の「ノート」に於いてあのように忍耐強く周到に追求し検討し整理し蒐集した文法的な変化もまた古いギリシア語の変化形によって容易に説明し得ることを見出した。

「ノート」20で既に余りにも多くのギリシア語らしいものを発見したヴェントリスは、驚きかつ迷った。彼の作製した格子は、五十音図に近いものであるから、その中の一つの母音、一つの子音の決定は、直ちに全体に連鎖反応とも称すべき重大な結果を引き起こす。ある横の行の中の一つの符号が、例えば「コ」であると断定すると、カ行全体だけではなしに、縦に、十三の符号が、少なくともオをもっていることになる。アの縦の行は、𐀀が殆んど確かに「ア」であるとわかっているから、ア行であることが決定されている。このようにして格子の性質上、音価決定の最初の段階は、まことに重大な影響を格子全体に、ひいては解読に、及ぼすのである。ヴェントリスは非常に慎重であった。しかし彼自身ギリシア語ではないと考えていたB文書の中から、殆んど彼自身の意志に反して、ギリシア語らしいものが徐々に姿を現わした時に、彼は苦しんだ。こんなことがあり得るであろうか？

　何より彼を苦しめたのは、既に述べたように印欧語では殆んど信じられない、語末の -s や -r, -n, -i などの表記がないことや、その他にも Phaistos が Pa-i-to, stathmos「家畜小屋」が ta-to-mo のように書かれ、余りにも表記が不完全であることであった。

　このような状態では、建築家であるヴェントリスは、専門のギリシア語学者の協力を得なければならないと痛感した。丁度この頃である。以前から「ノート」の送附をうけていたサー・ジョン・マイアズは、自分ではヴェントリスの説に賛成ではなかったが、若いケンブリッジ大学の講師ジョン・チャドウィック John Chadwick にヴェントリスを紹介した。一九二〇年生まれのチャドウィックはヴェントリスより二つ年長である。彼の勉学もまた第二次大戦によって中断されたが、その間に彼は海軍の語学将校として日本語を学んだ。これは後に仮名と同じ仕組の線文字Bの研究に大いに役立った。

一九四五年除隊となった彼は、ケンブリッジ大学西洋古典科を卒業、のちオクスフォードでラテン語辞書編纂の助手の仕事をしている間にマイアズと知り合い、一九五二年には西洋古典学の講師としてケンブリッジに招かれた。彼も除隊になってからクレータ文書に興味を抱いて研究、あるいはその内容がギリシア語ではあるまいかと考えたことがあったが、何ら解読への鍵を見出し得ないでいた時に、一九五二年マイアズがヴェントリスの「ノート」を彼に見せたのであった。

新しい講師としての準備に追われていたチャドウィクは、当時はクレータ・ミュケーナイ文書からは遠ざかっていた。クレータ島のクノーソス出土線文字B文書の発表者たるマイアズはヴェントリスの送った「ノート」中の格子の鍵を信用しなかった。チャドウィクもまたはじめてこれを見た時には甚だ懐疑的であったが、マイアズの許しを得て格子を写して帰り、この鍵によってB文書にあたって見た。ところがそれは緊張した驚きと喜びとの四日間となった。奇怪な線文字Bの符号のなかから、次から次へと古い姿のギリシア語が姿を現わしたのである。熱中の余り結婚記念日をさえ忘れて、夫人の軽い叱責にあう始末であった。

このようにして、ヴェントリスの死に至るまで、僅か数年ではあったが、二人の若い学者の親密な協力が始まった。チャドウィクの古代ギリシア方言の詳細な知識と暗号解読者としての才能は研究の大きな力となった。

線文字B文書を自分の解読法で読んだ時のヴェントリスの当惑は無理もなかった。第一にそれは音節文字、しかも日本の仮名と同じく、母音だけか、子音＋母音という型の文字ばかりから成っていて、ギリシア語には相当に多い子音だけの音やその集まりを書き表わすことが出来ない。そこでこのためには何か特別の書記法上の約束をする外はない。現に古代のキュプロス島音節文字によるギリシア語は、例えば po-to-li-ne＝ptolin「市を」、ka-te-wo-ro-ko-ne＝katēworgon「攻囲した」、Sa-ta-si-ku-po-ro-se＝Stasikypros「スタシキュプロス」（固有名詞）のように、まことにぎごちない、拙劣なやり方によっている。ところが線文字Bはキュプロス文字よりも更に更に不備な書き方によっているために、(h)i-e-re-i-a「女性の神官」のように、すべての音節が母音だけか、子音＋母音の語では i-e-re-ja のように正確に表記出来るが、さもないと、Ko-no-so＝Knōsos, Ru-ki-to＝Lyktos のように、日本の仮名による外国名表記の場合と同様に、ある場合には母音を読まないようにする上に、B文書では子音群の一部の子音や、語末の -s, -r, -n などを省略している（pa-te＝pa-n-te-s, pa-te-r）。更にこの文字にも、キュプロス文字と同じく、p, b, ph; k, g, kh という、古代ギリシア語には欠くことの出来ない清濁と帯気音の別がない。従って文字に該当するギリシア語の語を見出すことが、ある場合には、非常に困難である。ところがこの文書はピュロス出土のものでも紀元前一二〇〇年、クノーソスのものは前一四〇〇年以前のものとされ、われわれが従来知っているどんなに古いギリシア語よりも更に五百ないし七百年は古いのである。それは丁度われわれが、全く一片の文書も残っていないのに、室町鎌倉時代の暗号で書いた古方言の文書を読むのと同じである。幸いにして歴史以前のギリシア語の姿は、印欧語比較文法、ギリシア古方言学などによって、相当に正確に再建することが出来る。そしてこの理論的再建は多くの点でB文書中の形と一致し、それが正しいことが証明された。しかしこの五百年は、ミュケーナイ時代から歴史の始めに至る、一般にギリシアの暗黒時代と呼ばれている、激動期である。確実なことはわからないが、前十二世紀頃に、ミノア・ミュケーナイ文化の社会は外部からの侵入によって破壊され、エーゲ海は大混乱に陥り、数百年の苦しい試煉の後に漸《ようや》く前八世紀に歴史の黎明を迎えたのである。生活用式は一変した。このような激動期は、普通言語的にも激しい変化を伴うものである。それだから、例えば語彙などは大きな変化を蒙《こうむ》っているに相違ない。それをこの不完全な表記による文書から引き出さなければならない。その困難は想像に余りあると言わなくてはならない。

こうしてヴェントリスとチャドウィクは三ヵ月の猛烈な研究、手紙の往復、整理の後に、一九五二年十一月に一九五三年の「ギリシア学誌」The Journal of Hellenic Studies 第七十三巻に掲載され、ギリシア学会に一大旋風をまき起こした論文（Evidence for Greek Dialect in the Mycenaean Archives）を書き上げた。

これは先ず従来の定説を破って、クレータ、ピュロス及びウェイスによって新たに一九五二年にミュケーナイのいわゆる「油商の家」から発見された線文字B文書三十八枚（これはベネットによって次の年に発表された。E. L. Bennett, The Mycenaean Tablets. A Transcription.

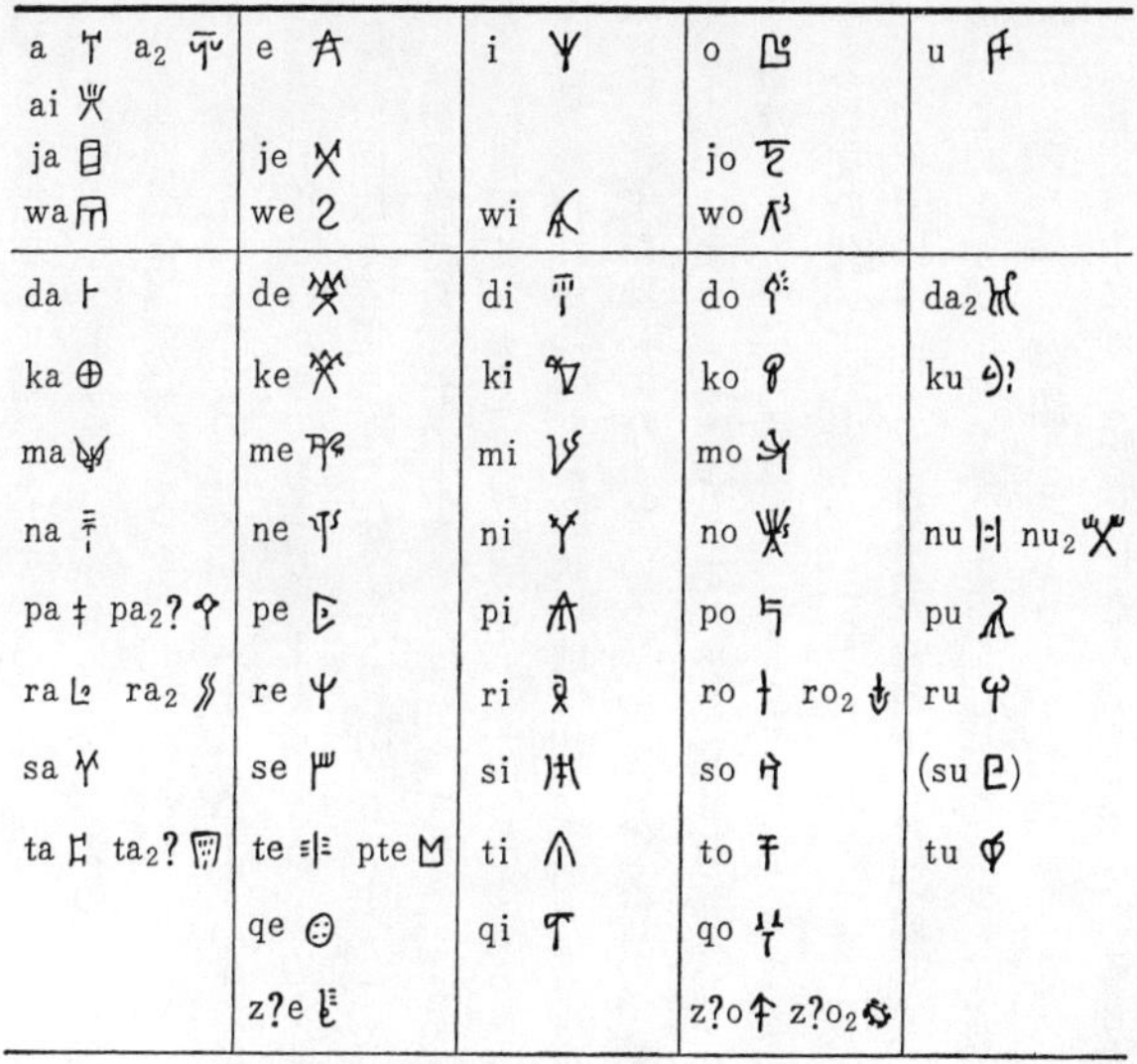

With an Introduction by A. J. B. Wace. Proceedings of the American Philosophical Society, 29. No.4., pp.422-470, 1953, 5. ウェイスは発表以前に写真を両人に貸した）が、ギリシア語で書かれていることを認めざるを得なかったこと、そしてここに至る内的な方法による文書の分析と例の格子をつくるための手続きと証拠とを述べ（とくに八八頁）、この格子の符号に実際の音価を与えるに至った経緯を簡単に叙し、当時文書より引き出し得た限りの文法と語彙の外に、最後にこのミュケーナイ方言の言語が歴史時代のアルカディア・キュプロス方言に最も近

いことを指示して結びとしている。

ここでヴェントリス、チャドウィクが先のヴェントリスの格子を訂正して得た結果は上〔註：前頁〕の図の如くである。

このようにしてこの論文は、八十八文字中六十五に音価を与えることが出来た。その中には後で訂正されたものもあり、また新しく読み方が明らかとなったものもあるが（後出二九一頁の図版を参照）、その殆んどすべては正しかった。

この解読では、われわれが従来知っていたどんなギリシア語よりも古い姿が予想されるが、一番驚くべきことは、ラテン語で qu というスペルで現われるが、古代ギリシア語では、われわれがこの文書解読以前に知っていたどんな古い時代のどんな方言の中でも既に t（š tš ?）または p になっている音が、この文書の中では、タ行ともパ行とも全く別の文字で書き表わされていることであった。例えば「……と」を意味するラテン語の -que、ギリシア語の -te にあたる語は -𐀳（=-te）ではなくて、-𐀣 でしるされている。「牛飼」を意味する歴史時代のギリシア語 boukolos は qo-u-ko-ro = $^{*}g^{w}$ou-kolos である。従って紀元前一二〇〇年頃には、この音は未だ p や t とは混同せず、明らかに区別されていたことが知られる。この音が以前は p や t とは別物であったことは、ラテン語とギリシア語の疑問代名詞 quis: tis「誰」、英語 cow: ギリシア語 bous「牝牛」のような多くの対応から判っていたが、B文書中には、語源的にこの音の変形であると考えられているpやtの代わりに、必ずこの音を表わす文字が用いられているのである。もっとも、この音が当時なお昔のままの音であったのか、もう少し変わった音になっていたのかは明らかでない。それは決定出来ない問題であるので、とにかく語源的にはこの音で、当時 p とも t とも違っていたある音として、q で転写したのである。

この文字によるギリシア語表記方法が不正確不満足なものであることは、前に述べたが、その綴り法上の約束は次のようである。

(1)　母音の長短は表わさない。

(2)　二重母音では、第二要素の -u(eu, ou) は書き表わすが、-i(ei, ai, oi) は、語頭では ai は特別の文字で表わすが、他の場合は表わさない。それ故、語末に -ai -oi -ei などがある時には、-i は表記されず、-a-i -o-i と書かれているのは -ai -oi ではなくて、-ais -ois の s が省略されているのであるらしい。

(3)　i の次に母音がある時には、i-ja-te＝iatēr「医者」のように、渡りの音をヤエヨの系列の文字で示す。u の場合も同じ。

(4)　この音節文字は少なくとも t, d; k; q(?); p; z(?); m, n, r(l); s; j, w（j は音声符号と同じく、半母音の i）の系列を有する。それゆえ、これでは t, th; k, g, kh; p, b, ph; k^w, g^w, k^wh; r, l のギリシア語では不可欠な区別は出来ない。z に関しては、これは語源的にそうと考えられるだけで、仮のもので、その正確な音価は不明。

(5) ps ks は pa-sa, pe-se; ka-sa, ke-se のように同じ母音の文字で表わす。

(6) s, m, n, r(l) は語末或いは他の子音の前では表記しない。従ってこれはギリシア語としてはまことに曖昧な表記法となる。例、ka-ke-u＝chalkeus「鍛冶屋」、i-jo-te＝iontes「行きつつ」、pa-ka-na＝phasgana「剣」。

(7) 語頭の s ＋子音は表記しない。pe-ma＝sperma「種」。語頭の w も同じか。rijo＝wrion。

(8) 子音群は同じ母音をもつ文字を重ねて表わす。ku-ru-so＝chrȳsos「黄金」。

この書き方の法則、または習慣は、ヴェントリスの解読を困難にしたと共に、後に述べる彼の解読に対する反対の重要な根拠となったために、ここに詳しく紹介した。というのは、このように不完全な書記法では、ある場合には、一つ一つの語だけを別々に取り上げると、pa-te＝patēr, pantes, pantei, phantes, panther のように、同じ綴りのものが非常に多くのギリシア語の語を表わすことになるからである。

しかし、ヴェントリスの解読は、思いがけないほど多くの学者から支持をうけた。既に一九五三年の「ギリシア学誌」発表以前から、講演や前もって送られた概要によって、スエーデンのウプサラ大学のビョルク Gudmund Björck、フルマルク Arne Furumark、オクスフォド大学の印欧語比較文法の教授パーマー L. R. Palmer はヴェントリスの鍵を認めていた。またこの発表以前に既にほかの見地や根拠からクノーソスとピュロスのB文書がギリシア語であるという結論に達していた学者が相当数あった。しかし未だ大部分の学者は賛否の表明をさしひかえていた。ピュロス文書の発見者ブレーゲンも、編纂者ベネットも同じであった。わたし自身もこの論文を入手して、色々なテキストにこの解読の鍵であたってみたが、確かに多くの文書がこれで読めると共に、一方、あまりにも多くがどうやってみても解読出来ないのを不可思議に思った。しかし、とにかく、ヴェントリスの格子作成の方法が正しいことは、ほぼ確実であり、B文字の下にかくされたギリシア語が余りにもアルカディア方言に酷似しているので、これは単なる偶然ではあり得ず、ミュケーナイ時代の文化の所有者がギリシア人で、しかもアルカディア方言を話していたと信じるわたしにとっては、この解読は確実と思われた。

　一九五二年の夏ブレーゲンはピュロス発掘を再開し、更に四百八十四枚の粘土板を発見した。しかしその中には修理しつなぎ合わせた結果、一枚になるものがあり、全部で三百三十三枚となった。これらの大部分は、先の一九三九年の試掘に際して幸運にも発見された文書室の隣室から出たもので、先の文書と同様に、明らかに内容によって分類された財産目録や土地台帳である。この新文書は、先に一九五一年発表の一九三九年出土の文書と共に、一九五三、五四年の発掘で出土した少数の粘土板をも加えて、一九五五年にベネットが発表した(The Pylos Tablets. Texts of the Inscriptions found 1939-54. Edited by Emmett L. Bennett, Jr., with a Foreword by Carl W. Blegen, Princeton, 1955)。

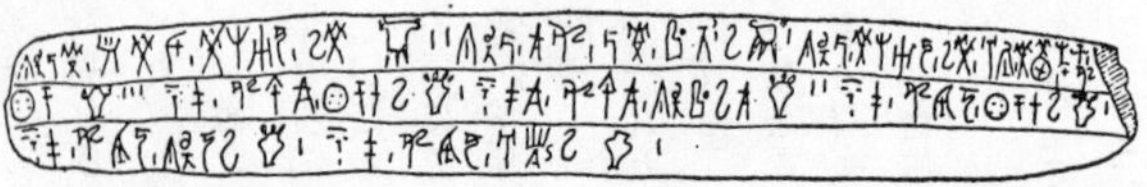

この発見の直後、一九五三年アテーナイに帰ったブレーゲンは、新出土の粘土板を詳細に検討していた時に、ヴェントリスの解読の正しいことを証明する一枚の粘土板を見出した。それは236＝Ta 641と現在では番号を打たれているもので、それは「明らかに壺に関係があり、ある壺は三脚、あるものは四つの、あるものは三つの把手をもち、あるものは把手が全くない。第一の語はあなたのシステムではti-ri-po-deらしく、それは二回ti-ri-po（単数？）の形で出ている。四手の壺の前にはqe-to-ro-we、三手にはti-ri-o-we-eまたはti-ri-jo-we、把手のない壺にはa-no-weと書いてある。あまりうますぎて信じられないくらいだ。偶然の一致は論外だろうか？」とブレーゲンは昂奮してヴェントリスに一九五三年五月十六日附の手紙で書き送った。これはヴェントリスがそれまでは全く知らなかった文書である。ヴェントリスの鍵による読み方から見出されるギリシア語の意味と絵文字との間の完全な一致は、彼の解読が恣意的にギリシア語をあてはめて作り上げたものであるとの疑念を一掃し、それが正しいことの見事な証明となった。ブレーゲンは直ちにこの粘土板を発表した（オイコノモスOekonomos記念論文集「アテーナイ考古学誌」一九五三年、五九―六二頁）。この記念すべき粘土板は上の如きものである。

これをローマ字に直すと次の如くになる。ローマ数字は原板の行数、アラビア数字は原板の文の順序、各々の文の下のローマ字は推測される当時のギリシア語形、次はその訳である。意味不明、或いは確実でない語には疑問符をつけてある。

I 1.	ti-ri-po-de	ai-ke-u	ke-re-si-jo	we-ke  2
	tripode	?	Krēsio-	werge-(?)
	二つの三脚釜		クレータ	製(?)
2.	ti-ri-po	e-me	po-de	o-wo-we  1
	tripos	emei(?)	podei(?)	oiwōwēs(?)
	一つの三脚釜	一つの(?)	脚の(?)	一耳の(?)
3.	ti-ri-po	ke-re-si-jo	we-ke	ke-re-a_2〈…〉 a-pu ke-ka-u-me-ṇọ skelea〈…〉
	tripos	Krēsio	-wergēs(?)	apu-kekaumenos
	一つの三脚釜	クレータ	製(?)	焼き払われた/脚が(?)
II 4.	qe-to	 3		
	?	酒甕(?)3		
5.	di-pa	me-zo-e	qe-to-ro-we  1	
	dipas	mezo(-e?)	k^wetrōwes	

	一つの盃	より大きい	四耳の
6.	di-pa-e	me-zo-e	ti-ri-o-we-e  2
	dipae	mezoe	triōwee
	二つの盃	より大きい	三耳の
7.	di-pa	me-wi-jo	qe-to-ro-we  1
	dipas	mewijon	k^{W}etrōwes
	一つの盃	より小さい	四耳の
Ⅲ8.	di-pa	me-wi-jo	ti-ri-jo-we  1
	dipas	mewijon	triōwes
	一つの盃	より小さい	三耳の
9.	di-pa	me-wi-jo	a-no-we  1
	dipas	mewijon	anōwes
	一つの盃	より小さい	耳なしの

この粘土板には、1. 6. の絵文字の後に2という数字のある所には、ti-ri-po-de, di-pa-e と、古代ギリシア語にあった、二つの数のものを表わすための、複数とは別の両数の形が用いられ、1. 2. 3. の三脚の釜の絵のあるところには、ti-ri-po-（de）が、四耳、三耳、耳な

しの盃のところには各々その数の耳をもっている盃の絵があることは、ブレーゲンの手紙の通りである。

ところがブレーゲンの発見と殆んど同時に、全く偶然の一致であるが、ドイツのジッティヒは一九五三年五月二十二日附の手紙で、自分の従来の説を放棄して、ヴェントリスの解読に賛成する旨をしたためた手紙で、クノーソス出土の一粘土板（Knossos 232＝K 875）上になる絵文字と共に繰り返し現われる di-pa a-no-wo-to（＝dipas anōwoton）「耳なしの盃」があることを知らせてきた。この形は、ホメーロスの「オデュッセイア」第二十二巻、十行にある amphōtos「両耳の」、また前三世紀の牧歌詩人テオクリトスの第一歌、二十八行の amphōēs「両耳の」の二つの語に見出される -ōtos, -ōēs < -ōwotos, -ōwēs と正確に一致し、その古形である。

このように多くの語がヴェントリスの鍵によってギリシア語で解き得ることは、偶然の一致ではあり得ない。ブレーゲンが好意をもってこの粘土板を発表すると、それまで意見をさし控えていた学者たちも、ヴェントリスの解読を支持するに至った。ウプサラ、ロンドン、パリ等にはミュケーナイ文書の研究会が設けられた。アメリカのウィスコンシン大学では、ベネットの編集の下に、学界の動き、特に文献を速やかに研究者に知らせるために、ホメーロス中のピュロスの老王ネストールにちなんだ「ネストール」Nestor の名のもとに、速報が出されている。一九五四年のコペンハーゲン、一九五九年のロンドンの古典学会でも、この文書研究には特別の関心が払われた。一九五六年一月には、ベネット、チャドウィク、ヴェントリスの協力の下に、マイアズの「ミノア文書」第二巻とは独立に、エヴァンズが一九〇〇—〇四年の間に発見した三千五百枚に上るクノーソス粘土板のローマ字による信頼すべき転写版（The Knossos Tablets. A revised transliteration of all the texts in Mycenaean Greek recoverable from Evans' excavations of 1900-1904 based on independent examination by E.L. Bennett Jr., J. Chadwick, M. Ventris《ed.》）がロンドンの西洋古典学研究所より出版され、エヴァンズたちの怠慢によって放置されていた千五百二十四枚の新しい板が加えられた。

ヴェントリスとチャドウィクは一九五四年にピュロス、ミュケーナイ、クノーソス出土の文書の中から三百枚の板を選んで、ローマ字による転写、訳と註を加え、それに文字、言語、文化に関する解説をつけた大著の計画を立てた。この本は一九五五年末に既にウェイスの序文と共に原稿が出来上がっていた。これが未だ印刷の途中、一九五六年の復活祭に、ヴェントリスはチャドウィクと共に、フランスの国立学術研究センター Centre National de la Recherche Scientifique 主催パリのジフ Gif-sur-Yvette で開かれたミュケーナイ文化研究会に招かれ、ここで初めて多くの名高い外国の学者たちに接したが、若い三十四歳のヴェントリスは、会う人すべてをその質樸謙遜温厚な人柄と、その語学の才、建築家でありながら、僅かの間にマスターしたそのギリシア学に関する学識の深さで魅《み》したのであった。

そして一九五六年九月六日ヴェントリスは交通事故で世を去った。

しかし、彼の開いたミュケーナイ文書への扉は多くの研究者をその門の中に引き入れた。勿論未だ少数で、殆んど取るに足りないとはいえ、彼の解読の正しさに対する反対論者がないわけではない。エジンバラのビーティ A. J. Beattie は一九五六年の「ギリシア学誌」で、解読を疑い、格子の構成法と、その中の最初の音価決定に用いた手段、特に、先に挙げた語末の -s, -n, -r や oi, ai の i を表わさない綴り法を攻撃し、これではギリシア語は満足には書き表わせないし、同時にこの不正確さが、全くギリシア語的でないように見える音節群の中にギリシア語の語を見出すことを可能ならしめたのであるとした。ベルリンのグルーマハ Ernst Grumach (Orientalische Literatur-Zeitung. LII.293-342) は一九五七年に、ビーティとは異なり、遥かに穏健で、かつ根本的な資料の検討によって、ヴェントリスが文書の内容推知に利用した絵文字の解釈に対する疑いと、この解読が設定した不正確な綴り方とを批判した。例えば e-ke は eke, ekhe, elke, erke, emke, eske, eike, eikhe, eskhe, elkhe, enge などと驚くべく多様に読むことが出来るために、正確な意味を得ることがむつかしいというのである。このグルーマハの意見をアイラーズ W. Eilers (Forsch. und Fortschr. XXXI, 326 f.) も同年に支持する論文を発表した。

これらの反対は、解読者ヴェントリス自身も認めている。B文書がギリシア語ではあるまいかと彼が考えた時に、これらの疑問は既に彼の心中にあったのである。しかし彼の格子作製法は文書の内容とは全く独立に、文書の与える内的証拠にのみよっている。内的証拠による文書の内容の推察も、絵文字や数字（これは単に十進法の数字のみならず、容積や重量の別の組織の計算法によるものと分数を含み、これらは解読以前に既にベネットたちによって十分に研究され、内容が判明していた）や、その他の前後関係を同じ種類の文書を何枚も何枚も並行的に研究することによって、殆ど確実であった。しかし絵文字には未だに何を表わしているのか不明のものがあるのは、当然である。またその後の多くの学者の研究によって、文字数は九十になり、幾つかの新しい読み方も判明したが、なお二十の文字の音価は不明のままである。これは、これらの文字が文書中に現われる頻度数が小さいためであることに主な原因がある。

とはいえ、しばしば用いられている文字の音価については、殆んど疑う余地がない。例えば𐀣は既に度々引いたように、「……と」を表わす -qe、「そして……ぬ」を表わす o-u-qe 𐀃𐀄𐀣、「四」を表わす qe-to-ro-we 𐀣𐀵𐀫𐀸 など、幾つもの異なる語の異なる場所に見出されて、同じ音価をあてはめて、古いギリシア語としての形に完全に一致する。これは一例にすぎないが、このように多くの場合によって確認し得る音価の決定は、偶然ということを殆んど全く除外するのであって、しかもそれが格子の全体に亙って確実である場合には、なおのことそうである。更に上のブレーゲン発見の文書のように、長い文書全体に亙って、ヴェントリスの鍵による読み方が正しいと認められる場合には、偶然の一致は問題外である。ヴェントリスの解読の正しいことの証明は、年と共に諸所で発見される新しい粘土板から次々と与えられつつある。例えば一九五八年にミュケーナイ出土の大きい粘土板上には、A-re-ka-sa-da-ra＝Alexandra, Te-o-do-ra＝Theodora のような、疑うべからざる女性の固有名詞があり、これだけの長い綴りの文字がすべて偶然の一致でギリシア名となり得ることは考えられない。

線文字B文書は仮名で外国語を書き表わしたのと全く同じ状態にある。これはギリシア先住の民族が創り出した文字からギリシア人が作り出したものであるために、ギリシア語表記にはまことに不向きに出来ている。それに、もとのこの文字の表記法によって、一音節を一文字で出来るだけ書こうとしているために、子音群の表記がしばしば省略され、そのために仮名の場合よりももっと曖昧になっている。それ故に、その不完全な書き方の裏にかくれている言語の発見が、ホメーロスよりも何百年も古い言葉であることと相まって、この上なく困難となる。われわれのもっている辞書は時には全く役に立たない。これはアルファベットで書いてある古代ギリシアの歴史時代の方言碑文を読む時でさえも、しばしば遭遇する困難である。B文書のギリシア語はたださえよくわかっていないアルカディア・キュプロス方言に近い、しかもわれわれの知っている如何なるギリシア語より五百年近くも古い、歴史時代とは全く異なる社会環境で用いられていた方言なのであるから、世界の学者の熱心な協力による研究にもかかわらず、未だ不明な点の多いのは当然と言ってよかろう。

線文字Ｂ（文字の番号順）

01 da	16 qa	31 sa	46 je	61 o	76 ra$_2$
02 ro	17 za	32 qo	47	62 pte	77 ka
03 pa	18	33 ra$_3$	48 nwa	63	78 qe
04 te	19	34	49	64	79
05 to	20 zo	35	50 pu	65	80 ma
06 na	21 qi	36 jo	51 du	66 ta$_2$	81 ku
07 di	22	37 ti	52 no	67 ki	82
08 a	23 mu	38 e	53 ri	68 ro$_2$	83
09 se	24 ne	39 pi	54 wa	69 tu	84
10 u	25 a$_2$	40 wi	55 nu	70 ko	85
11 po	26 ru	41 si	56	71 dwe	86
12 so	27 re	42 wo	57 ja	72 pe	87
13 me	28 i	43 ai	58 su	73 mi	88
14 do	29 pu$_2$	44 ke	59 ta	74 ze	89
15 mo	30 ni	45 de	60 ra	75 we	90 dwo

線文字B（アイウエオ表）

a 08　e 38　i 28　o 61　u 10　a2 25　ai 43
da 01　de 45　di 07　do 14　du 51　dwe 71　dwo 90
ja 57　je 46　jo 36
ka 77　ke 44　ki 67　ko 70　ku 81
ma 80　me 13　mi 73　mo 15　mu 23
na 06　ne 24　ni 30　no 52　nu 55　nwa 48
pa 03　pe 72　pi 39　po 11　pu 50　pte 62　pu2 29
qa 16　qe 78　qi 21　qo 32
ra 60　re 27　ri 53　ro 02　ru 26　ra2 76　ra3 33　ro2 68
sa 31　se 09　si 41　so 12　su 58
ta 59　te 04　ti 37　to 05　tu 69　ta2 66
wa 54　we 75　wi 40　wo 42
za 17　ze 74　zo 20
18　19　22　34　35　47　49
56　63　64　65　79　82　83
84　85　86　87　88　89

線文字B（アルファベット順）

a	08	ka	77	o	61	ra	60	ta	59	18	86
a_2	25	ke	44	pa	03	ra_2	76	ta_2	66	19	87
ai	43	ki	67	pe	72	ra_3	33	te	04	22	88
da	01	ko	70	pi	39	re	27	ti	37	34	89
de	45	ku	81	po	11	ri	53	to	05	35	
di	07	ma	80	pte	62	ro	02	tu	69	47	
do	14	me	13	pu	50	ro_2	68	u	10	49	
du	51	mi	73	pu_2	29	ru	26	wa	54	56	
dwe	71	mo	15	qa	16	sa	31	we	75	63	
dwo	90	mu	23	qe	78	se	09	wi	40	64	
e	38	na	06	qi	21	si	41	wo	42	65	
i	28	ne	24	qo	32	so	12	za	17	79	
ja	57	ni	30			su	58	ze	74	82	
je	46	no	52					zo	20	83	
jo	36	nu	55							84	
		nwa	48							85	

ヴェントリスの解読に対する疑いへの反論は多くの学者によってなされたが、更に、ヘーロドトスの写本と言語の徹底的な研究を発表した新進のイスラエルのギリシア学者ローゼンH. B. Rosénは、「ミュケーナイ文書、その研究の現状」と題する長論文（Eskolot 4〔1961〕, pp.1-55）で、ヴェントリスを擁護し、幾つかの印欧語比較文法と音韻論の立場から、B文書の不正確な表記法を説明しようと試みている。ヴェントリスの鍵の正しさは、その後に出土したB文書によって次々に証明されつつあり、現在ではこれを疑う者は殆んどなく、多くの学者がひたすら未解読の文書の解明に努力している。

一九五六年のパリのジフでの第一回国際会談の後をうけて、一九五八年には第二回がイタリアのパヴィアで、第三回が一九六一年九月四―八日にアメリカのウィスコンシンのラシーヌにあるウィングスプレッド荘Wingspreadで、第一回国際クレータ学会がクレータ島のイラクリオンで一九六一年九月二十二―二十八日に行われ、ウィングスプレッド会談では、特に、資料編纂出版の方式に関する取りきめが約束された。

このB文書中のギリシア語は、現在ではミュケーナイ語とか方言と呼ばれている。書記法が不正確な上に、文書の内容が、目録や記録なので、書式が一定であり、文学などと違って、色々な表現が出てくる余地がないために、この言語の全貌を知ることは出来ない。例えば動詞の形は、極めて僅かな時称の、しかも三人称に限られているし、語彙もまた同様である。またこの文書には千に上る人名があり、その中の多くのものはギリシア名であるが、大部分はわれわれの知っている古代ギリシア人の名では判断がつかない。しかし人名の中に、ホメーロスの Achilleus, Odysseus のように、-eus で終わるものが相当数あることや、神名中にゼウス、ヘーラー、アテーナー、アルテミス、ポセイドーンなどが見出されるのは興味がある。とにかく、上に述べたような有様であるから、B文書の内容は限定されていて、多くの意味不明の語を含んでいるが、解読されたところから、この文書の示す社会をおぼろげながら窺《のぞ》き見ることが出来る。それはわれわれが古代ギリシア社会と考えているところとは驚くべく別種の社会であった。

前に言ったように、クノーソス文書は一般に前一四〇〇年以前、ピュロス文書は前一二〇〇年頃のものと考えられ、その間に二百年の差があるが、この長年月と場所の差にもかかわらず、その文字の形、綴り法、方言、表現、粘土板の形は両者の間に何らの相違が認められない。この事実は人を驚かせた。これを説明するための一番有力な説は文字の知識が保守的な極《ご》く少数の書記階級に限られていたとするものであるが、二百年の年代の相違については、最近疑いが投ぜられている。これについては後で述べる。次に注目すべき点は、ピュロス文書は宮殿が敵によって、トロイアと同じように、略奪され焼かれた時を最後とする一年間の記録にすぎないことである。

さて、文書自身がわれわれの前に展開した社会は、シリアのウガリット Ugarit やアララク Alalakh や、小アジア奥地のヒッタイト帝国の首都ハットゥーシャのそれと酷くよく似た東洋的な官僚制度の世界である。B文書はあらゆる細目の点に及んで、最高の階級から奴隷に至るまで、そのあらゆる生活面に亙って、男女、子供に至るまで、またあらゆる職業、あらゆる土地、家畜、宗教儀式に至るまで、丹念に記録し、あらゆるものを丹念に計算する。職業は、例えば男性のものでは、彫刻師、黄金細工師、宝石細工師、大工、鍛冶屋、洗濯屋、皮鞣《なめ》し、服屋、女性では浴室付、臼《うす》ひき、頭のバンド作り、糸織り、羊毛洗いのように細かく専門的に分類されている。女性にはしばしば子供が幾人か並記されていて、一部の粘土板には、食糧の配布に関する記載があり、それは個人個人に至るまでまことに細かく計算されている。

家畜もまた牡羊、牝牛、山羊、豚など別々に驚くべくくわしく計算記録されている。例えばクレータのある地域の羊の総数二万五千五十一頭という風である。これらの家畜の供出、食糧（麦、オリーヴ油、蜜、無花果など）の割当の計算の精密なこと、その丹念な記録は想像に余りがある。

土地所有や耕作権についても上は王から下は農夫に至るまで細かく規定されていた。最高の位置には「ワナクス」wa-na-ka＝wanax という、ホメーロスにも見出される名で呼ばれる王があったこと、その下には色々な名称の官吏、神官、貴族、工匠、農民、奴隷がいたことは確かで、事実多くの名称が粘土板上に見出されるけれども、その社会的な順位は明らかでない。「ラーウァゲターース」lāwagetās、即ち「軍の指導者」と呼ばれるかなり高い位置の者があるが、これが、パーマーの主張するように、真にゲルマン民族の同じ意味のHerzog=duke（＜ラテン語 dux）と同じであるかどうかは疑わしい。またやはり非常に高い位置の、時には「ラーウァゲターース」よりは上位に記入されている「エケラーウォーン」echelāwōn「軍をもつ者」という名の人物がある。これは固有名詞らしい。ホメーロスでは「ワナクス」と共に「王」を表わす「バシレウス」basileus は、ホメーロスでも、例えばオデュッセウスの后の求婚者たちがそう呼ばれているように、しばしば王よりは下の貴族を指すに用いられているが、B文書中のバシレウスは明らかに王ではなくて、何か地方官らしいものである。外に「テレスターース」telestās、「ヘケターース」heqetās などの官職名があるが、正確に何であるか判らない。

このような世界は、われわれがホメーロスを通じて知っている、或いは想像している英雄時代とある意味では共通点があるが、大きな部分では違っている。しかしギリシアの英雄叙事詩はミュケーナイ時代からの遺産を引き継いでいることをわれわれは知っている。例えば武具の中の楯のあるものや兜、戦闘の様式、戦車、「オデュッセイア」の中の日常生活のある部分などはこの時代の名残りを多分に留めている。

言語の面からも、ホメーロスの使っている叙事詩言語は長い年月の裡《うち》に育まれた特殊な技巧的な人工言語であって、この中にも古い伝統が残っていることがわかっている。ホメーロスの言葉は、小アジアの沿岸地方イオーニアの古いギリシア語に別の古い方言が混ざっていると思われるが、ミュケーナイ時代のギリシア語の形がおぼろ気ながら判明した今日では、既に以前からも推察されていたことであるが、この古い方言は従来考えられていたように、アイオリスの方言ではなくて、ミュケーナイ方言であろうと思われる。

何百年の長い間にミュケーナイのギリシア語の一部が小アジアで次第に変化して、イオーニア方言になった過程で、多くの点で叙事詩の言葉も変化し、また新しい工夫が多くの点で行われたが、しかし、しっかりとこの言葉の中に根をおろして、変化に耐えてきた多くの固定した表現があった。これがイオーニア方言では説明のつかない部分である。

われわれのもっている現在の粘土板資料は、文学とはおよそ縁の遠いものである。それは財産目録や食糧の分配などという、特に明瞭に個々のものが識別されることを要する文書である。だから武具の記録の場合でも、ホメーロスのように「よく切れる」とか「重い」とか「かがやく」という一般的な形容よりは、「柄《つか》の両側に金の鋲をうった刀二本」とか「妃の水差し、牝牛の頭のデザイン」「石の机、石榴と兜の形に彫った象牙の象眼つき」といった具体的な特徴が一々記入されており、戦車にしても、車輪をはずして保管したらしく、一々紅くて象眼があるとか、轡《くつわ》がついているとか、色々と細かい点に留意している。ホメーロスにも勿論「白銀の鋲うった刀」と言った風の表現が相当にあるけれども、全体的な態度が全く異なる。

それに生活様式自体前一二〇〇年からホメーロスの前八〇〇年の間には大きな変化があった。これが当然叙事詩の言葉に反映して、漸次その内容を変えていった。ミュケーナイ時代以後の幾何学文様と称せられる土器の上に描かれている葬礼、海戦その他日常生活の模様の中には、ホメーロス中の描写とぴたりと合致するものが多く、これらの叙事詩の表現は幾何学文様土器時代にも変化する生活や社会に応じて新しくつくられていったことを物語っている。このようにして、ギリシア叙事詩の中には、丁度日本の和歌の言葉の中に、古い要素が何時までも残っているように、ミュケーナイ時代からの表現が残っていたのであろう。

このミュケーナイのギリシア語は、前一四〇〇年のクレータ島のクノーソスでも、前一二〇〇年のギリシア本土のピュロスでもミュケーナイでも全く同じであった。二百年の間に言葉も文字の書き方も全く変わらないのは、確かに普通ではないので、これに対して、ヴェントリスの解読に接した時、多くの学者が疑問をもち、驚いたのは当然であった。二百年というのは言葉にとっても書体にとっても相当な変化を期待出来る長い時間である。現代のように言語が中央集権、学校教育によって固定されている時代でも、十八世紀と今日の英語や仏語は、その基本は変わらずとも、内容はかなり変わっている。古い時代にも、古代ペルシア帝国の言葉として、ダーレイオスのビストゥーンの大碑文以後、帝国の滅亡までのほぼ同じ長さの時期の間、使われていた古代ペルシア語や、紀元前一世紀に固定してからは、数百年間、広大な地域に用いられているのに、殆んど変化を表面には見せなかったラテン語のような例がないではない。しかしラテン語はその文法は変わらずとも、言語の内容はかなり変わっている。

するとミュケーナイ方言の場合には、古代ペルシア語のように、一部の限られた書記や上層の階級の人々によって保存された、非常に保守的な言葉を考えるべきであろうか。われわれのもっている資料はあまりにも限られたものであるために、確実な判断を下すことは不可能であるが、上に述べたような事態は、このあらゆる面で身動きもならぬほど細かに規定されたミュケーナイ社会では、十分に考えられるのである。

このような、何かそぐわぬものを人々が感じていた矢先に、オクスフォドの印欧語比較文法の教授で、ヴェントリスの解読をいちはやく認めた、B文書研究の第一人者の一人であるパーマーが、クノーソス出土B文書の年代そのものに対する疑いをイギリスの有力な日曜新聞「オブザーヴァー」Observer に一九六〇年七月三日に発表したために、学界は騒然とした。それはミノア文化の権威者エヴァンズに対する挑戦であった。エヴァンズはこの文書の発表をおくらせたのみならず、文書の年代決定も誤っていたというのである。

エヴァンズの後期ミノア時代第二期の所有者に関する見解が間違っていたことは、ヴェントリスの解読によって明らかとなった。更にもっと古い時代、後期の第一期（前一五〇〇年以前）に既にギリシア人がクレータ島に入っていたと考えるべき考古学的資料が十分にある。エヴァンズは前一四〇〇年以降、ミュケーナイ人が本土で活躍している間、クレータは全くないに等しい有様であったと言うが、これにも反証がないわけではない。

パーマーは、エヴァンズを助けて発掘を行ったマケンジーD. Mackenzie の発掘日誌中にある記入を根拠として、粘土板は、エヴァンズの言うように、後期ミノア時代第二期Bのではなくて、第三期B（前一三四〇―前一二〇〇年頃）の土器と共に発見されたものであり、従ってこれはピュロス出土のものと同じ年代であると主張した。パーマーはこの外にも色々な理由を挙げているが、主な根拠は日誌である。

クノーソス宮殿は、第二期の宮殿を破壊した火事以後、もと通りではないにせよ、小さい規模で再建されたことは確かであるので、パーマーの言うように二百年以上も長い間、粘土板がただ保存されていたのは不可思議である。ピュロス文書の示す所では、粘土板は大よそ一年の記録を留めているだけで、この事から、記録は毎年書き改めたのであろうと考えられている。

しかし、一方、エヴァンズの擁護者たちが言うように、火事のあとが全く認められない後期の宮殿に文書が属するものならば、粘土板が明らかに火で焼かれた状態にあるのをどう説明するか？　エヴァンズ自身も一部の粘土板は第三期に属すると考えていた。イギリスのアテーナイ考古学会の長フード Sinclair Hood の言葉によれば、戦後のクノーソス発掘に際して、八枚の新しい粘土板が出土したが、それは、ピュロス宮殿の一部の粘土板と同じように、階上から落ちたもので、第二期の土器と共に発見されたという。

パーマーは更に一九六一年に「ミュケーナイ人とミノア人」Mycenaeans and Minoans と題する著書を出版して、自説を主張、これに対して多くの批評が既に一流の学者たちによって行われ、また問題の日誌を所蔵するオクスフォドのアシュモリアン博物館では、マケンジーの一九〇〇—〇五、一九〇七、一九〇八、一九一〇、一九二二—二五年、エヴァンズの一九〇〇—〇三、一九〇五、一九〇八—一〇、一九一三年の日誌を含む、クノーソスの発掘日誌をマイクロフィルム（約千八百枚）にとって、希望者に譲る計画をしている。

パーマーのこの挑戦がどんな結果に終わるかは興味のあるところで、これが、新風を学界に吹きこんだことは確かに彼の功績である。従来の考古学的資料が改めて検討される機会がここに与えられ、エヴァンズの年代が正しいかどうかがいま一度問題となるであろう。

ヴェントリスの解読はギリシア語の歴史の面でも新しい問題を提起した。在来の説では、ギリシア民族の中の、東ギリシア方言族が紀元前一九〇〇年頃から北の方からバルカン半島を通って南下して、ギリシアに定住し、これがミュケーナイ文化をクレータ文化の影響下に創り出した民族とされていた。東ギリシア方言族というのは、ペロポネーソス半島の中央部の山地に歴史時代に住んでいたアルカディアと、シリアに近いキュプロス島、北方のテッサリア、アテーナイを中心とするアッティカとエーゲ海のキュクラデス群島から小アジアのイオーニアに住んでいたギリシア民族で、歴史時代にペロポネーソスの海岸地帯、中部ギリシア、クレータ島、ロドス島などにいた、ドーリス民族を含む西ギリシア方言族は前十二世紀頃におくれてギリシアに入り、東ギリシア民族を征服したり追ったりして、居を占めたもので、アルカディア方言族がペロポネーソスの海岸地帯ではなくて、山の中に歴史時代に住んでいたのは、そのためである。こうしてミュケーナイ文化は崩壊し、闇黒時代が始まった。ヴェントリスの解読は、ミュケーナイ時代のギリシア語には方言がなかったことを示しているように見える。少なくともクノーソス、ピュロス、ミュケーナイの三つの地のギリシア語には差別がない。これをどのように説明するか？　これは宮廷の書記の言葉であるから、と簡単に答えることも出来よう。しかし、実際にこの時代には、東ギリシア語には方言がなかったかも知れない。方言はミュケーナイ文化崩壊後の混乱期に生まれたとも考え得る。後年の研究では、テッサリアのアイオリス方言は、東ギリシアというよりは、むしろ西ギリシア方言に近いとする説もあり、これが正しければ、この方言の所有者がミュケーナイ時代にどこにいたかという、在来の考え方では説明が困難であった問題が解決される。というのは、この方言の要素がドーリス方言の中の諸所に、かすかではあるが見出される上に、英雄伝説ではこの民族はアッティカと同様に居場所がなく、またアイオリスは古いギリシアの伝承によれば、昔は中部ギリシアの最西部の地方の名称であった。またイオーニア方言は歴史時代には明らかに一つの方言群を形成しているが、イオーニア人なるものは、わたしが以前から信じているように（「ギリシア民族と文化の成立」昭和二十五年、一〇五―一三九頁）、ギリシア本土に先史時代にいたとするのは誤りで、本土にミュケーナイ時代にいた東ギリシア方言族が小アジアに遁《のが》れ、ここで闇黒時代に独自の変化を行い、この変化の波が逆に本土にむかって拡がり、アッティカに至ってこの波が止まったものであろうと思われるからである。要するにイオーニア方言とアルカディア・キュプロス方言とは、昔は同じものだったのである。このわたしの考えはヴェントリスの解読以前からのものであるが、ミュケーナイのギリシア語に方言が認められないことは、この考え方を裏書きする。最近リッシュは古代ギリシア諸方言の多くの特徴の比較検討によって、テッサリアのアイオリス方言はむしろドーリス方言に近いとし、ポルツィヒ W. Porzig も同説である。この事実に如何なる歴史的解釈を下すかは、研究者によって説が分かれるところであるが、ミュケーナイ・ギリシア語の知識がここに大きな役割を果たすことは疑いがない。

線文字B文書と線文字A文書の中の多くの文字は、同一であり、また他のかなりな数の文字には類似点が認められる。A文書はB文書がクノーソスに限られているのに反して、クノーソス、フェスト、テュリッソス Tylissos、ザフェル・パプラ Zafer Papoura、ザクロ Zakro、パレカストロ Palaikastro、マリア、アヤ・トリアザから出土し、クレータ島のミノア文化地帯全体に広く使用され、また粘土板だけではなくて、印章や祭式器具などにも彫りこまれている。一番大量に出土したのはアヤ・トリアザの宮殿で、約百五十枚の粘土板と相当数の印章を含んでいる。アヤ・トリアザの「離宮」の破壊の年代は、エヴァンズやカラ

アヤ・トリアザ出土の線文字A文書中の文字表（Aで示す）Hはそれ以前の絵文字、Bは線文字B文書の文字で、恐らくA文字の前段階とその後の発展した形と考えられるものを対比した。

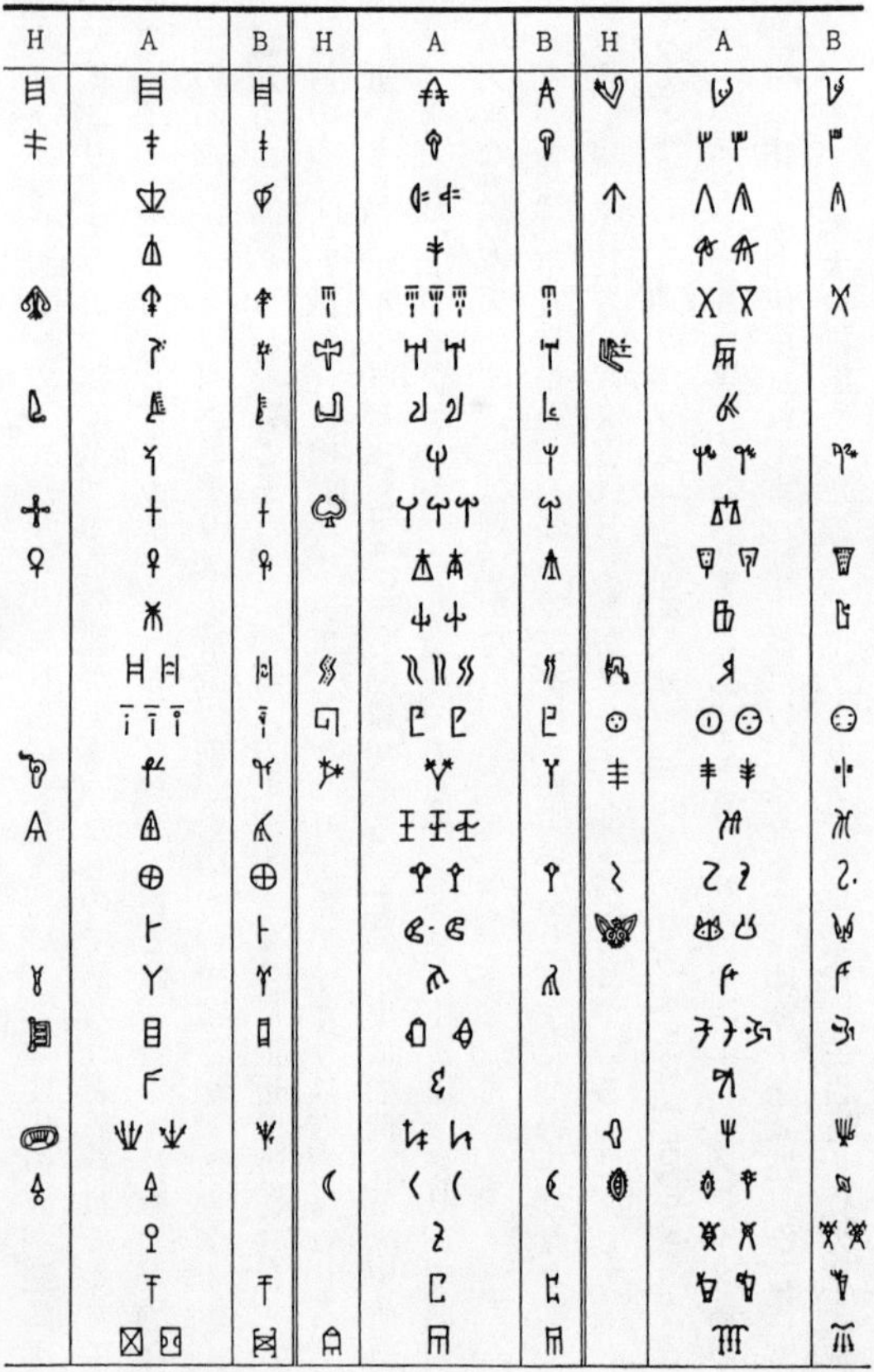

Ventris-Chadwick: Documentsによる。

テリG. P. Carratelliによると、大よそ前一四五〇年とされているが、ほかの所から出土のものは大体中期ミノア時時の第三期B（大よそ前一六六〇—前一五八〇年）に属するとされている。

アヤ・トリアザ出土のA文書は一番数も多く、一番後期のものであるから、A文字の発達の最後の段階の容相を示すと考えてよいであろう。ヴェントリスとチャドウィクの作った表によると、これらの文書中に確かに認め得る七十五の符号のうち、実に五十四がB文字と同じ、または似た形をしている。もちろん、形が同じであるから、その音価も同じであると考えるべきではないことは言うまでもない。

とはいえ、同じではないとする前に、かりに同一として、B文字の音価をあてはめて、一応読んでみて、そこから何物かを引き出し得るかどうかをためすのは当然のことであろう。アメリカのセム語学者ゴードンは、一九五七年にアヤ・トリアザ出土の文書中にセム語で解し得る幾つかの語（すべて容器名）を発見したと信じたが、その後一九六二年二月十五日附の書簡で、ブライスW. C. Briceの線文字Aの新しい版によって、中部と東部クレータ出土の十八個の宗教上の品物にあるA文字文書を調査した結果、西セム語系に近い語と文とを見出し得たと報告、更に三月一日附の書簡で、歴史時代に、「真のクレータ人」Eteokrētesという名で呼ばれていた、恐らくミノア文化の所有者で、後、ギリシア人に征服されながら、余喘《よぜん》を保っていた民族の言語らしいものをギリシア文字で彫った碑文もまた西セム語のフェニキア語系統の言語で解し得ると言っている。

また一部の人たちは、A文字の言語が、紀元前二〇〇〇—前一二〇〇年頃の間に小アジアにあった、印欧語族に属するヒッタイト語と、それと近い関係にあったルヴィ語 Luwili その他の、いわゆる「アナトリア諸言語」の一つではないかと考えている。この言語群の話されていた地域は、歴史時代にイオーニアに接して居住していたリューディア人やリュキア人の言語をも含み、これはクレッチマーが古くから主張していた、ギリシア先住民族の言語の名残りであると思われる -nth- (-nd-), -ss-, -s- (Korinthos, Labraunda, Parnassos, Knos(s)os) の接尾辞をもっている地名分布の地域と一致するので、この説はかなりな説得力がある。

いずれにしても、これらの説の真否は、A文書の更に全面的な解読をまつほかはない。ヴェントリスが解いたB文書の秘密は、このようにして、先史ギリシア、エーゲ海学のあらゆる方面に衝撃を与え、波及しつつある。彼はシュリーマンのトロイア発見に次いで、ギリシア英雄時代の第二の門を開いたのである。

学術文庫版解説

永井正勝

本書は1964年（昭和39年）に岩波書店から刊行された高津春繁・関根正雄『古代文字の解読』の復刊である。原本は刊行後、文字や歴史に関心を持つ多くの読者に愛読され、刷りを重ねていたものの、しばらく絶版・品切れとなっていた。このたび原本の刊行から60年の時を経て、講談社学術文庫より装いを新たに復刊されたことに心より賛辞を呈したい。

著者の高津春繁氏は印欧語比較言語学ならびに西洋古典学を専門とする言語学者であり、東京帝国大学（現・東京大学）文学部言語学科卒業後、オックスフォード大学にて学業を修め、帰国後、東京帝国大学に教員として着任し、研究ならびに後進の育成に尽力された。氏の研究は『印欧語比較文法』（1954年）、『ギリシア語文法』（1960年）など言語学の領域ばかりか、ギリシア・ローマ世界の文学や神話の領域にも及ぶ。これは、古典世界の人々の世界観の中で言語を捉えようとする氏の研究上のスタンスに基づくものであろう。

もう一人の著者の関根正雄氏は東京帝国大学法学部で学んだのち、同大の言語学科に進み、それ以降、旧約聖書研究に取り組むことになる。言語学科卒業後はドイツに渡り、マルティン・ルター大学ハレ・ヴィッテンベルク、イエナ大学（現・フリードリヒ・シラー大学）、ライプツィヒ大学でヘブライ語と旧約学を修めた。帰国後はキリスト教伝道に従事したのち、東京教育大学に教員として着任し、キリスト者として研究、教育、伝道に人生を費やされた。『関根正雄著作集』（全20巻）に代表されるように、関根氏は膨大な量の書籍を著している。なかでも圧巻なのは、旧約聖書全巻の個人訳『新訳 旧約聖書』（1993～'95年）であろう。氏の聖書翻訳は37歳の頃に始まり、完結したのが80歳を過ぎてからであるので、まさに人生を懸けた取り組みである。

高津氏と関根氏は、ともに言語学を修めたうえで、研究対象とする文化を大切に研究や教育に尽力された。その両者の説く古代文字解読の話は、解読当時の学者達や社会の常識を踏まえつつ、解読者の心境を代弁するかのような語り口でなされている。そこに時折加えられる古代社会の記述も相まって、読者は解読当時の様子をこの目で見ているかの如く本書を読み進めていくことができる。著者達は「解読への道を出来るだけ平易に正確に、劇化したりロマン化したりすることなく、伝えようと努力した。そんなことをせずとも、事実そのものが既に人の心を躍らせるものを蔵している」と述べているが、本書の魅力は、文化に対する深い理解と愛を持った卓越した研究者の手によるところが大きい。

＊

本書は失われた文字の解読という出来事を一般の読者にわかりやすく解説したものであるため補足は不要かもしれないが、文字論／文字学の立場から文字分類について説明しておきたい。

文字とは、端的に言って、話し言葉としての音の世界を視覚的な媒体で示したものである。言い換えれば、目に見えない音の世界を目で見える図形で示したもの、これが文字である。したがって、文字というのは、いかなる体系のものであれ、音（読み方）を持っている。これは文字を考える上で基本となる出発点である。

それでは、文字あるいは「書く言葉」は、音すなわち「話す言葉」をそのまま写したものであるかといえば、そうではなく、むしろ本書でも述べられているように「書く言葉は最初から話す言葉とは同じではない」。いわば、書く言葉は「話された言葉の大まかな指示にすぎない」のである。文字は、話された言葉すなわち音を示すが、その対応はけっして十全なものではない。日本語の表記を考えても、アクセントは文字では示されない。また、漢字は音に対する透明度が低い。「五（ゴ）」と「匹（ヒキ）」を合わせた「五匹」がゴヒキと読まれるのであれば、「一匹」の方もイチヒキで良さそうだが、こちらはイッピキとなる。話し言葉を知らないと、そもそも文字が読めない。

単語の持つ音と文字表記との関係において不透明さが極めて高いものとして、単語の音の一部しか示さない文字体系がある。それが子音文字である。詳しい説明は割愛するが、音は子音と母音とに分かれる。日本語を例に単純に述べると、a, i, u, e, o が母音であり、その他の k, s, t などの音が子音である。子音文字では、原則として子音のみを表記する。「羽田」という語の音は /HaNeDa/ であるが、このうち母音部分は /-a-e-a/ で、子音部分は /H-N-D-/ である。子音のみを文字で表記するということは、「羽田」を HND と表記するようなものである。日本人には不可解に思われる表記であるが、現在でも、たとえばヘブライ文字やアラビア文字が子音文字体系となっている。本書で述べられている文字では、エジプト聖刻文字とウガリット楔形《くさびがた》文字が子音文字体系を持つ。このように中近東の言語では、古代ばかりか現代でも、子音表記が採用されている。

HND という子音表記は、母音が書かれていない以上、特にその言語を知らない人には発音が難しい。HND は「羽田 /HaNeDa/」ばかりでなく、「本田 /HoNDa/」「花田 /HaNaDa/」「変だ /HeNDa/」とも読める。このような不便さを解消する工夫の一つとして、子音文字に母音文字が加えられた。この、子音と母音を含めた一文字一音の体系がアルファベットと呼ばれる。アルファベットの代表がローマ字であり、本書で述べられている文字ではペルシア楔形文字（ペルセポリス刻文の第一類）がこれに該当する。また、新エラム語楔形文字は原則として音節文字だが、文字の組み合わせによっては、それらの文字が子音のみを示す場合がある。

実際の言語の発音には、発音上の単位（まとまり）がある。そのまとまりを音節（より細かい単位としての拍もある）と呼ぶ。音節を単位とした文字が音節文字であり、日本語の仮名の多くが音節に対応する（厳密に言うと拍を含む）。たとえば、/HaNeDa/という音の連続を音節に分けると、/Ha-Ne-Da/となり、仮名ではそれぞれの音節に対して一文字をあて、「はねだ」と表記される。本書で述べられている文字では、新エラム語楔形文字（ペルセポリス刻文の第二類）、アッカド語楔形文字（ペルセポリス刻文の第三類）、ヒッタイト楔形文字、ヒッタイト文字（ヒッタイト聖刻文字）、線文字Bが音節文字を多く含む。また若干数ではあるが、ウガリット楔形文字でも音節文字が使用されている。

以上に述べた、子音文字、アルファベット、音節文字は文字そのものが音のみを示しているため、表音文字として分類される。それに対して、漢字のように音ばかりか意味をも併せ持つ文字体系がある。このような文字を古くは表意文字と呼ぶことが多く、本書でも表意文字が用いられている。しかしながら、最近では、特に文字論／文字学の分野において、「意味と音」の両方を示す文字を、表意文字ではなく表語文字と呼ぶようになっている。その理由は、「意味と音」の示している単位が、おおむね単語に相当しているのに加え、表音文字に対比させた場合、表意文字は発音を持たずに意味のみを示す文字として捉えた方がよいからである。このように最近では用語の変更があるものの、本書に従って表意文字という用語を使用すると、本書で取り上げられているものでは、エジプト聖刻文字、新エラム語楔形文字、アッカド語楔形文字、ヒッタイト楔形文字、ヒッタイト文字が表意文字を含む。

古代の文字には漢字の偏（人偏や三水《さんずい》など）に相当する文字もあった。たとえばHNDという子音文字が飛行場を示す場合には「HND✈」とし、男性の人名を示す場合には「HND」、そして都市名を表す場合には「HND」と表記すると、それぞれの語の範疇や意味が明確になる。この例の「✈」（飛行機）、「」（人）、「」（建物）は音を持たず、語の範疇や意味を示す機能を持つ。このような文字を本書では限定文字／指示文字と呼んでいる。本書で述べられている限定文字／指示文字を含む文字体系は、エジプト聖刻文字、新エラム語楔形文字、アッカド語楔形文字、ヒッタイト楔形文字、ヒッタイト文字、線文字Bである。

以上に概説した文字体系の分類は、音声言語と文字との間の関係性に基づくものである。このように文字の機能は音声言語の存在無くして語ることはできない。本書のはじめに第一章「言語と文字」が設けられている所以である。

*

古代文字の解読を扱った書籍として、日本で古いものとしては、ミケーネ文字の解読とエジプトのヒエログリフの解読に関する解説を含む、石母田正他編『古代史学序説』（古代史講座1）（1962年）がある。その後、J・チャドウィック『線文字Bの解読』（1961年）ならびにE・ドーブルホーファー『失われた文字の解読』全3巻（1963年）が相次いで出版された。この2作はいうまでもなく翻訳である。そして、『失われた文字の解読』の翌年に出版されたのが本書『古代文字の解読』（1964年）である。古代文字の解読に関する日本語で読むことのできる書籍がそれほど多くはない時代に、中近東からヨーロッパに至る地域の複数の言語の複数の文字体系の解読物語を、対象言語に熟達した日本人の学者が著した最初の単行本、というのが本書の歴史的な位置付けである。

ウガリット楔形文字の解読の重要な学説は1929年〜'32年に提示されたが、その頃、高津氏は言語学を専攻する大学生であり、関根氏の方は高校生から大学に入る時分であった。それゆえ、両氏にとってウガリット楔形文字の解読は同時代の出来事である。さらに、線文字B（ミュケーナイ文書）の解読に至っては、その中心時期である1951〜'52年において、高津氏は40代前半の、関根氏は40歳前後の、それぞれ研究者として脂の乗った頃であった。とりわけ、古代ギリシア語の言語学を専門とする高津氏にとって、線文字Bの解読は自らの研究に大いなる刺激を与える出来事であったことだろう。本書の「ミュケーナイ文書の解読」にはゴードンが1962年に送った書簡に関する情報まで記されており、本書執筆の最終段階まで、同時代に進行している解読の成果を氏が渉猟していた様子が窺われる。まさに、解読成果の生き証人としての、高津氏の情熱が伝わってくる書き振りである。同様の情熱は関根氏による「ウガリット文書の解読」にも現れており、特にウガリット文書の持つ文化史的意義の部分は、学説と資料との間の整合性を図りつつ、ウガリット文化の位置付けを氏なりの観点から叙述した内容となっている。

本書の復刊にあたって、誤植・誤記を含めた若干の表記の修正ならびにルビの補入を施したが、その他は初版のままとした。60年前の熱気を封印した本書の著述を尊重した故である。読者諸氏には、著者達が身近に感じていた古代文字解読の世界を、心ゆくまで堪能して頂きたく思う。

（人間文化研究機構人間文化研究創発センター特任教授）

メ

モ

ヤ

ユ

ヨ

ラ

ホ

へ

フ

ヒ

ス

索　引

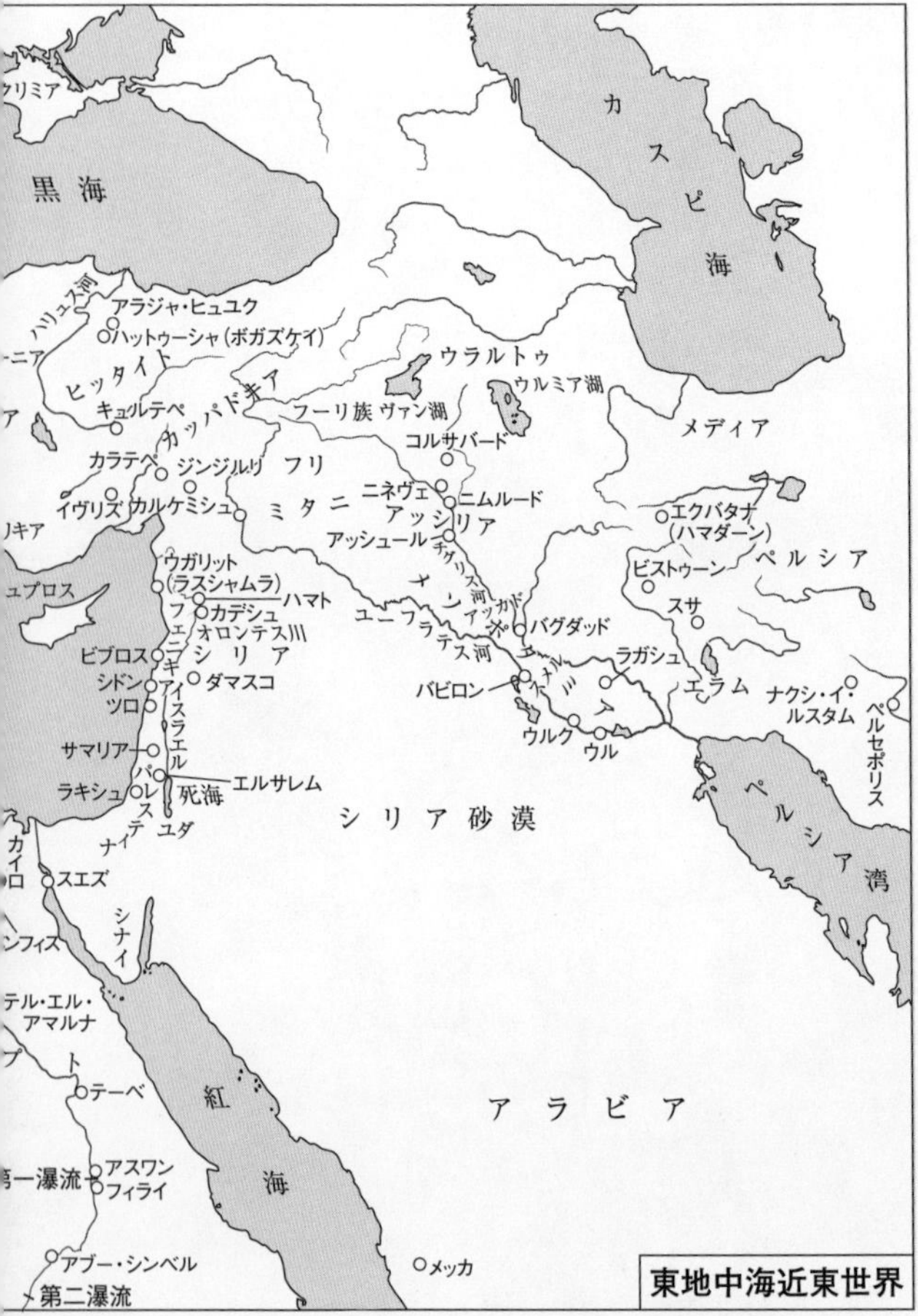

黒海
カスピ海
ハリュス河
アラジャ・ヒュユク
ハットゥーシャ（ボガズケイ）
ヒッタイト
カッパドキア
キュルテペ
カラテペ
ジンジルリ
イヴリズ
カルケミシュ
フリ
ミタニ
ウラルトゥ
フーリ族
ヴァン湖
ウルミア湖
メディア
コルサバード
ニネヴェ
ニムルード
アッシリア
アッシュール
チグリス河
アッカド
ユーフラテス河
バグダッド
エクバタナ
（ハマダーン）
ペルシア
ビストゥーン
スサ
ラガシュ
エラム
バビロン
シュメール
ウルク
ウル
ナクシ・イ・ルスタム
ペルセポリス
ペルシア湾
ウガリット
（ラスシャムラ）
ハマト
カデシュ
オロンテス川
フェニキア
ビブロス
シリア
シドン
ツロ
ダマスコ
イスラエル
サマリア
パレスティナ
ラキシュ
エルサレム
死海
ユダ
シリア砂漠
カイロ
スエズ
シナイ
テル・エル・アマルナ
テーベ
紅海
アラビア
アスワン
フィライ
アブー・シンベル
第二瀑流
メッカ

東地中海近東世界

スキュティア
イリュリア
アドリア海
ダルマティア
エトルリア
コルシカ
ローマ
ラティウム
サルディニア
ダニューブ河
ビューザンティオン
(コンスタンティノポリス)
トラーキア
マケドニア
エーペイロス
テッサリア
レームノス
ヘレースポントス海峡
トロイア
ミューシア
アイオリス
リューディ
キューメー
サルデイス
イオーニア
コルキューラ
イオニア海
エーゲ海
地中海
シシリア
ミーレートス
カーリ
ハリカルナッソス
リュキ
ヌミディア
クノーソス
ロドス
カルパトス
アヤ・トリアザ
クレータ
フェスト
キューレーネー
アレクサンドレイア
ロゼッ
リビア
ボイオーティア
レスボス
エウボイア
エーゲ海
レウカス
テーバイ
キューメー
デルポイ
エレウシース
ケパレーニア
イタケー
マラトーン
ザキュントス
コリントス
アテーナイ
サモス
アルカディア
アルゴス
メッセーニア
ピュロス
アッティカ
サラミース
ミュケーナイ
アルゴリス
ティーリュンス
スパルタ
キュクラデス群島
スポラデス諸島
イオニア海
エ
ジ

高津春繁（こうづ　はるしげ）

1908-1973年。神戸市生まれ。東京帝国大学文学部卒業。古代ギリシア語・印欧語比較文法専攻。東京大学教授。著書多数，学術文庫に『ギリシア・ローマの文学』がある。

関根正雄（せきね　まさお）

1912-2000年。東京都生まれ。東京帝国大学法学部および文学部卒業。神学博士。聖書学者。『関根正雄著作集』全20巻，『旧約聖書文学史』（上・下）など著書多数。

本書の原本は一九六四年一〇月、岩波書店より刊行されました。
文庫化にあたり読みやすさに配慮して、漢字は一部通行の字体に置き換え、送り仮名も一部修正し、ルビの追加を行い、明らかな誤植は訂しています。
経年などにより説明が必要と思われる箇所は、編集部註として〔　〕で補足いたしました。「最近」「現在」などの表記につきましては、原本が出版された一九六四年時点の時制といたします。
なお、本書には現在では差別的とされる表現も含まれていますが、著者が故人であることと差別を助長する意図はないことを考慮し、原本刊行時の文章のままとしております。

地図作成　さくら工芸社

KODANSHA

講談社学術文庫

定価はカバーに表示してあります。

古代《こだい》文字《もじ》の解読《かいどく》

高津《こうづ》春繁《はるしげ》
関根《せきね》正雄《まさお》

2024年２月13日　第１刷発行
2024年５月24日　第２刷発行

発行者　森田浩章
発行所　株式会社講談社
東京都文京区音羽2-12-21 〒112-8001
電話　編集（03）5395-3512
販売（03）5395-5817
業務（03）5395-3615
装　幀　蟹江征治
印　刷　株式会社広済堂ネクスト
製　本　株式会社国宝社
本文データ制作　講談社デジタル製作

ISBN978-4-06-534825-3

「講談社学術文庫」の刊行に当たって

これは、学術をポケットに入れることをモットーとして生まれた文庫である。学術は少年の心を養い、成年の心を満たす。その学術がポケットにはいる形で、万人のものになることは、生涯教育をうたう現代の理想である。

こうした考え方は、学術を巨大な城のように見る世間の常識に反するかもしれない。また、一部の人たちからは、学術の権威をおとすものと非難されるかもしれない。しかし、それはいずれも学術の新しい在り方を解しないものといわざるをえない。

学術は、まず魔術への挑戦から始まった。やがて、いわゆる常識をつぎつぎに改めていった。学術の権威は、幾百年、幾千年にわたる、苦しい戦いの成果である。こうしてきずきあげられた城が、一見して近づきがたいものにうつるのは、そのためである。しかし、学術の権威を、その形の上だけで判断してはならない。その生成のあとをかえりみれば、その根は常に人々の生活の中にあった。学術が大きな力たりうるのはそのためであって、生活をはなれた学術は、どこにもない。

開かれた社会といわれる現代にとって、これはまったく自明である。生活と学術との間に、もし距離があるとすれば、何をおいてもこれを埋めねばならない。もしこの距離が形の上の迷信からきているとすれば、その迷信をうち破らねばならぬ。

学術文庫は、内外の迷信を打破し、学術のために新しい天地をひらく意図をもって生まれた。文庫という小さい形と、学術という壮大な城とが、完全に両立するためには、なおいくらかの時を必要とするであろう。しかし、学術をポケットにした社会が、人間の生活にとってより豊かな社会であることは、たしかである。そうした社会の実現のために、文庫の世界に新しいジャンルを加えることができれば幸いである。

一九七六年六月

野間省一

外国の歴史・地理

1454
オランダ東インド会社
永積《ながづみ》　昭《あきら》著（解説・弘末雅士）

東インド貿易の勝利者、二百年間の栄枯盛衰。香料貿易を制し、胡椒・コーヒー等の商業用作物栽培に進出して成功を収めたオランダ東インド会社は、なぜ滅亡したか？　インドネシア史を背景にその興亡を描く。

1526
大清帝国
増井経夫著（解説・山根幸夫）

最後の中華王朝、栄華と落日の二百七十年。政治・経済・文化等、あらゆる面で中国四千年の伝統が集大成された時代・清。満州族による建国から崩壊までを描き、そこに生きた民衆の姿に近代中国の萌芽を読む。

1579
酒地肉林
中国の贅沢三昧

井波律子著

中国の厖大な富が大奢侈となって降り注ぐ。甍を競う巨大建築、後宮三千の美女から、美食と奇食、大量殺人、麻薬の海、そして精神の蕩尽まで。四千年をいろどる贅沢三昧の中に、もうひとつの中国史を読む。　電P

1595
魏晋南北朝
川勝義雄著（解説・氣賀澤保規）

〈華やかな暗黒時代〉に中国文明は咲き誇る。秦漢帝国の崩壊がもたらした混乱と分裂の四百年。専制君主なき群雄割拠の時代に、王羲之、陶淵明、『文選』等を生み出した中国文明の一貫性と強靱性の秘密に迫る。

1665
古代ギリシアの歴史
ポリスの興隆と衰退

伊藤貞夫著

西欧文明の源流・ポリスの誕生から落日まで。先史文明から諸王国の崩壊を経て民主政を確立した都市国家。ペルシア戦争に勝利し黄金期を迎えたポリスがなぜ衰退したか。栄光と落日の原因を解明する力作。

1674
古代インド
中村　元著

モヘンジョ・ダロの高度な都市計画から華麗なグプタ文化まで。苛酷な風土と東西文化の混淆が古代文明を育んだ。古代インドの生活と思想と、そこに展開された原始仏教の誕生と変遷を、仏教学の泰斗が活写する。

外国の歴史・地理

1780
十二世紀ルネサンス
伊東俊太郎著（解説・三浦伸夫）

中世の真っ只中、閉ざされた一文化圏であったヨーロッパが突如として「離陸」を開始する十二世紀。多くの書がラテン訳され充実する知的基盤。先進的アラビアに接し文明形態を一新していく歴史の動態を探る。 電P

1784
紫禁城の栄光 明・清全史
岡田英弘・神田信夫・松村　潤著

十四～十九世紀、東アジアに君臨した二つの帝国。遊牧帝国と農耕帝国の合体が生んだ巨大な多民族国家・中国。政治改革、広範な交易網、度重なる戦争……。「シナ」が中国へと発展する四百五十年の歴史を活写する。 電P

1803
文明の十字路＝中央アジアの歴史
岩村　忍著

ヨーロッパ、インド、中国、中東の文明圏の間に生きた中央アジアの民。東から絹を西から黄金を運んだシルクロード。世界の屋根に分断されたトルキスタン。草原の民とオアシスの民がくり広げた壮大な歴史とは？ 電P

1866
生き残った帝国ビザンティン
井上浩一著

興亡を繰り返すヨーロッパとアジアの境界、「文明の十字路」にあって、なぜ一千年以上も存続しえたか。皇帝・貴族・知識人は変化にどう対応したか。ローマ皇帝の改宗から帝都陥落まで「奇跡の一千年」を活写。 電P

1869
英語の冒険
M・ブラッグ著／三川基好訳

英語はどこから来てどのように世界一五億人の言語となったのか。一五〇〇年前、一五万人の話者しかいなかった英語の祖先は絶滅の危機を越えイングランドの言葉から「共通語」へと大発展。その波瀾万丈の歴史。

1874
中世ヨーロッパの農村の生活
J・ギース、F・ギース著／青島淑子訳

中世ヨーロッパ全人口の九割以上は農村に生きた。舞台はイングランドの農村。飢饉や黒死病、修道院解散や囲い込みに苦しむ人々は、村という共同体でどう生き抜いたか。文字記録と考古学的発見から描き出す。

外国の歴史・地理

1899

竹内弘行著

十八史略

神話伝説の時代から南宋滅亡までの中国の歴史を一冊に集約。韓信、諸葛孔明、関羽ら多彩な人物が躍動し、権謀術数が飛び交い、織りなされる悲喜劇――。簡潔な記述で面白さ抜群、中国理解のための必読書。

電 P

1959

鹿島　茂著

ナポレオン　フーシェ　タレーラン　情念戦争1789―1815

「熱狂情念」のナポレオン、「陰謀情念」の警察大臣フーシェ、「移り気情念」の外務大臣タレーラン。情念史観の立場から、交錯する三つ巴の心理戦と歴史事実の関連を読み解き、熱狂と混乱の時代を活写する。

電 P

1976

山上正太郎著（解説・池上　彰）

第一次世界大戦　忘れられた戦争

「戦争と革命の世紀」はいかにして幕を開けたか。交錯する列強各国の野望、暴発するナショナリズム、ボリシェヴィズムの脅威とアメリカの台頭……「現代世界の起点」を、指導者たちの動向を軸に鮮やかに描く。

電 P

2009

杉山正明著

クビライの挑戦　モンゴルによる世界史の大転回

チンギス・カンの孫、クビライが構想した世界国家と経済のシステムとは？　「元寇」や「タタルのくびき」など「野蛮な破壊者」というモンゴルのイメージを覆し、西欧中心・中華中心の歴史観を超える新たな世界史像を描く。

電 P

2017

鹿島　茂著

怪帝ナポレオン三世　第二帝政全史

ナポレオン三世は、本当に間抜けなのか？　偉大な皇帝ナポレオンの凡庸な甥が、陰謀とクー・デタで権力を握っただけという紋切り型では、この摩訶不思議な人物の全貌は摑みきれない。謎多き皇帝の圧巻の大評伝！

電 P

2032

A・J・P・テイラー著／吉田輝夫訳

第二次世界大戦の起源

「ヒトラーが起こした戦争」という「定説」に真っ向から挑戦して激しい論争を呼び、研究の流れを変えた名著。「ドイツ問題」をめぐる国際政治交渉の「過ち」とは。大戦勃発に至るまでの緊迫のプロセスを解明する。

2033
山内　進著（解説・松森奈津子）
北の十字軍
「ヨーロッパ」の北方拡大

「ヨーロッパ」の形成と拡大、その理念と矛盾とは何か？　中世、ヨーロッパ北方をめざしたもう一つの十字軍が聖戦の名の下、異教徒根絶を図る残虐行為に現代世界の歴史的理解を探る。サントリー学芸賞受賞作。

2051
エウジェニア・サルツァ＝プリーナ・リコッティ著／武谷なおみ訳
古代ローマの饗宴

カトー、アントニウス……美食の大帝国で人々は何を食べ、飲んでいたのか？　贅を尽くした晩餐から、農夫の質実剛健な食生活まで、二千年前に未曽有の繁栄を謳歌した帝国の食を探る。当時のレシピも併録。

2083
佐藤次高著
イスラームの「英雄」サラディン
十字軍と戦った男

十字軍との覇権争いに終止符を打ち、聖地エルサレムを奪還した「アラブ騎士道の体現者」の実像とは？　ヨーロッパにおいても畏敬の念をもって描かれた英雄の、人間としての姿に迫った日本初の本格的伝記。

2103
阿部謹也著
西洋中世の罪と罰
亡霊の社会史

個人とは？　国家とは？　罪とは？　罰とは？　キリスト教と「贖罪規定書」と告解の浸透……。「真実の告白が、権力による個人形成の核心となる」（M・フーコー）過程を探り、西欧的精神構造の根源を解明する。

2117
若桑みどり著
フィレンツェ

ダ・ヴィンチやミケランジェロ、ボッティチェッリら、天才たちの名と共にルネサンスの栄光に輝く都市。その起源からメディチ家の盛衰、現代まで、市民の手で守り抜かれた「花の都」の歴史と芸術。写真約二七〇点。

2146
J・ギース、F・ギース著／栗原　泉訳
大聖堂・製鉄・水車
中世ヨーロッパのテクノロジー

「暗闇の中世」は、実は技術革新の時代だった！　建築・武器・農具から織機・印刷まで、直観を働かせ、失敗と挑戦を繰り返した職人や聖職者、企業家や芸術家たちが世界を変えた。モノの変遷から描く西洋中世。

外国の歴史・地理

2353
林 佳世子著
興亡の世界史
オスマン帝国500年の平和

中東・バルカンに長い安定を実現した大帝国。その実態は「トルコ人」による「イスラム帝国」だったのか。スルタンの下、多民族・多宗教を包みこんだメカニズムを探り、イスタンブルに花開いた文化に光をあてる。

電P

2354
姜尚中《カンサンジュン》・玄武岩《ヒョンムアン》著
興亡の世界史
大日本・満州帝国の遺産

岸信介と朴正熙。二人は大日本帝国の「生命線」たる満州の地で権力を支える人脈を築き、戦後の日本と韓国の枠組みを作りあげた。その足跡をたどり、蜃気楼のように栄えて消えた満州国の虚実と遺産を問い直す。

電P

2374
カルピニ＋ルブルク著／護 雅夫訳
中央アジア・蒙古旅行記

一三世紀中頃、ヨーロッパから「地獄の住人」の地へとユーラシア乾燥帯を苦難と危険を道連れに歩みゆく修道士たち。モンゴル帝国で彼らは何を見、どんな宗教や風俗に触れたのか。東西交流史の一級史料。

電P

2386
土肥恒之著
興亡の世界史
ロシア・ロマノフ王朝の大地

欧州とアジアの間で、皇帝たちは揺れ続けた。民衆の期待に応えて「よきツァーリ」たらんとしたロマノフ家の群像と、その継承国家・ソ連邦の七十四年間を描く。暗殺と謀略、テロと革命に彩られた権力のドラマ。

電P

2387
栗田伸子・佐藤育子著
興亡の世界史
通商国家カルタゴ

前二千年紀、東地中海沿岸に次々と商業都市を建設したフェニキア人は、北アフリカにカルタゴを建国する。ローマが最も恐れた古代地中海の覇者は、歴史に何を残したか？ 日本人研究者による、初の本格的通史。

電P

2388
小杉 泰著
興亡の世界史
イスラーム帝国のジハード

七世紀のムハンマド以来、イスラーム共同体は後継者たちの大征服でアラビア半島の外に拡大、わずか一世紀で広大な帝国を築く。多民族、多人種、多文化の人々を包摂、宗教も融和する知恵が実現した歴史の奇跡。

電P

外国の歴史・地理

2389
原　聖著
興亡の世界史　ケルトの水脈
ローマ文明やキリスト教に覆われる以前、ヨーロッパ文化の基層をなしたケルト人は、どこへ消えたのか？　巨石遺跡からアーサー王伝説、フリーメーソン、ナチス、現代の「ケルト復興」まで「幻の民」の伝承を追う。

電P

2390
林　俊雄著
興亡の世界史　スキタイと匈奴　遊牧の文明
前七世紀前半、カフカス・黒海北方に現れたスキタイ。前三世紀末、モンゴル高原に興った匈奴。ユーラシアの東西で草原に国家を築き、独自の文明を創出した騎馬遊牧民は、定住農耕社会にとって常に脅威だった！

電P

2395
氣《け》賀《が》澤《さわ》保規《やすのり》著（解説・上野　誠）
則天武后
猛女、烈女、女傑、姦婦、悪女……。その女性は何者か？　大唐帝国繁栄の礎を築いた、中国史上唯一の女帝、その冷徹にして情熱的な生涯と激動の時代を、学術的知見に基づいて平明かつ鮮やかに描き出す快著。

電P

2415
下《しも》斗《と》米《まい》伸夫《のぶお》著
ソビエト連邦史　1917―1991
共産党が所有する国家＝ソビエト連邦の誕生と崩壊は二十世紀最大の政治事件であった。革命、権力闘争、陰謀、粛清、虐殺。新出の史資料を読み解き、社会主義国家建設という未曽有の実験の栄光と悲惨を描く。

電P

2426
松本宣郎著
ガリラヤからローマへ　地中海世界をかえたキリスト教徒
帝国の辺境からあらわれた奇妙な集団。それがキリスト教徒だった。いかがわしく忌まわしい存在とされた彼らは迫害を乗り越え、どのようにして社会をかえていったのか。世界宗教へと飛躍する、一歩手前の物語。

電P

2428
フランシス・ギース著／椎野　淳訳
中世ヨーロッパの騎士
十字軍、吟遊詩人、アーサー王物語、そしてドン・キホーテ……。豪壮な城での華麗な騎馬試合、孤独な諸国遍歴。王の信頼を争いつつも強い連帯意識で結ばれていた馬上の戦士たち。その栄光の時代と黄昏を描く。

西洋の古典

2456
宗教改革三大文書 付「九五箇条の提題」
マルティン・ルター著／深井智朗訳

記念碑的な文書「九五箇条の提題」とともに、一五二〇年に公刊され、宗教改革を決定づけた『キリスト教界の改善について』、『教会のバビロン捕囚について』、『キリスト者の自由について』を新訳で収録した決定版。 電P

2457
言語起源論
ヨハン・ゴットフリート・ヘルダー著／宮谷尚実訳

神が創り給うたのか？　それとも、人間が発明したのか？——古代より数多の人々を悩ませてきた難問に果敢に挑み、大胆な論を提示して後世に決定的な影響を与えた名著。初の自筆草稿に基づいた決定版新訳！ 電P

2458
書簡詩
ホラーティウス著／高橋宏幸訳

古代ローマを代表する詩人ホラーティウスの主著。オウィディウス、ペトラルカ、ヴォルテールに連なる韻文による書簡の伝統は、ここに始まった。名高い『詩論』を含む古典を清新な日本語で再現した待望の新訳。 電P

2459
リュシス　恋がたき
プラトン著／田中伸司・三嶋輝夫訳

美少年リュシスとその友人を相手にプラトンが「友愛」とは何かを論じる『リュシス』。そして、「知を愛すること」としての「哲学」という主題を扱った『恋がたき』。「愛すること」で貫かれた名対話篇、待望の新訳。 電P

2460
メタサイコロジー論
ジークムント・フロイト著／十川幸司訳

「抑圧」、「無意識」、「夢」など、精神分析の基本概念を刷新するべく企図された幻の書『メタサイコロジー序説』に収録されるはずだった論文のうち、現存する六篇すべてを集成する。第一級の分析家、渾身の新訳！ 電P

2461
国家の神話
エルンスト・カッシーラー著／宮田光雄訳

稀代の碩学カッシーラーが最晩年になってついに手がけた畢生の記念碑的大作。独自の「シンボル（象徴）」理論に基づき、古代ギリシアから中世を経て現代に及ぶ壮大なスケールで描き出される怒濤の思想的ドラマ！ 電P

自然科学

2580
西洋占星術史 科学と魔術のあいだ
中山 茂著（解説・鏡リュウジ）
「星占い」の起源には紀元前一〇世紀頃、現在のバグダッド南方に位置するバビロニアで生まれた技法がある。紆余曲折を経ながら占星術がたどってきた長大な道のりを描く、コンパクトにして壮大な歴史絵巻。
電P

2586
脳とクオリア なぜ脳に心が生まれるのか
茂木健一郎著
ニューロン発火がなぜ「心」になるのか？「私が私であることの不思議」、意識の謎に正面から挑んだ、茂木健一郎の核心！ 人工知能の開発が進み人工意識が現実的に議論される時代にこそ面白い一冊！
電P

2600
形を読む 生物の形態をめぐって
養老孟司著
生物の「形」が含む「意味」とは何か？ 解剖学、生理学、哲学、美術……古今の人間の知見を豊富に使って繰り広げられる、スリリングな形態学総論！ 形を読むことは、人間の思考パターンを読むことである。
電P

2605
暦と占い 秘められた数学的思考
永田 久著
古代ローマ、中国の八卦から現代のグレゴリオ暦まで古今東西の暦を読み解き、数の論理で暦と占いのつながりを明らかにする。伝承、神話、宗教に迷信や権力欲も取り込んだ知恵の結晶を概説する、蘊蓄満載の科学書。
電P

2611
ガリレオの求職活動 ニュートンの家計簿 科学者たちの生活と仕事
佐藤満彦著
「お金がない、でも研究したい！」〝科学者〟という職業が成立する以前、研究者はいかに生計を立てたのか。パトロン探しに権利争い、師弟の確執――天才たちの波瀾万丈な生涯から辿る、異色の科学史！
P

2646
物理学の原理と法則 科学の基礎から「自然の論理」へ
池内 了著
世界の真理は、単純明快。テコの原理から$E=mc^2$、量子力学まで、中学校理科の知識で楽しく読めて、エッセンスが理解できる名手の見事な解説。エピソード満載でおくる「文系のための物理学入門」の決定版！
電P